살아생전
물려주자

살아생전 물려주자

2021년 8월 5일 초판 인쇄
2021년 8월 10일 초판 발행

지 은 이 | 전성구
발 행 인 | 이희태
발 행 처 | 삼일인포마인
등록번호 | 1995. 6. 26. 제3-633호
주 소 | 서울특별시 용산구 한강대로 273 용산빌딩 4층
전 화 | 02)3489-3100
팩 스 | 02)3489-3141
가 격 | 20,000원

ISBN 979-11-6784-004-2 03320

· 중소기업 대표님을 위한 가업승계와 세금 ·

살아생전 물려주자

전성구 지음

SAMIL | 삼일인포마인

어렵게 키워온 가업을 자녀에게 물려주고 싶은데 가장 큰 고민이 세금이라고 한다. 최근 중소기업중앙회 조사에 따르면 중소기업 대표님들의 약 94.5%가 막대한 조세부담 우려 때문에 가업승계가 어렵다고 답변한 것으로 파악[1] 되었다. 이 책은 중소기업 대표님이 가업승계를 할 때 세금부담이 크다는 막연한 걱정을 줄이고 최선의 가업승계 시기와 방법을 선택하는데 도움을 주고자 하는 궁리 끝에 집필하게 되었다. 가업승계는 미리미리 준비해서 가급적 신속히 진행하는 것이 유리하다. 정상적으로 운영 중인 회사라면 주식가치는 시간이 지나면서 높아지는 것이 일반적이다. 비상장회사의 주식가치는 세법에 따라 기계적으로 평가하는데 회사의 실제 가치를 반영하지 못하고 어마어마하게 높게 평가되기도 한다. 대표님이 사업하느라 정신없이 몇 십년을 보내고 나서 자녀에게 사업을 물려주려고 할 때는 회사 주식가치가 삼성전자보다 높아져 있는 경우도 있다. 회사의 가치가 절정에 있을 때 승계를 하려면 세금부담이 클 수밖에 없다. 가업승계에 대한 고민과 생각이 빠르면 빠를수록 승계방법과 승계시점에 대한 선택지가 많다. 대표님 사후에 승계하는 것은 사실상 마지막 방법이다. 대표님들이 세금에 대해 세밀하게 알기는 어렵다. 그렇지만, 대략의 윤곽은 알고 있어야 가업승계에 효과적으로 대비할 수 있다. 그래서 중소법인이나 개인사업을 운영하는 대표님들이 자녀에게 가업을 승계할 때 알아두면 유용한 세금의 전반에 대해 쉽게 설명 하려고 노력하였다. 현행 제도상으로는 가업승계 과정에서 발생하는 세금 부담을 줄일 수 있도록 「상속세 및 증여세법」에 가업상속공제를 규정하고 있다.

1) 2020년 중소기업가업승계실태조사보고서, 중소기업중앙회

가업상속공제 제도는 가업승계 시 발생하는 상속세 부담을 크게 감소시켜 주는 가장 유용한 제도이다. 그러나 여러 가지 지켜야 할 복잡한 요건 때문에 적용하기 쉽지 않은 것이 현실이다. 그리고 중요한 것은 이 제도는 대표님이 사망해야만 적용 가능한 가업승계의 마지막 선택방법이다. 가업승계는 할 수만 있다면 대표님 생전에 빠른 시기에 하는 것이 최선이다. 일반적으로 가업승계와 관련된 세금 안내서는 가업상속공제를 위주로 설명하고 있다. 이 책에서는 중소기업 대표님들이 평소에도 가업승계에 관심을 갖고 준비하면서 사망 이후뿐만 아니라 생전에 가장 적정한 승계시기와 방법을 선택할 수 있도록 가업승계와 관련된 대부분의 세금문제를 다루었다. 먼저, 중소법인을 운영하는 대표님의 가업승계에 대해서 설명하였다. 첫째, 생전에 주식을 양도하는 방법으로 승계할 때 발생하는 세금문제이다. 주식은 어느 정도의 가치로 평가해서 양도해야 문제가 없는지, 승계하는 자녀가 주식을 인수할 때 자금출처는 어떻게 입증하고 과세관청에서 세무조사 등 검증은 어떻게 하는가 등에 대해 설명하였다. 둘째, 생전에 주식을 증여하는 방법으로 승계할 때 발생하는 세금문제이다. 양도의 경우와 마찬가지로 주식의 가치평가, 증여할 때 납부해야 하는 증여세의 자금출처와 납부방법, 적절한 증여시점을 다루었고 아울러 가업승계에 대한 증여세 과세특례에 대해서도 설명하였다. 셋째, 사후에 주식을 상속하는 방법으로 승계할 때 발생하는 세금문제이다. 전반적인 상속세 계산흐름과 함께 가장 중요한 가업상속공제 적용 요건에 대해 자세히 설명하였다. 다음으로 법인사업자가 아닌 개인사업을 운영하는 대표님이 가업을 승계할 때 발생하는 세금문제를 다루었다.

이 책은 중소기업 대표님들이 가업승계 과정에서
어떤 세금이 발생하게 되는지를 가능한 쉽게 이해할 수 있도록
하여 가업승계에 대해 관심을 갖고 가장 최선의 시기를
선택하여 실행할 수 있도록 하기 위해 쓴 것이다.

그렇지만 세금이라는 분야가 워낙 전문적이어서 풀어쓰기 어려운 부분이 많고, 평생을 사업에만 전념한 대표님들에게 세금공부를 하라고 하기에도 부담이 있다. 그래서 각 단락의 앞부분에 전체적인 내용을 설명하였으니 그 부분만이라도 읽어보길 권한다. 가업승계와 관련한 세금에 대한 윤곽은 이해할 수 있으리라 생각된다. 세금에 대해 잘 알고 있는 전문가에게는 많이 미숙하고 부족할 것으로 생각되지만, 가업승계 시 고려해야 할 전반적인 세금에 대해 개략적으로 정리할 수 있는 도움이 되었으면 하는 바람이다. 각 단락별로 뒷부분에는 중요한 세법해석 및 판례 등을 수록하여 이해를 돕고자 하였다. 이 책을 통해 대표님들이 생전에 가업승계에 미리미리 관심을 갖고 준비하는 계기가 되어 어렵게 키워온 사업이 백년기업으로 자리매김하길 기대한다.

책을 쓰려고 결심한 것은 약 4년 전 강원도에서 세무서장으로 근무할 때이다. 지역신문에 기고를 하면서 짧은 글도 써보았고 국세청에서 35년여 근무하는 동안 주로 상속, 증여, 양도, 주식변동 및 법인세 분야 일을 해본 경험이 있어 나름 책을 쓸 밑천은 있다고 생각하였다. 그러나 막상 쓰려고 하니 장문의 책을 쓸 수 있을까 걱정도 되고, 대강의 줄기를 잡기가 쉽지 않았다.

3년을 머뭇거리다가 일단 목차를 정하고 무작정 쓰기 시작했는데, 쓰면서 자꾸 추가해야 할 것이 생각났다.

처음의 자신감과는 다르게 모르는 것이 너무 많아 책 쓸 자격이 되는가도 싶어 덮을까 고민도 많았다. 세무행정의 최일선에서 바쁜 가운데 짬을 내어 책을 쓰다 보니 여러 가지 보완해야 할 부분도 있을 것이다. 독자 여러분의 많은 지도편달을 바란다.

인천지방국세청 조사국에 같이 근무하던 공용성, 박정준 팀장이 많은 질문에 정성껏 답변을 해주었다. 남인천세무서 정현준 팀장이 감수를 도와주었다. 이 자리를 빌어 고맙다는 말을 전한다. 아내 승임은 남편이 하는 일에는 무조건 헌신적이다. 남편의 책 쓰기를 주제삼아 몇 년간 기도해왔다. 어느새 성인이 되어 사회에서 자기 몫을 하고 있는 아들 용성이와 딸 리혜도 많이 응원해 주었다. 가족 모두 고맙고 사랑한다는 말을 전한다. 초보 저자의 가능성만 보고 출간에 응해 주신 삼일인포마인 이희태 대표이사님과 어수선하게 써놓은 글을 멋지게 편집해 준 편집위원 여러분께 진심으로 감사드린다.

PART 1 정당한 대가를 받고 양도하자

3장 주식 대금은 얼마를 받아야 하나 · 34

목 차

PART 2 미리미리 증여하자

목 차

PART 3 마지막은 상속이다

가업상속공제 제도 · 194

목 차

목 차

Part 1

정당한 대가를 받고 양도하자

가업을 승계하는 첫 번째 방법은 대표님이 정당한 대가를 받고 주식을 자녀에게 양도하는 것이다. 자녀에게 증여하거나 상속을 하지 않고 돈을 받고 주식을 양도하는 방법으로 가업을 승계한다는 것이 우리의 보편적인 정서상 낯설기는 하다. 그런데 양도소득세는 10%에서 30%를 세금으로 내는 반면, 주식을 증여하거나 상속할 때는 10%에서 50%의 세금을 낸다. 즉, 주식을 증여하거나 상속하는 것보다는 양도할 때에 세금이 적게 산출되는 것이 일반적이므로, 세금 측면에서 본다면 유리하다고 할 수 있다. 다만, 유의해야 할 것은 세법에서는 자녀에게 주식 등 재산을 양도하게 되면 양도한 것으로 보지 않고 일단 증여한 것으로 추정한다. 이 경우 자녀가 실제로 대가를 지급하고 취득한 것이 입증되어야만 증여세가 과세되지 않는다. 따라서, 주식을 양도하는 방법으로 가업을 승계하려고 할 때는 자녀가 주식취득 자금을 마련할 여건이 되는지도 충분히 검토해야 한다. 또한, 시세와 다르게 낮거나 높은 가격으로 주식을 거래하는 경우에는 부당하게 세금을 내지 않으려는 것으로 보아 양도소득세나 증여세가 추가 과세될 수 있다는 점도 유념하여 거래가액을 신중하게 결정해야 한다. 주식을 양도하면 양도소득세만 내는 것이 아니라 양도소득세의 약 10%에 해당하는 지방소득세와 함께 양도가액의 0.43%[1]에 해당하는 증권거래세도 내야 한다. 그렇다면 언제 자녀에게 주식을 양도하는 것이 좋을까? 주식의 양도시점을 세금 측면에서만 생각해본다면 후술하는 증여세 편에서 설명하는 바와 같이 주식의 가치가 가장 낮은 때가 양도소득세를 최소화할 수 있는 시점일 것이다.

1) 비상장주식의 증권거래세율이다: '20년까지 0.45%, '21~'22년 0.43%, '23년 0.35%

주식을 팔면 무조건 양도소득세를 내는가

대표님이 자녀에게 주식을 양도하면서 양도차액이 있는 경우에는 양도소득세를 내야 한다. 일반적으로 비상장주식을 양도하면 거의 대부분 양도소득세가 과세되고, 상장법인주식의 경우에는 대주주가 양도하는 주식에 한해서 양도소득세가 과세된다. 따라서 대표님 회사가 비상장법인이면 당연히 양도소득세를 내야 하고, 상장법인이더라도 대표님이 대주주에 해당될 가능성이 매우 높기 때문에 마찬가지로 양도소득세를 내야 한다고 생각하면 된다.

1절 비상장법인과 상장법인 주식이 다르다

01 비상장법인의 주식

(1) 원칙적으로 모두 과세된다

부동산을 양도할 때와 마찬가지로 비상장주식을 양도하는 경우에도 양도하면서 받은 대가가 취득할 때 지급한 금액보다 많아 차액이 있으면 원칙적으로 모두 양도소득세를 내야 한다. 비상장주식은 코스피시장이나 코스닥시장 또는 코넥스시장(KONEX)[2]에 상장되지 않은 주식을 말한다. 다만, 비상장주식도 아래와 같이 세금을 내지 않는 예외적인 경우가 있으나 가업승계를 준비하는 대표님이 대주주에 해당되지 않을 가능성은 거의 없을 것이므로 양도소득세가 과세된다고 보면 된다.

2) 기술력은 있으나 짧은 경력 등으로 자금조달에 어려움을 겪는 초기 중소기업과 벤처기업이 자금을 원활하게 조달하기 위해 설립된 자본시장으로 2013년 7월에 개장(Korea New Exchange)

(2) 과세되지 않는 예외적인 경우가 있다

비상장주식이라고 하더라도 대주주 아닌 자가 협회장외시장(K-OTC)[3]을 통해 양도하는 중소·중견법인 주식은 양도차익이 있더라도 양도소득세를 내지 않는다. 이때 대주주는 아래의 소유주식비율요건과 시가총액요건 두 가지 중 하나에 맞으면 해당된다.

가. 소유주식비율 요건: 직전 사업연도 종료일 현재 주주 1인 및 기타주주의 소유주식비율이 4% 이상인 경우, 소유주식비율이 직전 사업연도 종료일 현재에는 4%에 미달하더라도 그 후에 주식을 취득함으로써 4% 이상이 되는 경우에는 취득일 이후의 주주 1인 및 기타주주를 포함하여 계산한다. 기타주주는 주주 1인 등[4]이 최대주주인 경우 혈족, 인척 등 친족관계자와 경영지배관계자이며, 주주 1인 등이 최대주주가 아닌 경우에는 직계존속, 배우자, 경영지배관계자를 말한다.

나. 시가총액 요건: 직전 사업연도 종료일 현재 주주 1인 및 기타주주가 소유하고 있는 주식의 시가총액이 10억 원 이상인 경우, 이때 시가총액은 기준시가로 평가한 가액으로 계산하며 소유주식비율 요건과는 달리 항상 직전 사업연도 말 보유기준으로 판단한다.

※ 10억 원 기준은 21.4.1.부터 3억 원으로 하향조정될 예정이었으나 2022년까지 유지하는 것으로 개정(2023년부터는 주식양도소득이 금융투자소득에 포함되어 과세되는 것으로 세법 개정[5])

02 상장법인의 주식

(1) 원칙적으로 대주주만 과세된다

비상장법인의 주식과는 달리 코스피시장 등에 상장된 법인 주식을 양도할 때는 원칙적으로 대주주 등 일부의 경우만 양도소득세를 낸다. 따라서 대주주 요건이 중요한데 코스피시장, 코스닥시장, 코넥스시장 주식별로 각각 다르게

3) 한국금융투자협회가 운영하는 비상장법인의 주식 거래시장(Korea Over The Counter)
4) 주주 1인 및 그와 「법인세법 시행령」 제43조 제8항 제1호에 따른 특수관계있는 자를 말한다.
5) 이하 상장법인의 대주주도 동일하다.

규정되어 있고, 소유주식비율 또는 시가총액 요건 중 어느 하나에 해당되는 경우 대주주로 본다.

가. 코스피시장에 상장된 법인의 주주

① 소유주식비율 요건: 직전 사업연도 종료일 현재 주주 1인 및 기타주주의 소유주식비율이 1% 이상인 경우, 소유주식비율이 직전 사업연도 종료일 현재에는 1%에 미달하더라도 그 후에 주식을 취득함으로써 1% 이상이 되는 경우에는 취득일 이후의 주주 1인 및 기타주주를 포함한다.

② 시가총액 요건: 직전 사업연도 종료일 현재 주주 1인 및 기타주주가 소유하고 있는 주식의 시가총액이 10억 원 이상[6]인 경우, 이때 시가총액은 직전 사업연도 종료일 현재의 최종시세가액으로 하되 직전 사업연도 종료일 현재 최종시세가액이 없는 경우에는 직전 거래일의 최종시세가액으로 계산한다.

나. 코스닥시장에 상장된 법인의 주주

① 소유주식비율 요건: 직전 사업연도 종료일 현재 주주 1인 및 기타주주의 소유주식비율이 2% 이상인 경우, 소유주식비율이 직전 사업연도 종료일 현재에는 2%에 미달하더라도 그 후에 주식을 취득함으로써 2% 이상이 되는 경우에는 취득일 이후의 주주 1인 및 기타주주를 포함한다.

② 시가총액 요건: 직전 사업연도 종료일 현재 주주 1인 및 기타주주가 소유하고 있는 주식의 시가총액이 10억 원 이상[7]인 경우, 이때 시가총액은 직전 사업연도 종료일 현재의 최종시세가액으로 하되 직전 사업연도 종료일 현재 최종시세가액이 없는 경우에는 직전 거래일의 최종시세가액으로 계산한다.

다. 코넥스시장에 상장된 법인의 주주

① 소유주식비율 요건: 직전 사업연도 종료일 현재 주주 1인 및 기타주주의 소유주식비율이 4% 이상인 경우, 소유주식비율이 직전 사업연도 종료일

6) 2022.12.31.까지 양도할 때 적용되는 금액이며, 2018.3.까지는 25억 원, 2020.3.까지는 15억 원이다. 2023년부터는 금융투자소득으로 과세된다.

7) 코스피시장 시가총액기준과 동일하다.

현재에는 4%에 미달하더라도 그 후에 주식을 취득함으로써 4% 이상이 되는 경우에는 취득일 이후의 주주 1인 및 기타주주를 포함한다.

② 시가총액 요건: 직전 사업연도 종료일 현재 주주 1인 및 기타주주가 소유하고 있는 주식의 시가총액이 10억 원 이상인 경우, 이때 시가총액은 직전 사업연도 종료일 현재의 최종시세가액으로 하되 직전 사업연도 종료일 현재 최종시세가액이 없는 경우에는 직전 거래일의 최종시세가액으로 계산한다.

(2) 대주주가 아니더라도 과세되는 경우

코스피시장 등에 상장된 법인 주식은 증권시장에서 거래하는 것이 일반적이지만, 반드시 장내에서만 거래가 가능한 것은 아니며 장외에서 거래되기도 한다. 이처럼 장내거래가 아닌 장외에서 양도하는 주식에 대해서는 대주주가 아니더라도 양도소득세가 과세된다. 다만, 이 경우에도 상법규정에 따른 주식의 포괄적 교환이나 이전 및 이에 따른 주식매수청구권행사로 양도하는 주식은 과세되지 않는다.

세법해석 사례 및 판례 등

- 당해 연도 중에 대주주가 되었다면 그 이후 당해 사업연도 종료일까지 거래하는 모든 주식에 대하여도 대주주로서 거래한 것으로 봄이 타당하므로 주식을 3% 이상 소유하여 대주주에 해당된다고 보고 양도소득세를 부과한 처분은 적법함(대법원 2013두24846, 2014.2.27.).
- 대주주 요건 판단 시 주식 등에는 우선주도 포함될 뿐만 아니라 보통주와 우선주를 합산하여 100억 원을 초과하는지 여부를 판단해야 함(대법원 2017두63412, 2018.1.31.).
- 「자본시장과 금융투자업에 관한 법률」 제393조에 따른 「코스닥시장 업무규정」 제4조에서 정하는 시간외매매 방식에 의하여 거래를 하는 것은 증권시장에서의 거래에 해당하는 것으로 양도소득세 해당됨(부동산거래관리과-660, 2012.12.6.).

2절 무조건 양도소득세를 내야 하는 주식

보유한 자산 중 부동산 등이 일정비율 이상인 법인의 주식을 양도할 경우 사실상 부동산을 양도한 것과 동일한 효과가 있다. 따라서 주식을 양도한 것으로 보지 않고 부동산을 양도한 것으로 간주하여 과세하는데 부동산 소유비율과 영위하는 업종 등을 감안하여 특정주식과 부동산과다보유 법인 주식으로 과세대상을 구분한다.

01 부동산 비율이 50% 이상인 특정주식

법인의 자산에서 부동산이 차지하는 비율이 50% 이상인 법인의 주식을 해당 법인의 과점주주가 과점주주 외의 자에게 50% 이상 양도하는 경우 이를 특정주식이라 한다. 이 특정주식을 양도하는 경우 상장여부 등에 관계없이 양도소득세가 과세된다. 형식은 주식이지만 실질내용은 부동산을 양도하는 것이므로 부동산을 양도할 때에 적용하는 누진세율을 적용한다.

(1) 특정주식으로 보는 요건

가. 부동산 등의 소유비율이 50% 이상인 법인의 주식

부동산 등 소유비율은 해당 법인이 토지 및 건물 등 부동산 자산으로 직접 보유하고 있는 것뿐만 아니라 부동산을 소유하고 있는 다른 법인의 주식을 해당 법인이 소유함으로써 간접적으로 소유하게 되는 자회사 및 손자회사의 부동산 등 가액까지 합하여 계산한다. 즉, 아래 '①'과 '②'의 합계액이 해당 법인 자산총액 중 50% 이상인 경우가 이에 해당한다.

① 해당 법인이 소유한 토지, 건물, 부동산에 관한 권리의 가액(부동산 등)

② 해당 법인이 직접 또는 간접으로 보유한 다른 법인의 주식가액에 그 다른 법인의 부동산 등 보유비율을 곱하여 아래와 같이 산출한 가액

$$\text{해당 법인이 보유한 다른 법인 주식가액} \times \frac{\text{다른 법인의 부동산 등 가액} + (\text{다른 법인이 보유한 경영지배관계법인 주식가액} \times \text{경영지배관계 법인의 부동산 등 보유비율})}{\text{다른 법인의 자산총액}}$$

ㄱ. 직접 또는 간접 보유: 다른 법인(자법인) 및 그 다른 법인이 주식을 소유한 또 다른 법인(손자법인, 경영지배관계[8] 있는 법인)을 말한다.

ㄴ. 다른 법인의 요건: 해당 법인이 주식을 소유했다고 하여 모두 다른 법인으로 보는 것은 아니며 그 다른 법인도 토지, 건물, 부동산에 관한 권리 가액의 보유비율이 50% 이상인 법인 등만 해당된다.

ㄷ. 자산총액 산정: 자산총액은 해당 법인의 장부가액으로 하되, 토지 및 건물의 경우 해당 자산의 기준시가가 장부가액보다 큰 경우에는 기준시가로 한다.

나. 주식 소유비율이 50%를 초과하는 과점주주가 양도하는 주식

법인의 주주 1인 및 기타주주가 소유하고 있는 주식의 합계액이 해당 법인의 주식 합계액의 50%를 초과하는 경우 그 주주 1인 및 기타주주를 과점주주라 한다.

다. 과점주주 외의 자에게 주식 50% 이상을 양도해야 한다

① 일반적인 경우: 과점주주가 과점주주 아닌 자에게 해당 법인 주식의 50% 이상을 양도해야 한다.

② 수회에 나누어 양도한 경우: 과점주주 중 1인이 주식을 양도하는 날로부터 소급하여 3년 내에 과점주주가 양도한 주식을 합산하여 50% 이상 양도하는 경우도 해당된다.

③ 과점주주가 다른 과점주주에게 양도한 경우: 위 '②'와 같이 3년 내의 기간 중에 과점주주 아닌 자에게 50% 이상 양도한 경우 그 기간 내에 과점주주가 다른 과점주주에게 양도한 것도 특정주식으로 본다.

---

8) 「국세기본법 시행령」 제1조의2 제3항 제2호 및 같은 조 제4항 규정, 간접보유 규정은 20.7.1. 이후 양도분부터 적용

(2) 주식소유비율 및 부동산 등 비율 판단기준

주식을 수회에 나누어 양도함에 따라 3년 내에 양도한 주식을 합산하는 경우에는 그 기간 중 최초로 양도하는 날 현재의 해당 법인의 주식합계액 및 자산총액을 기준으로 주식소유비율 50% 초과 여부 등을 판단한다.

(3) 여러 차례 양도할 경우 특정주식의 양도시기

과점주주가 주식 50% 이상을 과점주주 외의 자에게 한 번에 양도하지 않고 시기를 달리하여 여러 차례 양도하는 경우에는 양도할 때마다 매번 그 시점별로 3년 내 소급하여 양도한 주식합계액이 50% 이상이 되는지를 확인하여 그 50% 이상 양도한 시점을 양도시기로 적용한다.

02 부동산 비율이 80% 이상인 골프장 등 법인 주식

아래 두 가지 기준에 모두 해당되면 특정주식과 마찬가지로 상장여부 등에 관계없이 양도소득세가 과세된다. 이를 부동산과다보유법인주식이라 하는데, 특정주식과는 다르게 과점주주 여부에 관계없이 1주를 양도하더라도 양도소득세가 과세된다.

(1) 영위하는 업종 기준

다음 하나에 해당하는 시설을 건설 또는 취득하여 직접 경영하거나 분양 또는 임대하는 사업을 말한다.

① 「체육시설의 설치 · 이용에 관한 법률」에 의한 골프장업, 스키장업 등 체육시설업

② 「관광진흥법」에 의한 관광사업 중 휴양시설관련업

③ 부동산업, 부동산개발업 등을 영위하는 법인으로 골프장, 스키장, 휴양 콘도미니엄, 전문휴양시설을 건설 또는 취득하여 직접 경영하거나 분양 또는 임대하는 사업

(2) 부동산 등 보유비율 기준

자산총액 중 토지 및 건물과 부동산에 관한 권리가액이 80% 이상이어야 하며, 부동산 등 보유비율 계산방법은 특정주식과 같다. 이때 자산총액은 양도일 현재를 기준으로 하되 양도일 현재 자산총액을 알 수 없는 경우에는 직전 사업연도 종료일 현재를 기준으로 한다.

2장 주식을 양도하면 세금은 얼마나 낼까

양도소득세 과세대상인 주식을 양도하게 되면 토지나 건물을 양도할 때와 마찬가지로 살 때 가격과 팔 때 가격의 차액에 대해 양도소득세를 내야 한다. 양도차액을 계산할 때는 주식매매 시 납부하게 되는 증권거래세나 비상장 주식가액을 평가하기 위해 지출한 비용 등도 필요경비로 공제된다. 이렇게 계산된 양도차액에서 기본공제를 차감한 과세표준에 세율을 곱하여 세금을 산출한다. 주식을 양도할 때와 부동산을 양도할 때 모두 양도소득세를 내지만, 가장 큰 차이는 적용하는 세율이다. 세율은 대주주 또는 중소기업 여부에 따라 차이가 있고, 대주주에게는 좀 더 높은 세율이 적용된다. 세율은 상장 주식이나 비상장주식 모두 동일하게 적용된다.

1절 대주주가 내는 세금

상장법인 주식인지 비상장법인 주식인지를 구분하지 않고 대주주에 대해서는 과세표준에 20%, 25%, 30%의 세율을 적용하여 세금을 낸다. 다만, 중소기업에 대해서는 30% 최고세율은 적용되지 않는다.

01 대주주에게 적용되는 세율

(1) 일반적인 경우

과세표준이 3억 원 이하 또는 3억 원 초과인지 여부로 구분하여 세율을 적용한다.

과세표준	세율
3억 원 이하	20%
3억 원 초과	(3억 원 초과액 × 25%) + 6천만 원

(2) 중소기업 외의 주식으로 1년 미만 보유한 주식

중소기업이 아닌 법인의 주식으로서 1년 미만 보유하다가 양도한 주식은 양도소득의 크고 적음에 관계없이 과세표준에 30% 세율을 동일하게 적용한다.

02 대주주의 범위

(1) 비상장법인의 경우

아래 두 가지 요건 중 하나에 해당되는 경우 대주주로 본다. 양도소득세 과세대상인지 여부를 판단할 때의 대주주 요건 기준과는 일부 차이가 있다.

가. 소유주식비율 요건: 직전 사업연도 종료일 현재 주주 1인 및 기타주주의 소유주식비율이 4% 이상인 경우, 소유주식비율이 직전 사업연도 종료일 현재에는 4%에 미달하더라도 그 후에 주식을 취득함으로써 4% 이상이 되는 경우에는 취득일 이후의 주주 1인 및 기타주주를 포함한다.

나. 시가총액 요건: 직전 사업연도 종료일 현재 주주 1인 및 기타주주가 소유하고 있는 주식의 시가총액이 10억 원 이상[9]인 경우, 이때 시가총액은 기준시가로 평가한 가액으로 계산하며 소유주식비율 요건과는 달리 항상 직전 사업연도 말 보유기준으로 판단한다. 다만, 협회장외시장(K-OTC)에서 거래되는 벤처기업[10]의 주식 등의 경우에는 시가총액이 40억 원 이상인 경우로 한다.

9) 2022.12.31.까지 양도 시 10억 원이다. 2023년부터는 금융투자소득으로 과세된다.
10) 「벤처기업육성에 관한 특별조치법」 제2조 제1항에 따른 벤처기업을 말한다.

(2) 상장법인의 경우

양도소득세 과세대상인 상장법인의 대주주를 판단할 때 기준과 동일하다.

2절 대주주가 아닌 자가 내는 세금

대주주가 아닌 경우에는 해당 법인의 주식이 중소기업 주식인지 여부로 구분하여 과세표준에 10% 또는 20% 두 가지의 세율을 적용하여 세금을 낸다.

01 대주주가 아닌 자에게 적용되는 세율

(1) 중소기업 주식의 경우

중소기업 주식을 양도할 경우에는 양도소득세 과세표준에 10% 세율을 적용한다.

(2) 중소기업 외 주식의 경우

중소기업 외의 주식을 양도할 경우에는 양도소득세 과세표준에 20% 세율을 적용한다.

02 중소기업의 범위

(1) 중소기업의 요건

「중소기업기본법」 제2조에 규정하고 있는 중소기업을 말하며 「조세특례제한법 시행령」 제2조에 규정하고 있는 중소기업 기준과 대부분 동일하나 조세특례제한법에서는 호텔, 여관, 주점업 등 소비성서비스업을 제외하고 있는 것과 다소 차이가 있다. 자세한 내용은 "PART 1 3장 5절 최대주주가 보유한 주식의 할증 평가"의 중소기업판정기준을 참조 바란다.

(2) 중소기업의 판단 기준일

중소기업인지 여부는 주식을 양도하는 날이 아니고 바로 직전 사업연도 종료일 현재를 기준으로 판단하되, 신설법인인 경우 주식 양도일을 기준으로 판단한다.

3절 특정주식 등을 양도할 때 내는 세금

특정주식 및 부동산과다보유법인 주식은 해당 법인이 보유한 자산총액 중에서 부동산이 차지하는 비율이 크기 때문에 부동산을 양도하는 것과 동일한 세율을 적용하여 세금을 낸다. 따라서 원칙적으로는 과세표준의 크기에 따라 차등을 두고 있는 누진세율을 적용하고, 만약 부동산 중에서 비사업용토지가 많은 경우에는 비사업용토지를 양도할 때 적용하는 고율의 세율을 적용하여 세금을 계산한다.

(1) 일반적인 경우

일반 부동산을 양도할 때와 마찬가지로 아래 누진세율을 적용한다. 이 세율은 종합소득세를 계산할 때 적용하는 세율과 동일하다.

〈양도소득세, 종합소득세 세율〉

과세표준	세율	누진공제
1,200만 원 이하	6%	-
1,200만 원 초과 4,600만 원 이하	15%	108만 원
4,600만 원 초과 8,800만 원 이하	24%	522만 원
8,800만 원 초과 1억 5천만 원 이하	35%	1,490만 원
1억 5천만 원 초과 3억 원 이하	38%	1,940만 원
3억 원 초과 5억 원 이하	40%	2,540만 원
5억 원 초과 10억 원 이하	42%	3,540만 원
10억 원 초과	45%	6,540만 원

(2) 비사업용토지 과다 법인 주식의 경우

해당 법인의 자산총액 중에서 비사업용토지의 가액이 차지하는 비율이 50% 이상인 법인의 주식에 대해서는 위의 일반 누진세율에 10%p가 더하여진 고율의 세율을 적용한다. 일반적으로 비사업용토지는 논밭 및 과수원, 임야, 목장용지 등으로서 해당 토지와 관련된 사업을 주업으로 하지 않는 법인이 일정기간 소유하는 토지[11]를 말한다.

4절 주식을 양도할 때 세금신고 방법

01 양도소득세 예정신고 및 확정신고

(1) 양도소득세 예정신고 및 자진납부

가. 일반 주식의 경우: 양도일이 속하는 반기의 말일부터 2개월 내에 신고해야 한다. 2017.12.31. 이전 양도분까지는 양도일이 속하는 분기의 말일부터 2개월 내에 신고하도록 하였으나 2018.1.1. 이후 양도하는 분부터 신고기한이 변경되었다.

나. 특정주식 · 부동산과다보유법인 주식의 경우: 부동산을 양도할 때와 마찬가지로 양도일이 속하는 달의 말일부터 2개월 내에 신고해야 한다.

다. 예정신고 및 자진납부: '양도소득세과세표준 신고 및 납부계산서'와 '주식 양도소득금액 계산명세서'를 작성하고 계약서, 주식거래내역서 등 계산 근거가 되는 서류를 첨부하여 세무서장에게 제출하는 동시에 납부할 세액을 납부해야 한다.

(2) 양도소득세 확정신고 및 자진납부

가. 양도소득세 확정신고 기한: 주식을 양도한 연도의 다음연도 5월 1일부터 5월 31일까지 납세지 관할 세무서장에게 자진신고하고 납부하여야 한다.

---

11) 세부적인 비사업용토지 판정 규정은 「법인세법」 제55조의2 제2항을 참조

나. 확정신고 및 자진납부: 양도소득세 예정신고를 이미 했다면 확정신고를 하지 않아도 된다. 다만, 같은 연도 중에 주식 등을 2회 이상 양도한 경우로서 예정 신고한 양도소득 해당부분에 대한 산출세액이 달라지는 경우에는 반드시 확정 신고를 하고 확정신고기한 내에 자진납부할 세액을 납부해야 한다.

다. 양도소득세 분할 납부: 예정신고 또는 확정신고 시 납부할 세액이 1천만 원을 초과하는 경우에는 아래와 같이 납부할 세액의 일부를 납부기한이 지난 후 2개월 이내에 분할해서 납부할 수 있다.

① 납부할 세액이 2천만 원 이하인 경우: 1천만 원을 초과하는 금액을 분납할 수 있다. 예를 들어, 납부할 세액이 1천 5백만 원이면 1천만 원은 당초 납부기한 내에 납부해야 하고 나머지 5백만 원을 2개월 이내에 분납하면 된다.

② 납부할 세액이 2천만 원 초과하는 경우: 납부할 세액의 50% 이하의 금액을 분납할 수 있다. 예를 들어, 납부할 세액이 3천만 원이면 1천 500만 원은 당초 납부기한 내에 납부해야 하고 나머지 1천 500만 원을 2개월 이내에 분납하면 된다.

02 양도소득세 과세표준 수정신고 및 기한 후 신고

(1) 양도소득세 수정신고 및 기한 후 신고

가. 수정신고: 정상적으로 내야 할 양도소득세보다 세금을 적게 내거나 환급을 많이 받은 경우에는 수정신고가 가능하다. 즉, 양도소득세 과세표준 신고서를 법정신고기한 내에 제출한 자 및 (나)항의 기한후신고서를 제출한 자가 과세표준 및 세액을 과소신고한 것 등으로 확인될 경우 과세표준과 세액을 결정 또는 경정하여 통지하기 전으로서 국세부과제척기간이 지나기 전까지는 과세표준 수정신고서를 제출할 수 있다.

나. 기한 후 신고: 정상적인 신고기한 내에 양도소득세 신고를 하지 못한 경우, 즉 양도소득세 과세표준신고서를 법정신고기한 내에 제출하지 아니한 경우에도 과세표준과 세액을 결정하여 통지하기 전까지는 기한 후 과세표준 신고서를 제출할 수 있다.

(2) 양도소득세 경정청구

가. 일반적인 경우: 정상적으로 내야 할 양도소득세보다 많이 내거나 환급을 적게 받은 경우에는 되돌려줄 것을 청구할 수 있다. 즉, 양도소득세 과세표준 신고서를 법정신고기한까지 제출한 자 및 기한후신고서를 제출한 자가 세법에 따라 신고하여야 할 과세표준 및 세액을 초과하는 등의 사유가 있는 경우 과세표준 및 세액을 결정 또는 경정하여 되돌려줄 것을 법정신고 기한이 지난 후 5년 이내에 청구할 수 있다. 또한, 예정신고기한 내에 양도소득세 과세표준 신고를 한 경우에는 확정신고기한이 도래하기 전이라도 경정청구를 할 수 있다.[12)]

나. 결정 또는 경정을 한 경우: 다만, 관할 세무서장이 결정 또는 경정을 함에 따라 과세표준 및 세액이 증가되었다면 이를 되돌려 받기 위해서는 해당 처분이 있음을 안 날부터 90일 이내에 경정을 청구해야 한다.

다. 후발적 사유가 발생한 경우: 과세표준신고서를 법정신고기한까지 제출한 자 또는 과세표준 및 세액의 결정을 받은 자가 과세표준 및 세액의 계산 근거가 된 거래 또는 행위 등이 그에 관한 소송에 대한 판결에 의해 다른 것으로 확정되는 등 후발적 사유[13)]가 발생한 경우에는 사유가 발생한 것을 안 날부터 3개월 이내에 결정 또는 경정을 청구할 수 있다.

(3) 양도소득세 수정신고 및 기한 후 신고 시 가산세 감면

양도소득세 과세표준 수정신고를 하거나 기한 후 신고를 한 경우에는 당초 신고기한으로부터 얼마나 날짜가 경과하였는지에 따라 차등을 두어 10~90%까지 가산세를 감면한다. 다만, 과세표준과 세액을 결정 또는 경정할 것을 미리 알고 수정신고하거나 기한 후 신고를 한 경우에는 감면하지 않는다. 감면하는 가산세는 무신고 또는 과소신고가산세만 해당되며, 납부지연가산세는 해당되지 않는다.

---

12) 서삼46019-11364, 2003.8.25.
13) 「국세기본법」 제45의2 제2항 참조

3장 주식 대금은 얼마를 받아야 하나

자녀에게 주식을 양도할 때 대표님이 양도소득세를 얼마나 내는가도 중요하지만 또 중요한 것은 자녀로부터 주식 양도대금을 얼마나 받아야 할 것인가 하는 문제이다. 대표님 입장에서는 자녀에게 회사를 물려주면서 굳이 지금 부담을 주고 싶지 않을 것이다. 또한 본인이 내야 할 양도소득세를 줄이기 위해서라도 자녀로부터 최소한의 대가만 받고 싶어할 것이다. 그런데, 주식도 엄연하게 적정한 시세가 있다. 그럼에도 불구하고 적정한 대가를 받지 않고 단순히 주식 액면가액 만큼만 받고 양도하거나 어림잡아 정한 가격을 받고 양도하게 되면 세금을 부과받을 수 있다. 즉, 대표님이 특수관계인인 자녀에게 낮은 대가를 받고 주식을 양도하는 경우에는 시세대로 양도한 것으로 간주하여 대표님에게 양도소득세를 추가로 과세하고, 자녀에게는 시세와의 차액을 증여받은 것으로 보아 증여세를 과세한다. 따라서 주식의 시세가 얼마인지를 확인해서 그 가액대로 양도소득세를 신고해야 탈이 없다. 세법에서는 주식의 적정한 가치, 즉 시세를 '시가'라고 규정하고 있고 그 시가와 차이가 큰 경우 위와 같이 양도소득세 및 증여세를 부과하고 있다. 이때 시가는 원칙적으로는 「상속세 및 증여세법」에서 규정에 따라 산정하도록 하고 있다. 주식을 포함한 모든 재산의 시가는 불특정 다수인 사이에 자유롭게 거래가 이루어지는 경우에 통상적으로 성립된다고 인정되는 가액이라고 정의하고 있는데, 주식의 시가에 대해 세법에서는 상장주식과 비상장주식으로 나누어 규정하고 있다. 상장주식의 경우에는 공개된 거래시장에서 거래된 시세를 시가로 보고 있어 평가방법이 비상장주식에 비해서는 비교적 단순하다. 비상장주식의 경우는 부동산 등 일반 재산과 마찬가지로 시가평가의 일반 원칙에 따라 평가하는데, 해당 주식의 매매사례가액이나 경매 · 공매가액[14]이 있으면 그것을 최우선적으로 시가로 보고 있다. 매매사례가액 등이 없는 경우에는 회사가 보유한 자산의 가치와 최근 몇 년간의 순손익가치를 바탕으로 주식의 시가를 계산하도록 하고 있는데, 이를 보충적 평가방법으로 평가한 가액이라 한다. 비상장주식을 평가할 때는 회사가 보유한 자산을 일일이 평가해서 시가를 계산해야 하므로 상당히 복잡하다. 이하에서는 상장주식의 시가에 대해서 먼저 간략히 설명하고, 비상장주식의 시가에 대해서는 항목을 달리하여 자세히 설명한다.

14) 주식은 부동산과는 달리 감정가액은 시가로 인정되지 않는다.

1절 상장주식의 가액 평가

상장주식은 공개된 시장에서 거래되는 객관적인 시세가 있기 때문에 특별히 가액을 평가한다거나 양도가액을 얼마로 할 것인가 하는 자체가 무의미하다고 볼 수도 있다. 그런데, 상장주식이라도 일시에 대량으로 매매를 하는 등 경우에 따라서는 시세를 임의로 조정할 가능성도 있다. 이에 따라, 세법에서는 일정한 기준을 정해서 이보다 낮거나 높은 금액인 경우에는 부당한 행위 또는 계산으로 보고 양도소득세를 추가로 과세하게 된다. 이처럼 상장주식을 양도할 때 가액을 얼마로 평가할 것인가의 의미는 대표님이 자녀에게 주식을 매매할 때 세법에서 정한 적정한 시가를 확인해서 이를 바탕으로 양도소득세를 신고함으로써 추후 과세문제가 발생할 소지를 방지하기 위한 것이다. 한편, 상장주식을 상속하거나 증여하는 경우 시가평가방법은 양도가액을 산정할 때의 시가와는 차이가 있다. 이 절에서는 양도소득세를 신고할 때 신고한 양도가액이 세법에서 정하고 있는 부당한 행위나 계산에 해당되지 않기 위한 적정한 시가평가 방법을 설명한다. 아울러, 상장주식을 증여하거나 상속할 경우 시가평가에 대한 내용은 PART 2(미리미리 증여하자) 및 PART 3(마지막은 상속이다)에 관련되는 부분이나 이 절에서 함께 설명한다.

01 양도소득세 신고 시 상장주식의 시가평가

상장주식을 양도하고 양도소득세 신고를 하면 과세관청에서는 신고한 양도가액 등이 적정한지에 대해 검증을 한다. 상장주식을 대량으로 매매하거나 장외에서 매매하는 경우에는 신고한 가액이 당일의 최종시세가액[15]보다 낮은 가액으로 매매했는지 또는 높은 가액으로 매매했는지 여부를 판단한다. 따라서 대표님이 가업승계를 위해 자녀에게 상장주식을 장외에서 매매하였거나

15) 종전에는 「상속세 및 증여세법」 규정을 적용하여 평가기준일 전후 2개월간 최종시세가액 평균액이었으나 「법인세법」상 부당행위부인 시 적용할 시가의 기준과 맞추어 2021년 2월에 「소득세법 시행령」 제167조 제7항이 신설

대량으로 매매하였다면 실제 얼마에 양도했는지에 관계없이 최종시세가액에 양도한 것으로 하여 양도소득세를 신고해야 한다. 한편, 대표님이 자녀에게 상장주식을 낮은 가액으로 양도할 경우 대표님에게는 소득세법에 따라 양도소득세가 추가로 부과되고 자녀에게는 상속세 및 증여세법에 따라 증여세가 각각 부과될 수 있다. 이 내용은 다음 장에서 설명한다.

(1) 대량매매 및 장외시장에서의 거래의 경우

상장주식을 대량 매매의 방법 또는 장외시장에서 거래하는 경우 해당 주식의 시가는 거래한 날의 최종시세가액으로 한다. 이때, 상장주식의 양도로 인해 사실상 경영권 이전이 수반되는 경우에는 시가의 20%를 가산한다.

가. 대량매매의 방법: 증권시장업무규정[16]에서 일정수량 또는 금액 이상의 요건을 충족하는 경우에 한정하여 매매가 성립하는 거래방법[17]을 말한다.

나. 경영권 이전이 수반되는 경우: 최대주주가 변경되거나 최대주주 등 간의 거래에서 주식 등의 보유비율이 100분의 1 이상 변동되는 경우

(2) 일반적인 장내거래의 경우

상장주식을 불특정 다수인 간 장내에서 거래하였을 경우 해당 거래가격은 시가로 인정된다.

02 상속세 및 증여세법상 상장주식 등 시가평가

상장주식을 상속하거나 증여할 때 시가는 특정의 한 시점을 기준으로 평가하지는 않는다. 상장주식의 시세는 국내외의 경제 · 사회 · 정치 등 다양한 요인에 따라 매일의 변동폭이 클 수 있어 특정시점의 시세만을 기준으로 평가할 경우 정확한 시가를 반영하기 어려운 측면이 있다는 점을 감안한 것으로 보인다.

16) 자본시장과 금융투자업에 관한 법률 제393조
17) '유가증권시장 업무규정 시행세칙'에 규정되어 있다(장중경쟁대량매매, 장중대량매매, 시간외경쟁대량매매, 시간외대량매매 등).

(1) 일반적인 경우

평가기준일[18] 이전 · 이후 각 2개월 동안 공표된 매일의 거래소 최종시세가액(거래실적 유무를 따지지 않는다)을 평균한 가액을 시가로 본다. 이렇게 상장주식의 시가를 평가하기 위해서는 원칙적으로 평가기준일 전후 2개월 총 4개월간의 최종시세가액을 직접 확인해야 하는데, 이를 쉽게 확인할 수 있도록 국세청 홈택스에 조회 프로그램이 제공되고 있다. 평가기준일과 해당 주식의 종목코드나 사업자등록번호만 알고 있으면 상장주식의 시가가 자동계산되어 조회되고 출력까지 가능하다.

국세청 홈택스 → 조회/발급 → 상속증여재산평가하기 → 상장주식

기간을 계산할 때 평가기준일이 공휴일 · 대체공휴일 · 토요일인 경우에는 그 전일을 기준으로 평가하며 평가기준일 이전 · 이후 각 2월간의 합산기간이 4월에 미달하는 경우에는 그 기간 동안의 최종시세가액 평균액으로 평가한다.

(2) 증자 · 합병 · 감자 · 분할 등 사유가 발생한 주식

회사가 자본금을 증가시키거나 합병 등의 사유가 발생하게 되면 그 사유가 발생하기 전과 이후의 주가가 달라지게 된다. 그런데, 이러한 상황을 고려하지 않고 평가기준일 전후 2개월간의 주가를 단순 평균하게 되면 평가기준일 시점의 적정한 시가를 반영할 수 없다. 이에 따라 평가기준일 이전 · 이후 각 2개월 기간 중에 증자나 감자, 합병 및 분할 등 사유가 발생한 경우 그 사유 발생일을 감안하여 다음과 같이 평가한다.

가. 평가기준일 이전에 증자 · 합병 등 사유가 발생한 주식: 증자나 합병 등의 사유가 발생한 날의 다음 날부터 시작해서 평가기준일 이후 2월이 되는 날까지 기간의 평균액으로 평가하며, 만약 증자 · 합병 사유가 2회 이상 발생한 경우에는 평가기준일과 가장 가까운 날의 다음 날부터 평가기준일 이후 2개월이 되는 날까지 기간의 평균액으로 평가한다. 이때 사유가 발생한 날의

18) 상속세의 평가기준일은 상속개시일, 증여세는 증여일, 양도소득세는 양도일이다.

다음 날이라 함은 권리락[19]일을 말한다.

나. 평가기준일 이후에 증자 · 합병 등 사유가 발생한 주식: 평가기준일 이전 2월이 되는 날부터 증자나 합병 등의 사유가 발생한 날의 전날까지 기간의 평균액으로 평가한다.

다. 평가기준일 이전 · 이후 모두에 증자 · 합병 등 사유가 발생한 주식: 평가기준일 이전에 증자나 합병 등의 사유가 발생한 날의 다음 날부터 평가기준일 이후 사유가 발생한 날의 전일까지 기간의 평균액으로 평가한다.

(3) 매매거래정지, 관리종목 지정된 주식

가. 원칙: 평가기준일 전후 2개월 이내에, 거래소가 정하는 기준에 따라 매매거래가 정지되거나 관리종목으로 지정된 기간의 일부 또는 전부가 포함되는 주식은 비상장주식의 보충적 평가방법을 적용한다.

나. 예외: 다만, 공시의무 위반 및 사업보고서 제출의무 위반 등으로 인하여 관리종목으로 지정 · 고시되거나 등록신청서 허위기재 등으로 인하여 일정 기간 동안 매매거래가 정지된 경우로서 적정하게 시가를 반영하여 정상적으로 매매거래가 이루어지는 경우에는 상장주식과 동일한 방법으로 평가한다. 관리종목 지정 사유가 공시의무 위반 또는 사업보고서 제출의무 위반 등 법인이 의무를 해태한 사유로 인한 경우 그러한 의무위반 상태는 주식의 시세에 영향을 미치는 바가 적고 즉시 시정이 가능하기 때문에 거래가격에 의한 평가를 허용하고 있다.

(4) 유가증권시장, 코스닥시장 상장신청을 한 법인의 주식 등 평가

가. 기업공개 추진 중인 주식 평가: 코스닥상장주식 또는 일반 비상장법인 주식을 유가증권시장에 상장할 경우 공모가격과 코스닥시장 상장법인의 주식

19) 회사가 증자를 할 때 일정 기일을 정하여 그 기준일까지 주식을 소유한 주주에게만 신주를 인수하는 권리를 주는데, 기준일 이후에 주식을 매입한 사람에게는 그 권리가 없어진다. 권리락 조치는 신주인수권을 받을 권리가 소멸되는 것을 조건으로 하는 매매한 내용을 투자자에게 주지시키고 실제로 신주배정일 전일에 조치를 취함으로써 주가가 합리적으로 형성될 수 있도록 하는 시장 조치이다. 이때 권리락 이전과 이후의 당해 기업의 시가총액이 같아지도록 주가 가치를 조정한 권리락 기준가격을 정한다. 권리락의 조치 시기는 일반적으로 신주배정 기준일 전일에 한다.

등 평가액(그 가액이 없으면 비상장주식 평가규정에 따른 평가액) 중에서 큰 가액으로 평가한다. 대상이 되는 주식은 유가증권신고일(유가증권신고[20]를 하지 않고 상장신청을 한 경우에는 상장신청일) 직전 6개월(증여는 3개월)부터 거래소에 최초로 주식을 상장하기 전까지의 기간내에 있는 평가기준일이 있는 주식이다.

나. 코스닥 상장 추진 중인 주식 평가: 일반 비상장법인주식을 코스닥시장에 상장할 경우 공모가격과 비상장주식 평가규정에 따른 평가액 중에서 큰 가액으로 평가한다. 대상이 되는 주식은 유가증권신고일(유가증권신고를 하지 않고 상장신청을 한 경우에는 상장신청일) 직전 6개월(증여는 3개월)부터 거래소에 최초로 주식을 상장하기 전까지의 기간 내에 평가기준일이 있는 주식이다.

다. 이미 상장된 주식 중 증자로 새로 취득했으나 상장되지 않은 주식[21]**:** 해당 주식에 대한 평가기준일 이전 · 이후 2개월간의 최종시세가액(거래실적 유무는 불문)의 평균액에서 배당차액[22]을 차감한 가액으로 평가한다. 다만, 기존에 상장되어 있는 주식과 배당기산일을 동일하게 정하는 경우는 제외한다.

2절 비상장주식의 가액 평가

비상장주식은 상장주식과 달리 공개된 시장에서 거래되는 가액이 없는 것이 대부분이다. 이에 따라, 비상장주식은 양도일을 전후하여 3개월 내[23]에 해당 주식이 매매가 된 사례가 있으면 그 매매사례가액 등을 우선적으로 시가로 인정하고 있다. 그러나 매매사례가액이 있다고 하더라도 그 가액이 회사 주식가치를 적정하게 반영하지 못하는 경우에는 적용할 수 없는 경우도 있다. 매매사례가액 등이 없을 때에는 회사의 순손익가치와 순자산가치를

20) 상장예비심사를 거친 후 증권을 모집하겠다는 신고로서 모집가액이 10억 원 미만이면 증권신고절차를 거치지 않고 바로 상장신청 절차로 진행된다.
21) 미상장주식이라고 표현한다.
22) 기중에 발행된 신주와 기존 구주와의 배당기산일이 다름에 따라 발생하는 평가차액(다만, 최근에는 기중에 유 · 무상증자를 하더라도 배당기산일을 1월 1일로 동일하게 적용하는 경우가 대부분 임)
23) 평가기간이라 하며, 주식 외에 일반 양도재산의 경우에도 동일하다. 다만, 상속 · 증여의 경우에는 상속은 상속일 전후 6개월, 증여는 증여일 전 6개월 후 3개월 기간의 매매사례가액을 적용한다.

감안하여 평가하는데, 이를 보충적 평가방법에 의한 평가액이라 한다. 비상장주식은 거래 자체가 드물어 매매사례가액 등 보다는 대부분 보충적 평가방법에 따라 주식의 가액을 평가하게 된다. 한편, 납세자가 보충적 평가액이 불합리하다는 근거와 적정한 평가액을 제시하는 경우 국세청 평가심의위원회의 심의를 거쳐 비상장주식을 평가할 수 있도록 예외 규정도 두고 있다. 참고로, 증여나 상속의 경우에는 증여 등 시기에 해당 주식의 증여 등 사실은 확정되나 주식 평가액이 확정되는 것은 아니다. 즉, 증여 등 시기 이후에 매매사례가액이 발생하면 증여세 등을 신고할 때 그 가액을 시가로 하여 신고하면 되나, 양도의 경우에는 양도시점에 거래당사자 간에 거래가액이 확정되므로 만약 양도소득세를 신고하기 전에 매매사례가액이 발생하게 되면 양도가액을 변경해야 하는 것인가 하는 문제가 생기게 된다. 실무적으로 과세관청에서는 매매사례가액이 있는데도 당초 매매계약 내용대로 양도소득세를 신고하게 되면 고가 또는 저가 거래 등 부당행위에 해당되는지를 판단하여 양도소득세 또는 증여세를 과세하게 된다.

01 매매사례가액, 경매 · 공매가액 등으로 평가

일반적으로 양도일, 즉 평가기준일을 전후해서 3개월 내에 해당 재산의 매매사례가액, 경매 · 공매 · 수용가액, 감정가액이 있으면 우선적으로 시가로 인정된다. 다만, 주식의 감정가액은 시가로 인정되지 않으며 수용가액도 주식이라는 재산의 특성상 적용될 여지는 없다. 아울러 평가기간을 벗어났더라도 평가기준일 전 2년 내의 기간과 평가기준일 이후부터 법정결정기한[24]까지 사이에 매매사례가액 등이 있으면 평가심의위원회 심의를 거쳐 시가에 포함시킬 수 있다. 만약, 시가로 보는 매매사례가액 등이 여러 개가 있는 경우에는 평가기준일, 즉 양도의 경우에는 양도일로부터 가장 가까운 날의 매매사례가액 등을 시가로 보며 그 가액이 둘 이상이면 평균액으로 한다.

24) 상속세 및 증여세와는 달리 양도소득세는 법정결정기한이 없으므로 양도의 경우에는 적용되지 않을 것으로 보인다.

(1) 매매사례가액

가. 원칙: 주식을 양도한 날 전후로 3개월 내에 그 회사 주식이 거래된 사실이 있는 경우 그 매매사례가액을 시가로 본다. 평가기준일 전후 3개월인지 여부는 해당 주식의 매매계약일을 기준으로 판단한다.

나. 예외: 해당 주식에 대한 매매사례가액이 있더라도 다음의 두 가지 경우 중 하나에 해당되면 시가로 인정하지 않는다. 이는 불특정인 간의 거래가 아닌 특수관계인 간의 거래이거나 소액의 주식거래이기 때문에 그 매매사례가액이 주식의 가치를 반영한다고 보기 어렵다고 보는 것이다.

① 비상장주식 등 재산의 거래가액이 특수관계인과의 거래로 인해 객관적으로 부당하다고 인정되는 경우

② 비상장주식 거래 가액이 다음 둘 중 적은 금액 미만인 경우. 다만, 평가심의위원회[25] 심의를 통해 그 가액이 거래 관행상 정당한 것으로 인정되면 시가로 볼 수 있다.

ㄱ. 액면가액의 합계액으로 계산한 해당 법인의 발행주식총액 또는 출자총액의 100분의 1에 해당하는 금액
ㄴ. 3억 원

(2) 경매, 공매, 수용가액

가. 원칙: 비상장주식이 경매되거나 공매된 사례가 있는 경우 그 가액도 시가로 인정된다. 토지 등 다른 재산의 경우에는 「공익사업을 위한 토지 등의 취득 및 보상에 관한 법률」 수용가액도 포함된다. 평가기간인 3개월 이내에 해당하는지 여부는 공매가액이나 경매가액이 결정된 날을 기준으로 한다.

나. 예외: 해당 주식에 대한 경매나 공매가액이 있더라도 다음 중 하나에 해당되는 경우에는 시가로 인정하지 않는다. 이는 매매사례가액의 경우와 마찬가지로 경매나 공매가액이 특수관계인 간의 거래 등으로 인해 주식의 가치를 적정하게 반영한다고 보기 어렵기 때문이다.

25) 「상속세 및 증여세법 시행령」 제49조의2에 평가심의위원회의 구성을 규정하고 있다.

① 비상장주식 등 상속 · 증여세 물납재산을 상속인 · 증여자 · 수증자 또는 그와 특수관계인이 경매 또는 공매로 취득한 경우 해당 가액

② 경매 또는 공매로 취득한 비상장주식가액이 다음 둘 중 적은 금액 미만인 경우

ㄱ. 액면가액의 합계액으로 계산한 해당 법인의 발행주식총액 또는 출자총액의 100분의 1에 해당하는 금액

ㄴ. 3억 원

③ 경매 또는 공매절차의 개시 후 관련 법령이 정한 바에 따라 수의계약에 의하여 취득하는 경우

④ 최대주주 등의 상속인 또는 특수관계인이 최대주주 등이 보유하고 있던 비상장주식 등을 경매 또는 공매로 취득한 경우

(3) 감정가액

비상장주식을 포함한 모든 주식의 감정가액은 부동산 등 다른 재산과는 달리 시가로 인정되지 않는다. 참고로 부동산의 경우[26]에는 일반적으로 2개 이상의 감정기관이 평가한 감정가액 평균액을 시가로 본다.

02 보충적 평가방법에 의한 평가액

비상장주식은 활발하게 거래가 되지 않기 때문에 매매사례가액 등이 없는 경우가 대부분이다. 이에 따라 세법에서는 매매사례가액 등이 없는 경우에는 평가기준일 현재 회사가 보유한 자산의 가치와 최근 3개년도의 손익가치를 바탕으로 평가한 가액을 시가로 보도록 하고 있는데 이를 보충적 평가방법에 의한 주식평가액이라 한다. 보충적 평가방법에 따라 주식을 평가하기 위해서는 회사가 보유한 모든 자산을 대상으로 「상속세 및 증여세법」에 따라 평가[27]해야 하는 등 그 과정이 매우 복잡하고 실수하기가 쉽다. 아울러 이러한 보충적 방법에 따른 평가액은 양도 또는 증여 및 상속 등을 통한 모든 가업승계

26) "PART 4 4장 3절 매매사례 등 가액의 확인" 참조
27) 부동산 등 모든 개별자산에 대해 매매사례가액 등 → 보충적 평가액 등 순서로 평가

과정에서 적용되므로 실무적으로는 가장 중요한 부분이며 과세당국에서도 주로 이 평가액을 기준으로 세금신고가 제대로 되었는지를 중점 검증한다. 이하에서는 보충적 평가방법에 의한 평가원칙 등 개요에 대해서만 설명하고, 개별자산마다의 평가방법에 대해서는 절을 달리하여 상세히 설명한다.

(1) 보충적 평가의 일반원칙

비상장주식을 평가할 때는 원칙적으로 회사의 순자산가치를 2의 비중으로, 순손익가치를 3의 비중으로 하여 1주당 가액을 평가한다. 이때 순자산가치 또는 순손익가치가 음수로 나오면 서로 상계하지 않고 그냥 '0'원으로 놓고 계산한다. 그런데, 이렇게 계산된 1주당 평가액이 1주당 순자산가치의 80% 미만이면 1주당 순자산가치의 80% 가액을 1주당 평가액으로 평가한다. 주식가치는 최소한 회사 순자산가치의 80%는 되는 것으로 보아 평가하려는 것이다.

1주당 평가액 = (1주당 순자산가치 × 2 + 1주당 순손익가치 × 3) ÷ 5

가. 1주당 순자산가치: 순자산가치는 평가기준일에 회사의 청산을 가정하여 주주에게 배분 가능한 잔여재산의 주당 가치를 말하는 것인데, 회사의 자산가액에서 부채를 차감한 순자산가액을 발행주식총수로 나누어 1주당 순자산가치를 계산한다. 발행주식총수는 평가기준일 현재의 발행주식총수를 말하며, 만약 평가 대상법인이 자기주식을 소각이나 감자할 목적으로 소유하고 있는 때에는 발행주식총수에서 차감하고 일시적으로 소유할 목적인 경우에는 차감하지 않는다. 발행주식총수에는 보통주뿐만 아니라 배당우선주 및 상환·전환우선주도 포함된다.

나. 1주당 순손익가치: 회사가 앞으로도 계속해서 존재한다는 가정하에서 측정하는 미래의 손익가치라고 볼 수 있으며, 어느 한 시점을 기준으로 측정하지 않고 평가시점 이전 3개년의 순손익액에 가중치를 두어 이를 순손익가치 환원율[28]로 나누어 계산한다.

---

28) 순손익가치를 자본화하기 위해 기획재정부령이 정하는 이자율(연 10%)

1주당 순손익가치=최근 3년간 1주당 순손익액 가중평균액* ÷순손익가치환원율(10%)
*{(1년 전 1주당 순손익액×3)+(2년 전 1주당 순손익액×2)+(3년 전 1주당 순손익액×1)}÷6

다만, 해당 법인이 합병 또는 분할, 주요 업종이 바뀌었거나 1년 이상 휴업한 경우 등 일시적이고 우발적인 사건의 발생으로 최근 3년간의 순손익액이 증가하는 등의 법에 정한 요건[29]에 해당하는 경우에 해당되는 경우에는 1주당 순손익가치를 최근 3년간 순손익액 가중평균액으로 평가하지 않고 2 이상의 신용평가전문기관, 회계법인 또는 세무법인이 산출한 1주당 추정이익의 평균가액에 의해 평가할 수 있도록 하고 있다.

1주당 순손익가치 = 1주당 추정이익의 평균가액 ÷ 순손익가치환원율(10%)

(2) 부동산과다보유법인의 주식의 평가

회사가 소유한 자산총액 중 부동산 등의 가액이 50%를 넘는다면 일반회사와는 반대로 순자산가치 비중을 3으로, 순손익가치 비중을 2로 놓고 평가한다.[30]

가. 부동산 등: 토지 및 건물, 부동산을 취득할 수 있는 권리로 지상권, 전세권과 등기된 부동산 임차권을 말한다.

나. 자산총액: 회사의 장부가액으로 하되 토지 및 건물의 경우에는 기준시가가 장부가액보다 큰 경우 기준시가로 한다. 다음의 자산은 자산가액에 포함하지 않는다. ① 개발비, ② 사용수익기부자산가액, ③ 평가기준일부터 소급하여 1년이 되는 날부터 평가기준일까지의 기간 중 차입금 또는 증자에 따라 증가한 현금 · 금융자산 및 대여금의 합계

다. 다른 부동산과다보유법인의 주식을 보유하고 있는 경우: 회사의 자산총액 중에서 부동산 비중이 50% 미만이라고 하더라도, 회사가 다른 부동산과다보유법인 주식을 보유하고 있다면 회사가 간접적으로 부동산을 보유하고

29) 뒤에 순손익액 계산 편에서 자세히 설명한다.
30) 부동산 가액이 80% 이상이면 순자산가치로만 평가한다. 후술

있는 것으로 보아 아래와 같이 계산한 주식 가액만큼은 부동산가액에 포함하여 부동산이 차지하는 비율을 계산한다.

회사가 보유한 다른 회사 주식가액 × (다른 회사의 부동산 가액 ÷ 다른 회사의 총자산가액)

(3) 순자산가치로만 평가하는 경우

회사가 향후 사업을 지속할 가능성이 낮거나 회사의 순손익가치를 산정할 수 없는 경우 또는 자산가치 비중이 월등이 높은 경우 등 아래에 해당되는 경우에는 순손익가치를 고려하지 않고 순자산가치만으로 주식가치를 평가한다.

① 청산절차 진행 또는 사업자의 사망으로 계속사업이 곤란한 회사 주식

② 사업이 개시되기 전의 회사, 사업개시하고 나서 3년 미만의 회사 또는 휴업·폐업 중인 회사의 주식

③ 소유한 자산총액 중 부동산가액 등[31]이 80%를 넘는 회사 주식, 종전에는 골프장업 등 업종제한이 있었으나 2018년 2월 시행령 개정으로 회사가 영위하는 업종과는 관계없이 적용한다.

④ 소유한 자산 총액 중 주식가액이 80%를 넘는 회사의 주식

⑤ 회사 설립 시부터 존속기한이 정해진 회사로서 양도일 현재 남은 존속기한이 3년 이내인 회사 주식

03 평가심의위원회를 통한 평가

비상장주식을 보충적 평가방법에 의해 평가할 경우 법적 안정성과 객관성 측면에서는 합리적이라고 볼 수 있지만, 기업마다의 개별 특성을 충분히 반영 하지 못해 실제 주식가치에 비해 과대 또는 과소평가될 수 있다. 이에 따라 예외적으로 납세자가 보충적 평가액이 불합리하다는 근거를 갖추어

31) 회사가 보유한 다른 회사의 주식가액 중 다른 회사의 부동산가액이 자산총액에서 차지하는 비율만큼도 포함

유사상장 법인의 주식가액과 비교한 가액 등 본인이 산정한 평가액으로 국세청 평가심의위원회에 심의를 신청하는 경우 보충적 평가방법에 불구하고 평가심의위원회가 심의한 평가가액으로 평가할 수 있다. 다만, 납세자가 평가한 가액이 보충적 평가방법에 따른 주식평가액의 100분의 70에서 100분의 130까지의 범위 안의 가액인 경우로 한정한다. 평가심의위원회의 설치 · 운영 및 이를 통한 비상장주식가액의 평가방법에 대해서는 국세청장 훈령에 세부 내용을 규정하고 있다.

세법해석 사례 및 판례 등

- 비상장주식 사설 장외거래 사이트에서 형성된 시세는 시가로 볼 수 없으며, 금융감독원 전자공시시스템에 의하여 확인된 매매사례가액은 시가로 볼 수 있음(법령해석과-3088, 2020.9.24.).
- 평가기간에 해당하지 아니하는 기간으로서 평가기준일 전 2년 이내의 기간 중에 유사한 재산의 매매 등이 있는 경우에는 상증령 제49조의2 제1항에 따른 평가심의위원회의 심의를 거쳐 시가로 인정되는 가액에 포함시킬 수 있음(상속증여세과-271, 2020.4.21.).
- 해당 재산과 동일하거나 유사한 재산의 매매가액은 시가에 포함되는 것이며, 이에 해당하는 가액이 둘 이상인 경우에는 평가기준일을 전후하여 가장 가까운 날에 해당하는 가액을 시가로 보는 것임(서면-2018-상속증여-3730, 2019.6.19.).
- 「상속세 및 증여세법 시행령」 제54조 제4항 제5호에 따라 순자산가치로만 평가하는 비상장법인의 주식 등에 해당하는지 여부를 판단하는 경우, 법인의 자산총액 및 주식 등의 가액은 '법인의 장부가액'에 따르고, '법인의 장부가액'이란 해당 법인이 「법인세법」 제112조에 따라 기장한 장부가액에 대하여 각 사업연도의 소득에 대한 법인세 과세표준 계산 시 자산의 평가와 관련하여 익금 또는 손금에 산입한 금액을 가감한 세무계산상 장부가액을 의미하는 것임(법령해석과-1618, 2019.6.25.).
- 사업개시 후 3년 미만의 법인 판정 시 개인사업자가 법인으로 전환한 경우 법인전환 후 처음으로 재화 또는 용역의 공급을 개시한 때부터 기산함(재산-873, 2009.11.27.).
- 순손익가치 산정 시 추정이익의 적용사유가 발생하였더라도 납세자가 추정이익을 선택하지 않고 원칙적인 순손익가치인 최근 3년간 순손익액의 가중평균액으로 신고한 경우 납세자의 신고가액으로 평가함(법규-1165, 2013.10.24.).

3절 비상장주식의 순자산가치 계산

회사의 주식가치는 원칙적으로 1주당 순자산가치에 2의 비중을 두고 1주당 순손익가치에 3의 비중을 두어 평가한다. 1주당 순자산가치는 회사의 자산가액에서 부채가액을 차감한 순자산가액을 발행주식총수로 나누어 계산한다. 자산가액은 평가기준일 현재 회사가 소유하고 있는 모든 개별자산을 「상속세 및 증여세법」에 따라 평가한다. 자산의 매매사례가액이나 경매 · 공매 · 수용가액 또는 감정가액 등이 있는 경우 그것을 우선적으로 적용해서 평가하며 그러한 가액이 없는 경우에는 보충적 평가액으로 한다. 다만, 해당 재산에 저당권이 설정된 경우 그 재산이 담보하는 채권액이 매매사례가액 등 시가나 보충적 평가액보다 클 때에는 그 담보하는 채권액으로 평가한다. 한편, 보충적 평가액 또는 담보하는 채권액이 회사의 장부가액[32]보다 적은 경우에는 장부가액으로 평가해야 하는데, 만약 정당한 사유[33]가 있으면 그렇지 않다. 이렇게 평가한 자산가액에서 부채가액을 차감한 순자산가액이 음수인 경우에는 '0'원으로 한다. 순자산가치를 계산할 때 발행주식총수는 평가기준일 현재의 발행주식총수를 말하며, 회사가 소유한 자기주식의 경우 소각 및 감자의 목적으로 소유하고 있다면 발행주식총수에서 자기주식수를 차감하고 일시적 소유 목적인 경우에는 차감하지 않는다. 발행주식총수에는 보통주뿐만 아니라 배당우선주 및 상환 · 전환우선주도 포함된다.

01 법인의 순자산가액 계산 개요

법인의 순자산가액을 계산하기 위해서는 먼저 평가기준일 현재 시점으로 가결산[34]을 해서 재무상태표를 확정하고 재무상태표상 자산을 「상속세 및

32) 기업회계를 바탕으로 회사에서 작성한 장부가액을 말한다.
33) 법에 열거되어 있지는 않다. 감가상각비를 계상하지 않아 장부가액이 과다평가된 경우를 예로 들 수 있다.
34) 자산에 큰 변동이 없으면 실무상 직전 사업연도 말 현재 재무상태표를 기준으로 약식평가도 한다.

증여세법」에 따라 시가 또는 보충적 평가방법 등으로 평가하여 재무상태표상 자산가액과 「상속세 및 증여세법」상 평가액과의 차액을 순자산가액에 가산한다. 아울러, 재무제표에는 자산 또는 부채로 계상하고 있지 않더라도 순자산가액을 계산할 때는 가산해서 평가해야 하는 항목이 있고, 반대로 재무제표에 자산 또는 부채로 계상하고 있더라도 순자산가액을 계산할 때는 제외하는 항목이 있으니 이를 반영하여 순자산가액을 계산한다. 영업권 평가액은 자산가액에 합산하는 것이 원칙이나 평가대상 법인의 청산절차가 진행 중이거나 사업자의 사망 등으로 사업의 계속이 곤란한 경우 등 주로 순자산가치로만 1주당가액을 산정하는 몇 가지 경우에 해당되면 합산하지 않는다. 실무상 사용되고 있는 순자산가액계산서를 요약해 보면 아래와 같다. 순자산가액계산서상 평가차액은 재무상태표상 자산가액, 즉 법인의 장부가액과 「상속세 및 증여세법」상 평가액의 차이금액을 말하는데 이 차이금액을 산정하기 위한 개별 자산의 평가가 순자산가액계산에서 매우 중요하다고 볼 수 있다. 자산평가는 매매사례가액 등 시가를 우선적용하나 해당 시가가 없는 경우가 대부분이어서 실무상으로는 보충적 평가액을 어떻게 산정하는지가 핵심이라고 할 수 있다. 이하에서는 먼저 개별 자산별 보충적 평가액에 대해 설명하고, 뒤에 자산 · 부채에서 가산 · 제외하는 항목 등에 대해 설명한다.

순자산가액계산서(요약)	
① 재무상태표상 자산가액	④ 재무상태표상 부채가액
② 자산에 가산할 금액	⑤ 부채에 가산할 금액
• 평가차액 • 「법인세법」상 유보금액 • 기타	• 법인세, 농특세, 지방소득세 • 배당금, 상여금 • 퇴직급여 추계액 • 기타
③ 자산에서 제외할 금액	⑥ 부채에서 제외할 금액
• 선급비용 등 • 증자일 전의 잉여금유보액	• 제준비금, 제충당금 • 기타
가. 자산총계(①+②−③)	나. 부채총계(④+⑤−⑥)
⑦ 영업권 포함 전 순자산가액(가−나)	
⑧ 영업권	
⑨ 순자산가액(⑦+⑧)	

세법해석 사례 및 판례 등

- 「상속세 및 증여세법 시행령」 제55조 제1항의 규정에 의하여 비상장법인의 순자산가액을 계산할 때에 당해 법인의 자산가액은 같은 법 제60조 내지 제66조의 규정에 의한 평가액에 의하는 것이며, 당해 법인의 자산을 같은 법 제60조 제3항 및 제66조의 규정에 의하여 평가한 가액이 장부가액보다 적은 경우에는 장부가액으로 하되, 장부가액보다 적은 정당한 사유가 있는 경우에는 그러하지 아니하는 것임. 이 경우 장부가액은 기업회계기준 등에 의해 작성된 대차대조표상 가액을 말하는 것이며, 평가대상법인이 보유한 다른 비상장법인의 주식을 같은 영 제54조 제1항의 규정에 따라 평가한 가액이 장부가액보다 적은 것만으로 장부가액보다 적은 정당한 사유가 있는 것으로 보지는 않는 것임(재산세과-300, 2009.1.28.).

02 개별 자산 종류별 보충적 평가액 산정

(1) 부동산 등

가. 토지

① 원칙: 개별공시지가로 평가한다. 개별공시지가는 시장 · 군수 · 구청장 등 지방자치단체장이 토지 필지별로 평당미터(m^2)당 가액을 매년 고시한다. 개별공시지가는 지방자치단체 홈페이지 및 부동산 공시가격 알리미 사이트에서 조회할 수 있다.

② 개별공시지가가 없는 경우: 개별공시지가가 결정 · 고시가 누락되는 등의 사유로 개별공시지가가 없는 토지가 있을 수 있다. 이 경우에는 납세지 관할 세무서장이 평가하거나 납세지 관할 세무서장의 요청에 따라 토지소재지 관할 세무서장이 평가한다. 세무서장은 시장 · 군수가 산정한 가액[35] 또는 두 개 이상의 감정기관에 의뢰하여 감정한 가액의 평균액으로 평가할 수 있다.

③ 환지예정지, 도로 등: 환지예정지의 경우에는 환지 권리면적에 따라서

35) 지방세법 제4조 제1항 단서: 다만, 개별공시지가 또는 개별주택가격이 공시되지 아니한 경우에는 특별자치시장 · 특별자치도지사 · 시장 · 군수 또는 구청장이 같은 법에 따라 국토교통부장관이 제공한 토지가격비준표 또는 주택가격비준표를 사용하여 산정한 가액으로 하고, 공동주택가격이 공시되지 아니한 경우에는 대통령령으로 정하는 기준에 따라 특별자치시장 · 특별자치도지사 · 시장 · 군수 또는 구청장이 산정한 가액으로 한다.

산정한 액으로 평가하며, 불특정 다수인이 공용하는 사실상의 도로 및 하천 · 제방 · 구거 등은 평가기준일 현재 도로 등 외의 용도로 사용할 수 없는 경우로서 보상가격이 없는 등 재산적 가치가 없다고 인정되는 때에는 평가액을 '0'으로 한다.

나. 오피스텔 및 상업용 건물

① 원칙: 국세청장이 매년 건물과 토지에 대해 일괄하여 산정 고시하고 있는 평방미터(m²)당 가액으로 평가한다. 서울, 부산, 대구, 인천, 광주, 대전, 울산, 경기, 세종에 소재하는 모든 오피스텔과 연면적 3,000m² 이상이거나 100개호 이상인 상업용건물이 대상이다. 오피스텔 등의 평방미터당 가액은 국세청 홈택스에서 조회할 수 있다.

국세청 홈택스 → 조회/발급 → 상속증여재산평가하기

② 고시가액이 없는 경우: 국세청장이 고시하지 않은 오피스텔 등은 일반 건물 평가방법에 따른다.

다. 주택

① 원칙: 단독주택이나 다가구주택 등 개별주택에 대해서는 시장 · 군수 · 구청장이 지번별로 토지와 건물을 포함한 주택 전체 가격을 고시한다. 아파트나 연립주택 등 공동주택은 국토부장관이 소재지 · 명칭 · 동호수와 면적 그리고 가격을 고시한다. 주택의 공시가격도 부동산 공시가격 알리미 사이트 및 국세청 홈택스에서 조회할 수 있다.

② 고시가격이 없는 경우: 개별주택가격이나 공동주택가격이 고시되지 않은 경우에는 개별공시지가가 없는 토지와 마찬가지로 납세지 관할 세무서장이 평가하거나 납세지 관할 세무서장의 요청에 따라 소재지 관할 세무서장이 평가한다. 이 경우 시장 · 군수가 산정한 가액[36] 또는 두 개 이상의

36) 지방세법 제4조 제1항 단서: 다만, 개별공시지가 또는 개별주택가격이 공시되지 아니한 경우에는 특별자치시장 · 특별자치도지사 · 시장 · 군수 또는 구청장이 같은 법에 따라 국토교통부장관이 제공한 토지가격비준표 또는 주택가격비준표를 사용하여 산정한 가액으로 하고, 공동주택가격이 공시되지 아니한 경우에는 대통령령으로 정하는 기준에 따라 특별자치시장 · 특별자치도지사 · 시장 · 군수 또는 구청장이 산정한 가액으로 한다.

감정기관에 의뢰하여 감정한 가액의 평균액으로 평가할 수 있다.

라. 일반 건물: 위 고시된 오피스텔이나 주택과는 다르게 일반 건물은 필지별 가액을 고시하지 않고 평방미터(m^2)당 건물신축가격기준액에 해당 건물의 구조, 용도, 위치, 신축연도를 고려하여 국세청장이 매년 가액을 산정하여 고시한다. 일반건물은 토지를 제외한 건물부분 가액만 고시하므로 전체 건물 가액은 토지가액을 포함하여 산정해야 한다. 일반건물 가액을 산정하는 절차는 매우 복잡하다. 그러나 이것도 건물과 관련된 몇 가지 자료를 입력하면 국세청 홈택스에서 쉽게 조회할 수 있다.

마. 철거대상 건물: 평가기준일 현재 그 재산의 이용도, 철거의 시기 및 철거에 따른 보상유무 등 제반 상황을 감하하여 적정한 가액으로 평가한다.

바. 일부가 훼손·멸실된 건물: 건물의 일부가 훼손·멸실되어 정상가액으로 평가하는 것이 부적당하다고 인정되는 경우에는 이에 상당하는 금액을 공제하여 평가한다.

사. 건설 중인 건물: 건설에 소요된 비용의 합계액으로 평가한다. 건설에 소요된 차입금에 대한 이자 또는 이와 유사한 성질의 지출금은 건설에 소요된 비용에 가산한다.

아. 지상권: 지상권은 다른 사람 토지에 건물, 기타의 공작물이나 수목을 소유하기 위해 그 토지를 사용할 수 있는 물권을 말하며, 해당 토지 가액과 토지 위의 건물 등의 잔존연수를 감안하여 현재가치로 환산하여 평가한다.

자. 부동산을 취득할 수 있는 권리, 특정시설물 이용권

① 원칙: 해당 권리를 취득하기 위해 평가기준일까지 납입한 금액과 평가기준일 현재의 프리미엄을 합한 금액으로 평가한다.

② 재개발조합원의 입주권: 조합원의 권리가액[37]과 평가기준일까지의 납입액, 프리미엄 상당액을 합한 금액으로 평가한다. 다만, 해당 권리에 대해 지방자치단체장이 고시한 가액[38]이 있으면 그 가액으로 한다.

---

37) 조합원이 당초 토지와 건물을 출자함으로써 얻게 되는 권리가액으로 도시 및 주거환경정비법 제74조 제1항에 따라 인가받은 관리처분계획을 기준으로 계산한다.

38) www.wetax.go.kr에 고시된 시가표준액 조회 가능: 골프회원권, 승마회원권, 체육시설회원권, 콘도미니엄회원권

차. 기타 시설물 및 구축물: 건물이나 주택 등 위에서 설명한 부동산 외의 기타 시설물이나 구축물 중 토지와 건물과 일괄하여 평가하는 것을 제외한 시설물 등은 그것을 다시 건축하거나 다시 취득할 경우 소요되는 가액[39]에서 그것의 설치일부터 평가기준일까지의 감가상각비상당액을 빼서 계산한다. 다만, 재취득가액 산정이 어려운 경우에는 지방세법상 건축물 등의 시가표준액 결정 방법에 따라 평가할 수 있다. 한편, 공동주택에 부속 또는 부착된 시설물 및 구축물은 토지 또는 건물과 일괄하여 평가한 것으로 본다.

카. 임대차계약이 체결되거나 임차권이 등기된 재산: 평가기준일 현재 매매사례가액 등 시가가 없는 경우로서, 사실상 임대차계약이 체결되거나 임차권이 등기된 재산에 대해서는 1년간의 임대료와 임대보증금을 기준으로 자산의 가치를 환산한 가액과 위의 일반적인 부동산 등 보충적 평가액 중 큰 가액으로 한다.

〈① 또는 ② 중 큰 가액으로 평가〉

① (1년간의 임대료* ÷ 12%) + 임대보증금

② 건물 등 일반적인 보충적 평가방법에 의한 가액

* 평가기준일이 속하는 달의 임대료에 12를 곱하여 산정

세법해석 사례 및 판례 등

- 불특정다수인이 공용하는 사실상 도로로서 증여일 현재 도로 외의 용도로 사용할 수 없고, 개별공시지가 또는 보상가격 등이 없는 등 재산적 가치가 없다고 인정되는 때에는 그 평가액을 영(0)으로 하는 것임(서면2020상속증여-3649, 2020.11.27.).
- 증여일 전 3월을 경과하고 증여일 전 2년 이내의 기간 중에 건축한 증여재산인 건물의 신축가액은 시간의 경과 및 주위환경의 변화 등을 감안하여 가격변동의 특별한 사정이 없다고 인정되는 때에 평가심의위원회의 자문을 거쳐 시가로 인정됨(서면4팀-3429, 2007.11.28.).
- 상속개시일 현재 건설 중인 건물의 가액은 상속개시일까지 건설에 소요된 비용의 합계액에 차입금에 대한 이자 등을 가산한 금액으로 평가함(상속증여세과-189, 2020.3.30.).

39) 재취득가액이라 한다.

• 사실상 임대차계약이 체결된 재산을 평가하는 경우에 1년간 임대료는 평가기준일 당시의 월임대료를 1년으로 환산한 금액을 말하는 것임(상속증여세과-375, 2019.4.29.).
• 재건축조합원 입주권은 평가기준일까 불입한 금액(재건축조합이 산정한 조합원의 권리가액과 평가기준일까지 불입한 계약금, 중도금 등을 합한 금액)과 평가기준일 현재의 프리미엄에 상당하는 금액을 합한 금액으로 평가하는 것임(상속증여세과-60, 2019.1.23.).

(2) 선박 등 그 밖의 유형재산 평가

가. 선박 · 항공기 · 차량 · 기계장비 및 입목: 다시 취득할 경우 예상되는 가액으로 평가하되 그 가액이 확인되지 않으면 장부가액을 적용하고, 장부가액도 없으면 지방세법에 따른 시가표준액을 적용한다. 이 경우에도 임대차계약이 체결되거나 임차권이 등기된 재산인 경우에는 부동산 등의 경우와 마찬가지로 임대료로 환산한 가액을 비교하여 큰 금액으로 평가한다.

나. 상품 · 제품 등: 상품, 제품, 반제품, 재공품, 원재료 기타 이에 준하는 동산 및 소유권이 되는 동산은 그것을 처분할 때 취득할 수 있다고 예상되는 가액, 즉 재취득가액으로 하되 그 가액이 확인되지 않으면 장부가액으로 한다. 사업용 재고자산인 경우 재취득가액에는 부가가치세가 포함되지 않는다.

다. 판매용이 아닌 서화, 골동품: 각 전문 분야별 2인 이상의 전문가가 감정한 가액의 평균액, 다만 그 가액이 국세청장이 위촉한 3인 이상의 전문가로 구성된 감정평가심의회에서 감정한 감정가액에 미달하는 경우에는 그 감정가액으로 한다.

라. 소유권 대상이 되는 동물 및 따로 평가 방법이 정해지지 않은 유형재산: 그 재산을 처분할 때에 취득할 수 있다고 예상되는 가액으로 하되, 그 가액이 확인되지 않으면 장부가액으로 한다.

 세법해석 사례 및 판례 등

- 선박의 가액은 시가에 의하는 것이며, 시가를 산정하기 어려운 경우에는 재취득가액, 장부가액 및 지방세 시가표준액을 순차로 적용함(서면2014상속증여-21660, 2015.2.26.).
- 증여시점에서 재산을 담보하는 채권액이 재산의 실제가액보다 크다는 사실을 납세자가 입증하는 경우에는 「상속세 및 증여세법」 제66조를 적용하지 아니하는 것으로, 2 이상의 공신력 있는 감정기관이 화주와 해운사 간 장기운송계약이 체결되어 있고 매매사례가액을 확인할 수 없는 선박을 「부동산가격공시 및 감정평가에 관한 법률」에 따라 적정하게 평가한 경우 해당 감정가액의 평균액은 위 실제가액에 포함될 수 있으나, 이에 해당하는지 여부는 사실판단 사항임(서면법규과-635, 2014.6.24.).
- 상품 등 평가액은 그것을 처분할 때에 취득할 수 있다고 예상되는 가액으로 하며, 그 가액이 확인되지 아니하는 경우에는 장부가액(취득가액에서 감가상각비를 뺀 가액)으로 평가함. 이 경우 장부가액은 기업회계기준 등에 따라 작성된 재무상태표상 장부가액에 의하는 것이며 자본금과 적립금조정 명세서(을)상의 유보금액을 자산가액에 가감하는 것임(상속증여세과-1196, 2016.11.7.).

(3) 채권, 증권, 대부금 등 평가

가. 국채, 공채 및 사채

① 거래소에서 거래되는 국채, 공채 및 사채(전환사채는 제외): 평가기준일 이전 2개월에 공표된 매일의 최종시세가액 평균액과 평가기준일 이전 최근일의 최종시세가액 중 큰 가액으로 평가한다. 다만, 평가기준일 전 2개월 내에 거래 실적이 없으면 거래소에서 거래되지 않는 국채 평가 방법에 의한다.

② 거래소에서 거래되지 않는 국채 등

ㄱ. 타인으로부터 매입한 국채 등: 타인으로부터 매입한 국채(국채 등의 발행기관 및 발행회사로부터 액면가로 직접 매입한 것을 제외) 등은 매입가액에 평가기준일까지의 미수이자 상당액을 가산한 금액으로 평가한다.

ㄴ. 발행기관 및 발행회사로부터 액면가액으로 직접 매입한 국채 등: 평가기준일 현재 처분할 경우 받을 수 있다고 예상되는 금액이다. 다만, 처분예상 금액을 산정하기 어려운 경우에는 상환기간 및 이자율, 이자지급방법

등을 참작하여 인가를 받은 2인 이상의 투자매매업자, 투자중개업자, 회계법인과 세무법인이 평가한 금액의 평균액으로 한다.

나. 전환사채 평가

① 거래소에서 거래되는 전환사채: 국채와 같은 방법으로 평가한다.

② 거래소에서 거래되지 않는 전환사채: 전환가능 여부에 따라 아래와 같이 평가한다. 다만, 이 경우에도 국채와 같이 투자매매업자 등 평가금액의 평균액으로 할 수 있다.

ㄱ. 전환불가능 기간에 있는 경우: 만기 상환금액을 사채발행이자율과 적정 할인율 중 낮은 이율에 의해 발행 당시의 현재가치로 할인한 가액에서 발행 후 평가기준일까지 발생한 이자상당액을 가산한 가액으로 한다.

ㄴ. 전환가능 기간에 있는 경우: ①항의 방법으로 평가한 가액과 전환할 수 있는 주식가액에서 배당차액[40]을 차감한 가액 중 큰 가액으로 평가한다.

다. 신주인수권부사채 평가

① 거래소에서 거래되는 신주인수권부사채: 국채와 같은 방법으로 평가한다.

② 거래소에서 거래되지 않는 신주인수권부사채: 전환가능 여부에 따라 아래와 같이 평가한다. 다만, 이 경우도 국채와 같이 투자매매업자 등 평가금액의 평균액으로 할 수 있다.

ㄱ. 전환불가능 기간에 있는 경우: 만기 상환금액을 사채발행이자율과 적정 할인율 중 낮은 이율에 의해 발행 당시의 현재가치로 할인한 가액에서 발행 후 평가기준일까지 발생한 이자상당액을 가산한 가액으로 한다.

ㄴ. 전환가능 기간에 있는 경우: 다음 ⓐ, ⓑ 중 큰 가액으로 평가한다.

ⓐ. ①항의 방법으로 평가한 신주인수권부사채 가액

ⓑ. ①항의 평가액 − 전환불가능 기간의 신주인수권증권가액 + 전환가능 기간의 신주인수권증권가액

40) 기중에 발행된 신주와 기존 구주와의 배당기산일이 다름에 따라 발생하는 평가차액(다만, 최근에는 기중에 유·무상증자를 하더라도 배당기산일을 1월 1일로 동일하게 적용하는 경우가 대부분 임)

라. 신주인수권증권[41] 평가

① 거래소에서 거래되는 신주인수권증권: 국채와 같은 방법으로 평가한다.

② 거래소에서 거래되지 않는 신주인수권증권: 전환가능 여부에 따라 아래와 같이 평가한다. 다만, 이 경우에도 국채와 같이 투자매매업자 등 평가금액의 평균액으로 할 수 있다.

ㄱ. 전환불가능 기간에 있는 경우: 신주인수권부사채의 만기상환금액을 사채 발행이자율에 따라 발행 당시의 현재가치로 할인한 가액에서 만기상환 금액을 기획재정부령이 정하는 율(8%)에 의해 현재가치로 할인한 가액을 뺀 가액으로 한다.

ㄴ. 전환가능 기간에 있는 경우: ㄱ.호의 방법으로 평한 가액과 신주인수권 증권으로 인수할 수 있는 주식가액에서 배당차액과 신주인수가액을 차감한 가액 중 큰 가액으로 평가한다.

마. 신주인수권증서[42] 평가

① 거래소에서 거래되는 신주인수권증서: 거래소에 상장되어 거래되는 전체 거래일의 종가 평균

② 거래소에서 거래되지 않는 신주인수권증서: 해당 신주인수권증서로 인수할 수 있는 주식의 권리락 전 가액에서 배당차액과 신주인수가액을 차감한 가액이다. 다만, 해당 주식이 상장법인 주식인 경우로서 권리락 후 주식가액이 권리락 전 주식가액에서 배당차액을 뺀 금액보다 적으면 권리락 후 주식 가액에서 신주인수가액을 뺀 금액으로 평가한다.

바. 대부금, 외상매출금 및 받을어음 등 채권가액과 입회금, 보증금 등 채무가액 평가: 원본 회수기간 등을 고려하여 아래와 같이 평가한다. 다만, 채권의 전부 또는 일부가 평가기준일 현재 회수불가능한 것으로 인정되는 경우에는 그 가액을 산입하지 않는다.

① 회수기간이 5년 미만: 원본가액에 평가기준일까지의 미수이자 상당액을

---

41) 신주인수권부사채(BW)에서 사채권과 신주를 인수할 권리(Warrant)를 분리해 놓은 증권으로 별도 매매가능

42) 신주인수권증서는 신주인수권증권과 명칭은 유사하나 완전히 다르다. 유상증자를 할 때 기존 주주가 신주를 받을 수 있는 권리를 나타내는 증서로 보통 유상증자 기준일부터 청약일까지 단기간 동안 증서로서 효력을 갖는다.

가산한 금액으로 평가한다.

② 회수기간이 5년 초과하거나 회사정리절차 등으로 채권내용이 변경된 경우: 각 연도에 회수할 금액(원본에 이자상당액을 가산한 금액)을 적정 할인율(8%)에 의해 현재가치로 할인한 금액으로 평가한다. 회수기간이 정해지지 않은 시설물이용권의 입회금 및 보증금은 회수기간을 5년으로 본다.

사. 집합투자증권 평가: 집합투자업자가 일반투자자의 자금을 모아 운용하여 그 과실을 배분하는 증권[43]을 말하며, 평가기준일 현재의 한국거래소의 기준가격으로 하거나 집합투자업자 또는 투자회사가 산정 · 공고한 기준 가격으로 한다. 다만, 평가기준일 현재의 기준가격이 없는 경우에는 평가기준일 현재의 환매가격 또는 평가기준일 전 가장 가까운 날의 기준가격으로 한다.

세법해석 사례 및 판례 등

- 상속재산인 한국증권거래소에서 거래되는 국민주택채권의 가액은 「상속세 및 증여세법 시행령」 제58조 제1항 제1호의 규정에 의하여 평가한 가액에 의함(재삼46014-2451, 1997.10.16.).
- 비상장법인의 주식을 「상속세 및 증여세법 시행령」 제54조에 따라 평가하는 경우 전환청구기간 내에 사채권자가 전환청구를 하지 않을 경우 만기에 원금을 상환하지 않는 조건으로 발행한 전환사채는 발행가액으로 평가하는 것이며, 전환될 주식 수는 「상속세 및 증여세법 시행령」 제54조 제2항의 발행주식총수에 포함되지 아니함(재산세과-192, 2012.5.21.).
- 평가기간 내 매매가액이 있는 신주인수권증권은 해당 가액을 시가로 보는 것이나, 해당 가액이 객관적인 교환가격이라고 인정되지 않는 경우 보충적 평가방법에 따른 가액을 시가로 보는 것임(법령해석과-3059, 2016.9.27.).
- 원본의 회수기간이 5년을 초과하는 채권 · 채무는 각 연도에 회수할 금액을 적정할인율에 의하여 현재가치로 할인한 금액의 합계액으로 평가하는 것임. 이 경우 시설물이용권에 대한 입회금 · 보증금 등의 회수기간은 평가기준일부터 입회금을 반환하기로 약정한 날까지의 기간을 말하는 것이나, 원본의 회수기간이 정하여지지 아니한 경우에는 그 회수기간을 5년으로 보는 것임(재산세과-548, 2011.11.22.).

43) ETF(Exchange Traded Fund, 상장지수집합투자기구 집합투자증권)가 대표적이며, 뮤추얼펀드도 유사

(4) 무체재산권 평가

무체재산권은 영업권, 특허권 등 무형의 재산적 이익을 배타적으로 지배할 수 있는 권리를 말한다. 무체재산권은 취득가액에서 감가상각비를 뺀 가액과 회사의 장래 경제적 이익 등을 감안하여 평가한 가액을 비교하여 큰 가액으로 평가한다. 무체재산권은 무형고정자산의 범위에 포함되는데, 무형고정자산의 내용연수는 종류별로 5년에서 50년을 적용하고 이 내용연수를 기준으로 감가상각비를 계산한다.

가. 영업권, 어업권: 다음 ①과 ② 중에서 큰 가액으로 평가한다.

① 취득가액에서 취득한 날부터 평가기준일까지의 감가상각비를 뺀 가액

② 영업권의 지속연수 동안 매년 발생할 초과이익금액을 현재가치로 환산한 가액

$$\sum_{n=1}^{\text{지속연수}} \frac{\text{초과이익금액}}{(1+0.1)^n}$$

n: 평가기준일로부터의 경과연수(잔존연수), 5년으로 함.

ㄱ. 초과이익금액: 평가기준일 이전 최근 3년간 발생한 회사의 순손익액이 투자한 자본보다 상회할 경우 향후에도 어느 정도의 수익력이 있을 것으로 가정하여 아래와 같이 금액을 산정한다.

[최근 3년간(3년 미달 시 해당 연수) 순손익액의 가중평균액×50%] – 자기자본×10%

순손익액 계산 시 평가기준일 이전 사업연도가 3개년이 되지 않는 경우 2개 또는 1개의 사업연도 순손익만으로 가중평균하며, 법인으로 전환한 사업장의 경우 아래 요건을 모두 충족하는 경우 개인사업자였던 기간을 포함해서 계산한다.

1. 개인사업자가 무체재산권을 현물출자하거나 사업양도·양수의 방법에 따라 법인으로 전환하는 경우로서 그 법인이 해당 사업용 무형자산을 소유하면서 사업용으로 계속 사용하는 경우 2. 개인사업자와 법인의 사업 영위기간의 합계가 3년 이상인 경우

ㄴ. 현재가치 환산가액 계산: 영업권가액은 영업권의 지속연수를 원칙적으로 5년으로 보아 5년간의 초과이익을 자본환원율 10%로 환원

하여 평가한다. 실무적으로는 초과이익금액만 계산하면 이후 영업권의 지속연수 동안 자본환원율을 감안한 현재가치는 복잡한 계산 과정을 거치지 않아도 정상연금 현가계수표를 적용하면 쉽게 계산할 수 있다.

ㄷ. 초과이익금액 계산 시 자기자본: 비상장주식 평가할 때 사용하는 순자산가액계산서상의 자산총계에서 부채총계를 공제하여 계산하는데 순자산가액에는 이 영업권가액은 포함하지 않는다. 만일, 자기자본을 확인할 수 없는 경우에는 다음 산식에 의해 계산한 금액 중 많은 금액을 적용한다. 자기자본이익률 및 자기자본 회전율은 한국은행이 업종별, 규모별로 발표한다.

> 자기자본을 확인할 수 없는 경우 자기자본계산 = Max(a, b)
> a = 사업소득금액 ÷ 자기자본이익률
> b = 수입금액 ÷ 자기자본회전율

ㄹ. 매입한 무체재산권: 성질상 영업권에 포함시켜 평가되는 무체재산권인 경우에는 별도로 평가는 하지 않되 해당 매입한 무체재산권의 가액, 즉 취득가액에서 취득한 날부터 평가기준일까지 감가상각비 상당액을 차감한 가액이 위 초과이익금액을 기준으로 환산평가한 영업권 가액보다 큰 경우에는 해당 무체재산권 평가액을 영업권 평가액으로 한다.

ㅁ. 영업권 가액을 자산가액에 합산하지 않는 경우: 영업권은 순자산가액 계산 시 자산가액에 합산하는 것이 원칙이나, 아래와 같은 경우에는 합산하지 않는다.

a. 상속증여세 과세표준신고기한 이내에 청산절차가 진행 중이거나 사업자의 사망 등으로 사업을 계속하고 곤란하다고 인정되는 경우

b. 법인의 자산총액 중 부동산 등 가액[44]이 차지하는 비율이 80% 이상인 경우

c. 사업개시 전의 법인, 사업개시 후 3년 미만의 법인 또는 휴업·폐업 중인 법인,[45] 다만, 개인사업자가 법인전환하는 등 두 가지 요건[46]에 모두 해당되는 경우에는 영업권 가액을 제외하지 않고

44) 해당 법인이 보유한 토지·건물과 부동산에 관한 권리, 해당 법인이 직·간접 보유한 다른 법인의 주식가액에 그 다른 법인의 부동산 등 보유비율을 곱하여 산출한 금액

45) 적격분할 또는 적격물적분할로 신설된 법인은 분할 전 동일 사업부분의 사업개시일부터 기산한다.

46) 순손익액 계산 시 법인전환한 개인사업자 사업기간 포함 요건과 동일하다.

순자산가액에 합산한다.

d. 평가기준일이 속하는 사업연도 전 3년 내의 사업연도부터 계속 하여 각 사업연도 손금총액이 익금총액을 초과하는 결손금이 있는 경우

ㅂ. 개인사업자의 영업권 평가: 개인사업자의 영업권을 평가하는 경우로서 평가기준일 전 최근 3년간의 순손익액의 가중평균액을 계산할 때 「법인세법」상 각 사업연도 소득은 소득세법상 종합소득금액으로 보며, 각 사업연도 소득에 가감하는 법인세 등 같은 항 각호에서 규정하는 금액은 소득세법상 동일한 성격의 금액을 적용하여 계산한다(상증통 64-59…1).

세법해석 사례 및 판례 등

- 비상장주식의 시가를 산정하기 어려워 「상속세 및 증여세법」 제63조 제1항 제1호 나목의 규정에 따라 평가하는 경우, 같은 법 시행령 제55조 제2항에 따라 영업권평가액을 해당 법인의 자산가액에 합산하는 것입니다. 이 경우 매입한 무체재산권으로서 그 성질상 영업권에 포함시켜 평가되는 무체재산권의 경우에는 같은 영 제59조 제2항에 따라 이를 별도로 평가하지 아니하되 당해 무체재산권의 평가액(취득가액에서 취득한 날부터 평가기준일까지의 「법인세법」상의 감가상가비를 뺀 금액)이 환산한 가액보다 큰 경우에는 당해 가액을 영업권 평가액으로 하는 것입니다. "쟁점영업권"이 매입한 무체재산권으로서 그 성질상 영업권에 포함시켜 평가되는 무체재산권에 해당하는지는 사실관계를 확인하여 판단할 사항임(상속증여세과-890, 2018.9.18.).
- 개인 사업을 오랫동안 영위하여 이미 영업권은 형성되어 있었고, 법령에 의하여 평가가 가능한 상태에서 법인전환 시 영업권이 실질적으로 이전된 경우에는 그 영업권 평가액을 순자산가액에 포함하여 평가하는 것이 타당한 것으로 판단됨(조심2013서4200, 2014.2.18.).
- 부의영업권가액은 이를 없는 것으로 보아 상속재산가액에서 제외하고 영업권가액만을 상속재산가액에 포함시켜야 하므로 각 영업권의 평가액을 통산할 수 없으며, 영업권은 영업상 기능 등으로 동종의 다른 기업보다 초과수익력이라는 무형의 재산적 가치를 말하는 것인바 영업권을 상속재산에 포함시켜 과세하더라도 조세법률주의 및 포괄위임 금지의 원칙에 위배되지 않음(대법원 2000두7766, 2002.4.12.).

나. 특허권, 실용신안권, 상표권, 디자인권, 저작권: 다음 ①과 ② 중에서 큰 가액으로 평가한다.

① 취득가액에서 취득한 날부터 평가기준일까지의 감가상각비를 뺀 가액

② 그 권리에 의하여 장래에 받을 각 연도의 수입금액을 경과연수를 감안하여 현재가치로 환산하여 평가한 가액

ㄱ. 각 연도의 수입금액이 확정되지 않은 경우: 평가기준일 전 최근 3년간(3년에 미달하면 미달하는 연수로 함)의 수입금액 합계액을 평균한 금액을 각 연도의 수입금액으로 하되, 최근 3년간 수입금액이 없거나 저작권인 경우 장래에 수입금액 하락이 명백한 경우에는 세무서장이 전문가의 감정가액 등을 감안하여 평가할 수 있다.

ㄴ. 평가기준일로부터의 최종 경과연수: 당해권리의 존속기간에서 평가기준일 전일까지의 경과된 연수를 차감하여 계산하되 최종 경과연수가 20년을 초과하는 때에는 20년으로 한다.

다. 광업권, 채석권: 다음 ①과 ② 중에서 큰 가액으로 평가한다.

① 취득가액에서 취득한 날부터 평가기준일까지의 감가상각비를 뺀 가액

② 평가기준일 이후의 채굴가능연수에 대하여 평가기준일 전 3년간 평균소득을 현재가치로 환산한 가액. 다만, 조업할 가치가 없는 경우에는 설비 등에 의하여만 평가한 가액

세법해석 사례 및 판례 등

- 「상속세 및 증여세법 시행령」 제59조에 따라 무체재산권인 특허권을 평가함에 있어 평가기준일 전 최근 3년간 수입금액이 없는 경우에는 같은 법 시행규칙 제19조 제4항에 의하여 세무서장 등이 2 이상의 감정기관 또는 특허법인의 감정가액으로 평가할 수 있는 것임(법령해석과-3031, 2017.10.25.).
- 평가대상 비상장법인이 특수관계 있는 개인으로부터 현물출자를 받아 취득한 「상표권법」상 상표 · 서비스표는 매입한 무체재산권 평가방법이 아닌 그 밖의 무체재산권 평가방법에 의하여 평가하는 것임(재산세과-454, 2012.12.26.).
- 특허권을 평가하기 위한 장래 또는 과거의 수입금액이 없는 경우에는 '한국기술거래소'의 감정가액으로 평가할 수 있음(서면4팀-722, 2005.5.9.).
- 자가창설 무체재산권 중 '어업권'의 경우만 예외적으로 영업권에 포함하여

계산하고, 나머지 특허권 · 실용신안권 · 상표권 · 디자인권 · 저작권 및 광업권 · 채석권 등은 각각 그 평가방법에 따라 평가함을 규정하고 있으므로 이 사건 상표권은 영업권과 별도로 평가함이 타당함(서울행정법원-2014-구합-50552, 2014.11.20.).

(5) 조건부 권리, 가상자산, 정기금 권리, 국외재산 등 평가

가. 조권부 권리, 존속기간 불확정 권리 등

① 조건부 권리: 본래의 권리가액을 기초로 하여 평가기준일 현재의 조건 내용을 구성하는 사실, 조건 성취의 확실성, 제반사정을 감안한 적정한 가액으로 평가

② 존속기간이 불확정한 권리: 평가기준일 현재의 권리의 성질, 목적물의 내용연수 기타 제반사항을 감안한 적정한 가액으로 평가

③ 소송 중인 권리: 평가기준일 현재의 분쟁관계의 진상을 조사하고 소송 진행의 상황을 감안한 적정가액으로 평가

나. 가상자산: 특정금융거래정보의 보고 및 이용 등에 관한 법률 제2조 제3호에 따른 가상자산은 해당 자산의 거래규모 및 거래방식 등을 고려하여 아래와 같이 평가[47]한다.

① 특정금융정보의 보고 및 이용 등에 관한 법률 제7조에 따라 신고가 수리된 가상자산사업자 중 국세청장이 고시하는 가상자산사업자의 사업장에서 거래되는 가상자산: 평가기준일 전 · 이후 각 1개월 동안 공표된 일평균 가격의 평균액

② 그 밖의 가상자산: ①항에 해당하는 가상자산사업자 및 그에 준하는 사업자의 사업장의 평가기준일의 일평균 가격 또는 또는 종료시각에 공표된 시세가액 등 합리적으로 인정되는 가액

다. 신탁의 이익을 받을 권리가액 평가[48]: 아래와 같이 평가한 가액으로

47) 2021년 규정 신설, 상장주식의 경우 평가기준일 전후 2개월 내 최종시세 평균액을 시가로 보고 있는 것과 마찬가지로 가상자산도 이렇게 평가한 가액은 보충적 평가액이 아니고 바로 시가로 보도록 하고 있다.
48) 평가방법이 일부 개정되었다. 2021.2.17. 이후 상속 · 증여세과세표준신고를 하는 분부터 적용

하되, 평가기준일 현재 신탁계약의 철회, 해지, 취소 등을 통해 받을 수 있는 일시금이 아래 평가액보다 큰 경우에는 그 일시금[49]의 가액으로 한다.

① 원본을 받을 권리와 수익을 받을 권리의 수익자가 같은 경우: 평가기준일 현재 「상속세 및 증여세법」에 따라 평가한 신탁재산의 가액

② 원본을 받을 권리와 수익을 받을 권리의 수익자가 다른 경우

ㄱ. 원본을 받을 권리를 수익하는 경우: 평가기준일 현재 「상속세 및 증여세법」에 따라 평가한 신탁재산의 가액에서 아래 ㄴ.호의 계산식에 따라 계산한 금액의 합계액을 뺀 금액

ㄴ. 수익을 받을 권리를 수익하는 경우: 평가기준일 현재 추산한 장래에 받을 수익금에 대하여 수익의 이익에 대한 원천징수세액상당액 등을 고려하여 다음의 계산식에 따라 계산한 금액의 합계액

$$\sum_{n=1}^{n} \frac{\text{각 연도에 받을 수익의 이익 − 원천징수세액 상당액}}{(1+0.03)^{n}}$$

n = 평가기준일부터 수익시기까지의 연수

a. 각 연도에 받을 수익금이라 함은 평가기준일 현재 신탁재산의 수익에 대한 수익률이 확정되지 않은 경우 원본 가액의 3%를 수익금으로 본다.

b. 수익시기가 정해지지 않은 경우: 정기금을 받을 권리의 평가규정을 준용하여 20년 또는 기대여명의 연수로 계산한다.

라. 정기금을 받을 권리의 평가: 아래와 같이 평가한 가액으로 하되, 평가기준일 현재 계약의 철회, 해지, 취소 등을 통해 받을 수 있는 일시금이 아래 평가액보다 큰 경우에는 그 일시금의 가액으로 한다.

① 유기정기금: 잔존기간에 각 연도에 받을 정기금액을 현재가치로 환산한 가액으로 하되 그 금액은 1년분 정기금액의 20배를 초과할 수 없다

② 무기정기금: 1년분 정기금액의 20배에 상당하는 금액

③ 종신정기금: 통계청장이 고시[50]하는 기대여명의 연수까지 기간 중 각 연도에 받을 정기금액을 현재가치로 환산한 금액으로 하되 1년분 정기

49) 일시금 규정은 2019.2.12. 이후 상속·증여분부터 적용

50) 통계청(www.kostat.go.kr) 〉 국가통계포털 〉 인구·가구 〉 생명표 〉 완전생명표(1세별), 각 나이별 기대여명 수록됨.

금액의 20배를 초과할 수 없다.

마. 예금, 저금, 적금 평가: 평가기준일 현재 예입총액과 미수이자 상당액을 합친 금액에서 원천징수세액 상당금액을 뺀 가액으로 한다.

세법해석 사례 및 판례 등

- 원본과 수익의 이익을 받을 때가 각각 다른 때에는 별도의 증여로 보아 증여시기를 판단하는 것임(상속증여세과-228, 2017.3.9.).
- 부모가 증여목적으로 자녀 명의의 계좌에 현금을 입금한 경우에는 그 입금한 때마다 증여한 것으로 보는 것이나, 부모가 정기적으로 자녀 계좌에 현금을 입금하기로 자녀와 약정한 경우로서 그 사실을 최초 입금일부터 「상속세 및 증여세법」 제68조 제1항의 규정에 의한 증여세 과세표준 신고기한 이내에 납세지 관할 세무서장에게 신고한 경우에는 같은 법 시행령 제62조 제1호의 규정에 의하여 평가한 가액을 최초 입금일에 증여한 것으로 보아 증여세 과세표준을 계산할 수 있는 것임(서면2020-상속증여-3294, 2020.10.23.).
- 매월 단위로 지급받는 경우 정기금을 받을 권리의 평가는 첫 회 수령일로부터 1년 미만의 기간 중 지급받을 금액의 단순 합계액과 첫 회 수령일로부터 1년 이후부터 수령할 금액을 「상속세 및 증여세법 시행령」 제62조 제1호에 따라 평가한 가액을 합계하는 방식으로 평가하는 것임(상속증여세과-247, 2019.3.20.).

바. 국외재산의 평가: 외국에 있는 재산도 원칙적으로 우리나라 「상속세 및 증여세법」에 따라 평가한다. 다만, 우리나라 세법을 적용하는 것이 부적당한 경우에는 해당 재산 소재지 국가에서 양도 · 상속 · 증여세 부과 목적으로 평가한 가액으로 한다. 그러나 그 평가액도 없는 경우에는 세무서장이 2 이상의 국내 또는 외국의 감정기관에 의뢰하여 감정한 가액을 참작하여 평가한다.

사. 외화자산 및 부채의 평가: 외화자산 및 부채는 평가기준일 현재 외국환거래법에 의한 기준환율 또는 재정환율에 의해 환산한 가액으로 평가한다. 여기서 기준환율은 외국환은행과 고객이 원화와 미달러를 매매할 때 기준이 되는 환율을 말하며, 재정환율은 미달러 이외의 모든 통화에 적용되는 환율로서 기준환율을 통해 간접적으로 계산된 원화와 기타통화 사이의 환율을 말한다.

(6) 다른 비상장법인, 상장법인 주식, 자기주식의 평가

평가대상 법인이 다른 법인의 주식을 소유하고 있는 경우, 그 다른 법인의 주식과 자기주식은 다음과 같이 평가한다.

가. 다른 비상장법인 주식: 해당 법인이 소유한 다른 비상장법인 주식은 다른 비상장법인의 순자산가치와 순손익가치를 기준으로 평가하는 것이 원칙이다. 다만, 다른 비상장법인의 발행주식총수의 100분의 10 이하의 주식을 소유하고 있는 경우에는 「법인세법」 규정[51]에 따른 취득가액으로 할 수 있다.

나. 다른 상장법인 주식: 해당 법인이 소유한 다른 상장법인의 주식은 평가기준일 전후 2개월 동안 공표된 매일의 거래소 최종시세가액(거래 실적 유무는 따지지 않음)의 평균액으로 평가한다.

다. 자기주식: 상법의 규정에 따라 회사는 일정한 범위 내[52]에서 자기의 주식을 취득할 수 있다. 자기주식을 소각 등 감자목적으로 보유한 경우에는 자기주식 평가액을 자산에 포함시키지 않으며, 일시적 보유목적인 경우에는 자산에 포함하도록 하고 있다.[53] 회사의 주식을 평가하기 위해서는 그 회사가 자산으로 보유하고 있는 자기주식, 즉 자기 자신을 먼저 평가해야 하는 문제가 발생한다. 이러한 자기주식의 평가방법에 대해 「상속세 및 증여세법」에 규정하고 있지는 않고 자산에 포함한다는 원론적인 해석 외에 명확한 세법 해석도 있지는 않다. 다만, 아래와 같이 1주당 가액을 평가하는 것이 이론상 합리적이라고 판단된다. 이때, 1주당 순자산가치는 회사의 자산에서 자기주식의 평가액을 미지수(x)로 분리하여 아래와 같이 계산한다.

> 1주당 평가액(x) = (1주당 순자산가치 × 2 + 1주당 순손익가치 × 3) ÷ 5
> 1주당 순자산가치 = [자기주식 이외의 순자산가액 + 자기주식수 × 1주당 평가액(x)]÷ 발행주식총수

51) 영 제74조 제1항 제1호 마목에 따른 이동평균법
52) 자기주식을 취득할 수 있는 총액이 직전 결산기 대차대조표상의 순자산가액에서 배당가능이익을 뺀 금액을 초과하지 못한다 등
53) 국세청 상속세 및 증여세법 집행기준 63-55-1

세법해석 사례 및 판례 등

- 비상장주식을 발행한 법인이 다른 비상장주식을 발행한 법인의 발행주식총수 등의 10% 이하의 주식 또는 출자지분을 소유하고 있는 경우에는 그 다른 비상장주식의 평가는 「상속세 및 증여세법 시행령」 제1항 및 제2항에 따른 보충적 평가가액에 불구하고 「법인세법 시행령」 제74조 제1항 제1호 마목의 규정에 의한 취득가액에 의할 수 있다. 다만, 같은 법 제60조 제1항에 따른 시가가 있으면 2009.2.4. 이후 최초로 비상장주식을 평가하는 분부터는 시가를 우선하여 적용하는 것임(상속증여세과-94, 2013.5.6.).
- 비상장법인의 순자산가치 평가 시 당해 법인이 다른 비상장법인이 발행한 발행주식총수의 10% 이하를 소유한 경우 보충적인 방법과 이동평균법에 의한 취득가액 중 선택할 수 있으며, 이 경우 발행주식총수에는 상환우선주도 포함함(서면4팀-3474, 2007.12.5.).
- 「상속세 및 증여세법 시행령」 제54조 제2항의 규정에 의하여 비상장주식의 1주당 순자산가액을 계산하는 경우, 당해 법인이 일시적으로 보유한 후 처분할 자기주식은 자산으로 보아 같은 법 시행령 제55조 제1항의 규정에 의하여 평가함(자본거래관리과-345, 2020.7.6.).

03 저당권 등이 설정된 재산 평가 특례

모든 재산은 시가로 평가하는 것이 원칙이고, 시가산정이 어려운 경우에는 보충적 평가방법에 따라 평가한 가액을 시가로 본다. 그러나 저당권 등이 설정된 재산에 대해서는 별도의 특례규정을 두어 평가하는데 해당 재산이 담보하는 채권액을 기준으로 평가한 가액과 시가 또는 보충적 평가액 중에서 큰 금액으로 해당 재산가액을 평가한다. 따라서 매매사례가액 등 시가가 있더라도 담보하는 채권액이 크면 시가를 적용하지 않는다. 예를 들어 평가대상 재산을 담보로 대출을 받았거나 전세권 등이 설정되어 있다면 반드시 그 담보하는 채권액이 얼마인지를 확인해서 매매사례가액 등 시가와 보충적 평가액과 비교하여 큰 금액으로 평가해야 한다.

(1) 저당권 등이 설정된 재산의 평가 방법 및 담보하는 채권액의 범위

저당권 등이 설정된 재산은 아래 유형별로 평가 대상 재산이 담보하는 채권액과 해당 재산의 시가 또는 보충적 평가액 중에서 큰 금액으로 평가한다. 이 경우 채권액은 평가기준일 현재 설정되어 있는 채권액 등에 한하여 적용한다.

가. 저당권(공동저당권 및 근저당권은 제외)이 설정된 재산: 해당 재산이 담보하는 채권액

나. 공동저당권이 설정된 재산: 해당 재산이 담보하는 채권액을 공동저당된 재산의 평가기준일 현재의 가액을 안분하여 계산한 가액

다. 근저당권[54]이 설정된 재산: 평가기준일 현재 해당 재산이 담보하는 채권액

라. 질권이 설정된 재산 및 양도담보재산: 해당 재산이 담보하는 채권액

마. 전세권이 등기된 재산: 등기된 전세금, 임대보증금을 받고 임대한 경우에는 임대보증금

바. 위탁자의 채무이행을 담보할 목적으로 신탁계약을 체결한 재산: 신탁계약 또는 수익증권에 따른 우선수익자인 채권자의 수익한도금액

(2) 담보하는 채권액 산정의 기타 적용기준

가. 근저당 채권최고액의 경우: 해당 재산에 설정된 근저당의 채권최고액이 담보하는 채권액보다 적은 경우에는 채권최고액으로 한다.

나. 물적담보 외에 담보가 있는 경우: 해당 재산에 설정된 물적담보 외에 신용보증기관의 보증이 있는 경우에는 담보하는 채권액에서 당해 신용보증기관이 보증한 금액을 차감한 가액으로 한다.

다. 동일 재산이 다수의 채권의 담보로 되어 있는 경우: 동일한 재산이 다수의 채권(전세금채권과 임차보증금채권을 포함)의 담보로 되어 있는 경우 그 재산이 담보하는 채권의 합계액으로 한다.

라. 공유물에 설정된 근저당의 경우: 해당 근저당권이 설정된 재산이 공유물로서 공유자와 공동으로 그 재산을 담보로 제공한 경우에는 해당 재산이

54) 저당권은 채권액이 고정되어 있으나 근저당권은 담보하는 채권최고액만 표시되고 그 한도 내에서 실제 채권액은 변동이 된다는 점이 크게 다르다.

담보하는 채권액 중 각 공유자의 지분비율에 상당하는 금액을 그 채권액으로 한다.

마. 평가재산 외의 재산에 동일한 공동저당권 등이 설정된 경우: 평가할 재산과 그 외의 재산에 동일한 공동저당권 등이 설정되어 있거나 동일한 채무를 담보하기 위하여 양도담보된 경우 평가할 재산이 담보하는 채권액은 전체 채권액을 평가할 재산과 그 외 재산의 가액(평가기준일 현재로 평가한 가액)으로 안분하여 계산한다.

세법해석 사례 및 판례 등

- 근저당권 등이 설정된 재산은 평가기준일 현재 해당 재산이 담보하는 채권액과 해당 재산의 평가액 중 큰 금액으로 평가하는 것이며, 이 경우 채권액은 평가기준일 현재의 채권액을 말하는 것임(재산세과-520, 2010.7.15.).
- 담보채권가액이 실제가액보다 비정상적으로 크다는 예외적인 사실을 납세자가 입증한다면 「상속세 및 증여세법」 제66조의 적용을 배제하며, 이에 해당하는지 여부는 사실 판단 사항임(상속증여세과-00491, 2016.5.9.).
- 근저당권 설정재산을 평가할 때, 평가기준일 현재 남아 있는 채권액이 채권최고액을 초과하는 경우 해당 재산이 담보하는 채권액은 채권최고액을 말함(재산세과-564, 2010.8.6.).
- 공동근저당권이 설정된 재산의 일부를 증여하는 경우 당해 증여재산이 담보하는 채권액은 평가기준일 현재 공동근저당권이 담보하는 총채권액을 공동담보된 재산의 평가기준일 현재의 시가로 안분하여 계산한 가액으로 하는 것임(상속증여세과-1199, 2015.11.16.).
- 무체재산권과 부동산 및 예금이 공동담보로 제공된 경우 부동산이 담보하는 채권액은 전체 채권액에서 예금 및 무체재산권의 평가액을 공제한 금액임(기획재정부 재산세제과-257, 2008.6.4.).
- 부동산을 증여함에 있어서 동 일자로 당해 부동산에 설정된 근저당권을 해지한 경우 당해 증여재산을 평가함에 있어서 채권액을 적용하는 것임(재산세과-714, 2010.9.30.).
- 보충적으로 토지, 건물 평가 시 임대차계약이 체결되어 있고 근저당권이 설정된 재산은, 기준시가와 임대료 환산액 중 큰 금액과 담보하는 채권액을 비교하여 큰 금액을 적용함(재산세과-640, 2009.11.6.).

• 증여 이후에 증여재산에 관하여 제3자에 의해 근저당권이 설정된 경우에는 그것이 증여와 같은 날 설정되었더라도 그 근저당권의 피담보채권액은 '평가기준일 현재 해당 재산이 담보하는 채권액'에 해당하지 아니한다는 등의 이유로 이 사건 처분이 위법하다고 판단한 것은 잘못임(대법원 2013두1850, 2013.6.13.).

04 순자산가액 계산 시 자산 및 부채에서 가산, 제외할 항목

회사의 주당 순자산가치를 산정하려면 순자산가액을 계산하여 이를 발행주식총수로 나누어 계산한다. 순자산가액은 자산총액에서 부채총액을 차감하고 영업권을 합하여 계산하는데, 자산총액 및 부채총액 계산은 평가 기준일 현재를 기준으로 가결산하여 확정한 회사의 재무상태표 자산 및 부채가액을 아래 순자산가액계산서 ①항 및 ④항에 기재하는 것으로 시작한다. 다음으로 재무상태표상 자산을 「상속세 및 증여세법」에 따라 시가 또는 보충적평가방법으로 평가하여 재무상태표상 자산가액과의 차액을 산정하는데 이를 평가차액[55]이라 하며 ②항에 기재한다. 순자산가액 계산 시 가장 중요한 것은 개별 자산별 시가를 어떻게 평가할 것인가 하는 것인데 이에 대해서는 위에서 자세히 알아보았다. 그런데 회사의 재무상태표에는 자산 또는 부채로 계상하고 있지 않더라도 순자산가액 계산 시에는 자산 또는 부채에 포함시켜야 할 항목이 있고, 반대로 재무상태표에 자산 또는 부채로 계상하고 있더라도 순자산가액 계산 시에는 제외하는 항목이 있다. 이를 자산에 가산 또는 제외할 금액, 부채에 가산 또는 제외할 금액으로 구분하여 기재한다. 이하에서는 자산에 가산할 금액의 산정부터 최종 순자산가액을 도출하기까지에 대해 흐름별로 상세히 설명한다. 순자산가액 계산은 실무상 아래와 같은 서식[56]을 활용하여 계산한다.

55) 장부가액이 「상속세 및 증여세법」상 평가액보다 크면 정당한 사유가 없는한 장부가액으로 최종평가하므로 차액은 발생하지 않는다.

56) 평가심의위원회 운영규정 별지 제4호 서식 부표3 비상장주식등평가서 중 발췌, 국세청훈령 제2359호, 2020.4.1.

(단위: 원) (제2쪽)

4. 순자산가액		
가. 자산총액		
① 재무상태표상의 자산가액		
② 평가차액		제4쪽 5. 평가차액 "가"
③ 「법인세법」상 유보금액		
④ 기타(평가기준일 현재 지급받을 권리가 확정된 가액 등)		
⑤ 선급비용등		
⑥ 증자일 전의 잉여금의 유보액		
⑦ 소계 (① + ② + ③ + ④ − ⑤ − ⑥)		
나. 부채총액		
⑧ 재무상태표상의 부채액		
⑨ 법인세		
⑩ 농어촌특별세		
⑪ 지방소득세		
⑫ 배당금 · 상여금		
⑬ 퇴직급여추계액		
⑭ 기타(충당금 중 평가기준일 현재 비용으로 확정된 것 등)		
⑮ 제준비금		
⑯ 제충당금		
⑰ 기타(이연법인세대 등)		
⑱ 소계(⑧+⑨+⑩+⑪+⑫+⑬+⑭−⑮−⑯−⑰)		
다. 영업권포함 전 순자산가액(⑦−⑱)		
라. 영업권		제5쪽 6. 영업권 "자"
마. 순자산가액(다 + 라)		

(1) 자산에 가산하거나 제외하는 항목

가. 자산에 가산하는 항목

① 평가차액: 회사가 보유한 자산의 재무상태표상 가액, 즉 장부가액과 그 자산에 대한 「상속세 및 증여세법」상 평가액과의 차액을 말한다. 재무상태표상 자산항목에 포함되어 있는 개별 자산 건마다 모두 시가 또는 보충적 평가액을 확인하여 장부가액과 비교한다. 예를 들어 회사자산이 건물 하나만 있다고

가정할 경우 위 서식 ①항 재무제표상 자산가액에는 건물의 취득가액에서 감가상각비를 차감한 가액, 즉 장부가액이 기재될 것이고, 그 건물을 「상속세 및 증여세법」에 따라 다시 평가한 가액과의 차액을 ②항 평가차액란에 기재하면 된다. 장부가액이 클 경우에는 원칙적으로 평가차액이 발생하지 않는 것으로 한다. 한편, 「상속세 및 증여세법」에는 순자산가액 계산은 평가기준일 현재 당해 법인의 자산을 시가 또는 보충적 평가방법에 따라 평가한 가액에서 부채를 차감한 가액으로 한다고 규정하고 있어 부채의 평가 및 평가차액을 어떻게 할 것인지에 대해서 명확히 규정하고 있지는 않다. 부채의 경우에도 장기미지급 채권과 같은 경우 현재가치로 평가를 해야 하거나 또 재무상태표상 금액이 과소 · 과다 반영되어 있는 경우 그 차액을 조정할 필요가 있으므로 개별 부채마다 평가차액이 있는지 여부도 반드시 검토하여 반영해야 한다. 이런 점을 고려하여 아래의 비상장주식 등 평가서 5. 평가차액란에 자산뿐만 아니라 부채의 평가차액도 각각 계산하도록 서식이 마련되어 있고, 이렇게 계산된 자산과 부채의 평가차액을 가감하여 그 금액을 4. 순자산가액표의 ② 평가 차액란에 기재하여 계산하도록 하고 있다.

5. 평가차액							
가. 평가차액 계산 (① − ②)				제2쪽 4. 순자산가액 "가"의 ② 기재			
자산금액				부채금액			
계정과목	「상속세 및 증여세법」에 따른 평가액	재무상태표상 금액	차액	계정과목	「상속세 및 증여세법」에 따른 평가액	재무상태표상 금액	차액
① 합계				② 합계			

② 「법인세법」상 유보금액: 법인세 신고를 하거나 세무조사 등의 결과 기업 회계와 세법과의 차이로 인해 회사의 자본에 영향을 주는 항목이 발생하게 되면 '유보'라는 세무조정을 하게 된다. 자산의 증가 및 부채의 감소 또는 자산의 감소 및 부채의 증가 등 자본에 영향을 주는 항목에 대한 세무조정은

자본금과적립금조정명세서에 항목별로 유보소득이 관리된다. 이러한 유보소득은 세법상 순자산가액을 계산할 때는 원칙적으로 재무상태표상 자산가액에 가산해야 한다. 그러나 실무적으로는 대부분의 유보금액은 자산가액에 가산되지 않는다. 왜냐하면 재무상태표상에 포함되어 있는 모든 개별자산에 대해서는 이미 「상속세 및 증여세법」에 따라 평가기준일 현재의 시가 등으로 평가를 한 상태이므로 추가로 유보금액을 가산할 필요가 없기 때문이다. 아울러, 기업회계기준에 따라 자산 또는 부채로 계상하였더라도 비상장주식을 평가할 때 자산 또는 부채에서 제외되는 항목에 대해서는 관련되는 유보금액도 자산에 가산할 필요가 없다. 예를 들어, 「상속세 및 증여세법」에 따라 매매사례가액 등 시가나 보충적 평가방법으로 자산을 평가하였다면 해당 자산과 관련하여 세무조정으로 유보해 놓은 금액은 자산총계 계산 시 별도로 가감하지 않는다. 감가상각충당금한도초과액, 건설자금이자, 재고자산 평가감, 예금이자 미수수익 등이 가산하지 않는 유보금액에 해당된다. 다만, 감가상각부인 관련 유보금액 중 재취득가액 등이 없어 장부가액으로 평가할 수밖에 없는 자산관련 유보금액은 반영해야 한다. 아울러 대손충당금, 퇴직급여충당금, 제준비금도 평가기준일 현재 확정된 부채가 아니어서 세무상 부채로 보지 않으므로 관련 유보금액은 가감하지 않는다.

③ 평가기준일 현재 지급받을 권리가 확정된 가액 등: 평가기준일 현재 지급받을 권리가 확정되었으나 재무상태표에 반영되지 않은 금액은 자산에 가산한다. 예를 들어 회사가 받을 것으로 확정된 손해배상채권은 장부에는 계상되지 않았더라도 순자산가액계산 시 자산에 가산한다.

④ 유상증자 등: 만약, 평가기준일 현재 시점에서 가결산을 하지 않고 편의상 직전 사업연도 말 현재 재무상태표를 기준으로 순자산가액을 계산하는 경우 직전 사업연도 말부터 평가기준일 사이에 유상증자 또는 유상감자 또는 자산가액에 변동이 있으면 그 금액만큼을 가감하여야 한다.

나. 자산에서 제외하는 항목

① 선급비용: 미리 지출한 비용을 자산으로 계상하고 있으나 평가기준일 현재 이미 비용으로 확정된 금액은 자산으로서의 가치가 없으므로 자산에서

제외한다. 만약, 편의상 직전 사업연도 말 재무상태표를 기준으로 평가할 경우에는 반드시 선급비용이 비용으로 확정되었는지 여부를 검토하여 차감해야 한다.

② 개발비: 개발비는 무조건 자산에서 차감한다. 개발비란[57] 상업적인 생산 또는 사용 전에 재료 · 장치 · 제품 · 공정 · 시스템 또는 용역을 창출하거나 현저히 개선하기 위한 계획 또는 설계를 위하여 연구결과 또는 관련 지식을 적용하는데 발생하는 비용으로서 당해 법인이 개발비로 계상한 것을 말하는데, 개발비는 그 효과가 보통 장기간에 걸쳐 나타나므로 「법인세법」에서는 여러 기간으로 나누어 비용으로 처리할 수 있도록 하고 있으나 「상속세 및 증여세법」에서는 이미 지출된 비용으로 보아 자산성을 인정하지 않고 자산에서 차감하도록 하고 있다.

③ 이연법인세자산: 이연법인세는 기업회계상의 이익과 「법인세법」상의 과세소득 간의 일시적 차이가 있을 때 자산 또는 부채로 계상하는 항목이다. 만약, 세무상 납부할 법인세가 회계상 법인세비용에 비해 큰 경우 기업회계상으로는 그 금액만큼을 미리 납부하는 것으로 보아 자산으로 계상하는데 이를 이연법인세자산이라 한다. 이연법인세자산은 「상속세 및 증여세법」 에서는 자산성을 인정하지 않으므로 자산가액에서 차감한다.

④ 외화환산차: 외화자산과 부채의 경우 평가기준일 현재의 기준환율 또는 재정환율로 새로이 평가한 가액을 외화자산, 부채가액으로 보기 때문에 가결산을 할 경우 외화환산차[58]를 고려할 필요는 없으므로 재무상태표에 계상된 외화환산차 금액은 자산가액에서 차감해야 한다.

⑤ 증자일 전의 잉여금 유보액: 잉여금을 유보하고 있던 회사가 증자를 하면서 해당 잉여금 유보액을 신입주주 또는 신입사원에게 분배하지 아니한다는 조건으로 증자를 한 경우, 해당 신입주주 또는 신입사원의 출자지분을 평가할 때 순자산가액에는 신입사원 또는 신입주주에게 분배하지 않기로 한 잉여금 상당액은 포함되지 않는다(상증통칙 63-55…6).

---

57) 「법인세법 시행령」 제24조 제1항 제2호 바목 규정
58) 외화자산 원화기장액과 사업연도 종료일 현재의 환율에 따라 평가한 금액과의 차액

(2) 부채에 가산하거나 제외하는 항목

가. 부채에 가산하는 항목

① 평가기준일까지 소득에 대한 법인세 등: 평가기준일 현재 납세의무가 확정된 것과 평가기준일이 속하는 사업연도 개시일부터 평가기준일까지 발생된 소득에 대한 법인세 등은 부채에 가산한다. 다만, 법인이 가결산을 하면서 이와 같이 확정된 법인세를 이미 부채로 계상했다면 문제는 되지 않는다. 한편, 평가기준일 이후에 법인세가 추징되는 경우에는 평가기준일까지 발생된 소득에 대한 법인세액은 부채에 추가로 가산하며, 만약 평가기준일 이전 사업연도에 대한 자산누락으로 인해 법인세가 추징되는 경우 자산누락금액은 자산에 가산하고 추징세액은 부채에 가산한다.

② 배당금 및 상여금: 평가기준일 현재 이익처분으로 확정[59]된 배당금 및 상여금은 채무로 가산한다. 즉, 평가대상법인이 가결산을 하면서 평가기준일 현재 이익처분으로 확정된 배당금이나 상여금을 부채로 계상하지 아니한 경우에는 이를 가산한다. 이익처분에 의한 배당금이나 상여금은 「법인세법」상 손금산입되지는 않으나 지급의무가 확정된 금액이므로 순자산가액 계산 시에는 부채에 가산해야 한다.

③ 퇴직급여추계액: 평가기준일 현재 재직하는 임원 및 사용인 전원이 퇴직할 경우 퇴직급여로 지급되어야 할 퇴직금추계액은 전부를 부채에 가산한다. 다만, 확정기여형(DC형) 퇴직연금 등이 설정된 자의 퇴직금 추계액은 법인에서는 퇴직급여를 지급할 의무가 없으므로 관련 퇴직금 추계액 상당액은 제외한다. 「상속세 및 증여세법」 규정에 따라 퇴직금 추계액 전부를 부채에 가산하게 되므로 기업회계기준에 따라 재무상태표에 계상되어 있는 퇴직급여충당금, 단체퇴직보험충당금 등의 충당금은 부채에서 차감한다.

④ 기타 부채에 가산할 항목: 자산의 경우와 마찬가지로 평가기준일 현재 이미 확정된 부채에 대해서는 명칭에 불구하고 부채에 가산하여야 한다.

ㄱ. 충당금 중 평가기준일 현재 비용으로 확정된 것: 일반적으로 충당금은

59) 평가기준일 전에 잉여금처분결의가 되었으면 확정된 것으로 본다.

부채로 확정된 것이 아니므로 부채에서 차감하도록 하고 있으나, 평가기준일 현재 비용으로 확정된 것은 해당 금액만큼 부채에 가산한다.

ㄴ. 가수금: 평가기준일 현재 법인에서 변제의무가 있는 주주 및 임원 등으로부터의 가수금으로서 장부에 계상되지 않은 금액은 부채에 포함한다.

ㄷ. 퇴직수당, 공로금: 종업원의 사망에 따라 평가기준일 현재 지급이 확정된 퇴직수당, 공로금 기타 이에 준하는 금액으로 장부에 계상되지 않은 금액은 부채에 포함한다.

ㄹ. 보증채무: 보증채무는 일반적으로 채무로 인정되지 않으나 주채무자가 변제불능상태이고 주채무자에게 구상권을 행사할 수 없는 경우에는 부채에 포함한다.

ㅁ. 보험업을 영위하는 법인의 책임준비금과 비상위험준비금: 일반적으로 평가기준일 현재 충당금과 각종 준비금은 확정된 채무가 아니라고 보아 순자산가액 계산 시 부채에서 제외한다. 그러나 보험업은 업종 특성상 모든 보험계약이 해약되거나 또는 보험사고가 날 것을 대비하여 환급액이나 보험금을 지급하기 위해 책임준비금 및 비상위험준비금을 적립할 의무가 있다. 이에 따라 순자산가액 계산 시 「법인세법」에서 손금으로 허용하는 범위 내에서는 채무에 포함되도록 하고 있다. 다만, 가결산을 하면서 「상속세 및 증여세법」 규정에 따른 금액만큼을 채무로 계상했다면 추가로 가산할 금액은 발생하지 않는다.

나. 부채에서 제외하는 항목

① 각종 준비금: 조세특례제한법 및 기타법률에 의한 각종 준비금[60]을 회사가 부로 계상하였다면 이를 부채에서 차감하여 계산한다. 준비금은 조세정책상의 목적으로 일시적으로 과세를 유예하기 위해 만든 제도이어서 「법인세법」상 손금으로는 인정하고 있으나 평가기준일 현재 확정된 것이 아니기 때문에 「상속세 및 증여세법」상 순자산가액 계산 시에는 부채에서 차감한다.

② 각종 충당금: 평가기준일 현재 비용으로 확정된 충당금을 제외한 각종 충당금은 부채에서 차감한다. 가결산을 하면서 비용으로 확정된 금액을 제외하고 충당금을 설정하였다면 가결산 재무제표상태표상 충당금을 모두 차감하면 된다.

60) 중소기업투자준비금, 연구 및 인력개발준비금, 해외시장개척준비금, 수출손실준비금, 증권거래준비금

③ 이연법인세부채: 이연법인세는 기업회계상의 이익과 「법인세법」상의 과세소득 간의 일시적 차이가 있을 때 자산 또는 부채로 계상하는 항목이다. 만약, 세무상 납부할 법인세가 회계상 법인세비용에 비해 적은 경우 기업회계상으로는 그 금액만큼을 추후에 납부해야 할 의무가 있는 것으로 보아 부채로 계상하는데 이를 이연법인세부채라 한다. 이연법인세부채는 평가기준일 현재 부채로 확정된 것은 아니어서 부채가액에서 차감한다.

④ 외화환산대: 외화자산과 부채의 경우 평가기준일 현재로 기준환율 또는 재정환율로 새로이 평가한 가액을 외화자산, 부채가액으로 보기 때문에 가결산을 할 경우 외화환산대를 고려할 필요는 없으나, 만약 재무상태표에 계상되어 있으면 차감해야 한다.

⑤ 사채할인(할증) 발생차금 및 장기미지급 이자: 사채할인(할증) 발행차금은 해당 법인의 부채에 가감하지 않으며 전환사채 및 신주인수권부사채의 권리자가 중도에 전환권 또는 신주인수권을 행사하지 않아 만기 상환할 것을 가정해서 만기에 지급할 이자비용을 장기미지급이자로 계상한 경우 해당 장기미지급이자는 부채에 가산하지 않는다.

세법해석 사례 및 판례 등

- 「상속세 및 증여세법 시행령」 제55조 제1항에 따라 순자산가액은 평가기준일 현재 해당 법인의 자산을 「상속세 및 증여세법」 제60조부터 제66조까지의 규정에 따라 평가한 가액에서 부채를 차감한 가액으로 하며, 해당 법인의 자산을 같은 법 제60조 제3항 및 같은 법 제66조의 규정에 의하여 평가한 가액이 장부가액(취득가액에서 감가상각비를 차감한 가액을 말함)보다 적은 경우에는 장부가액으로 하되, 장부가액보다 적은 정당한 사유가 있는 경우에는 그러하지 아니합니다. 이 경우 장부가액은 기업회계기준 등에 따라 작성된 재무상태표상 장부가액에 의하는 것이나, 순자산가액 계산 시 장부가액을 적용하는 경우에는 자본금과 적립금조정명세서(을)상의 유보금액을 자산가액에 가감하는 것임(상속증여세과-1039, 2016.9.27.).
- 비상장법인의 순자산가액을 계산할 때, 같은 법 제60조 내지 제66조의 규정에 의하여 평가한 자산 및 부채와 관련된 유보금액과 「조세특례제한법」 제44조의 규정에 의하여 익금에 산입하지 아니한 채무면제익 관련 유보금액은

이를 순자산가액에 별도로 가산하거나 차감하지 아니함(서면4팀-520, 2004. 4.20.).

- 비상장법인의 순자산가액을 계산할 때에 당해 법인의 부채에 가산하는 배당금은 평가기준일 현재 이익의 처분으로 확정된 금액을 말하는 것임(서면4팀-2015, 2004.12.10.).
- 비상장주식 평가 시 평가기준일이 사업연도 말과 일치하지 않는 통상의 경우 평가기준일 현재의 가결산 대차대조표를 기초로 순자산가액을 산정할 수 있으나 반드시 거기에 따라야 하는 것은 아니며, 직전 사업연도 말 대차대조표를 기초로 평가기준일까지의 증감사항 및 평가차액 등을 반영하여 순자산가액을 계산하는 것이 위법하다고 할 수 없음(부산지방법원2012구합1182, 2013.2.8.).
- 청구인은 평가를 위한 아무런 자료를 제시하지 못하고 있고, 처분청이 시가 산정의 기준으로 본 대차대조표 작성기준일은 증여일과 불과 3일 밖에 차이가 나지 않으므로 결산서를 기준으로 쟁점주식을 평가하여 과세한 처분은 잘못이 없는 것으로 판단됨(조심2009서4231, 2010.11.1.).

4절 비상장주식의 순손익가치 계산

비상장주식을 보충적 평가방법으로 평가할 때 일반적으로 회사의 순자산가치에 2의 비중을 두고 순손익가치에 3의 비중을 두어 평가한다. 순손익가치는 그 법인이 청산하지 않고 계속해서 기업활동을 할 것이라는 가정하에 산정하는 것이므로 회사가 미래에 수익창출 능력이 얼마나 있을 것인지를 측정하여 평가하는 것이 합리적일 것이다. 그런데, 「상속세 및 증여세법」에서는 법적안정성과 예측가능성을 고려하여 당해 법인의 과거 3년간의 순손익액을 가중평균하여 계산하도록 하고 있다. 이것은 과거의 실적추세가 앞으로도 계속될 것이라는 전제로 하는 것이다. 이때 순손익액은 「법인세법」상 각 사업연도소득[61]을 기초로 하여 계산하게 되는데 「상속세 및 증여세법」에 규정에 따라 각 사업연도 소득에 가산하거나 또는 공제할 항목을 가감하여 산정한다.

61) 만약, 세무조사 등으로 각 사업연도 소득에 변동이 있으면 변동된 금액을 기준으로 계산한다.

다만, 해당 기업이 일시적이고 우발적인 사건의 발생 등 몇 가지 요건에 모두 해당되어 최근 3년간 순손익액 가중평균액으로 평가하기에 불합리한 경우에는 미래의 이익을 추정하는 방법으로 1주당 추정이익의 평균가액에 의해 순손익가치를 평가할 수 있도록 하고 있다. 이하에서는 먼저 순손익가치 평가 및 순손익액 산정방법에 대해 설명하고 이후에 예외적인 평가방법인 추정이익에 의한 순손익가치 평가방법을 설명한다.

01 1주당 순손익가치의 계산 개요

(1) 1주당 순손익가치

1주당 순손익가치는 평가기준일로부터 최근 3년간의 순손익액을 가중평균하여 이를 이자율(10%)로 나누어 계산한다.

$$1주당\ 순손익가치 = \frac{1주당\ 최근\ 3년간의\ 순손익액의\ 가중평균액}{순손익가치\ 환원율(10\%)}$$

이자율은 순손익가치 환원율 또는 자본환원율이라고도 하는데 회사의 순손익을 자본으로 환산하면 얼마 정도로 평가되는가를 산정하기 위한 비율로 3년 만기 회사채 유통수익률을 감안하여 기획재정부령으로 정하는데 2000년 4월부터 10%로 유지되고 있다.

(2) 1주당 최근 3년간의 순손익액의 가중평균액

최근 3년간 순손익액의 가중평균액을 계산할 때 평가기준일로부터 가까운 연도의 순손익액에 가중치를 높게 두어 아래와 같이 계산한다.

$$1주당\ 최근\ 3년간\ 순손익액의\ 가중평균액 = \frac{A \times 3 + B \times 2 + C \times 1}{6}$$

A: 평가기준일 이전 1년이 되는 사업연도의 1주당 순손익액
B: 평가기준일 이전 2년이 되는 사업연도의 1주당 순손익액
C: 평가기준일 이전 3년이 되는 사업연도의 1주당 순손익액

이때, 특정 사업연도의 1주당 순손익액이 음수(△)로 산출되는 경우 음수를 그대로 적용하여 계산한다. 다만, 3개 연도를 가중평균한 결과 1주당 최근 3년간의 순손익액의 가중평균액이 음수인 경우에는 음수를 적용하지 않고 '0'원으로 평가한다. 만약, 평가기준일이 사업연도 말과 일치하는 경우에는 당해 사업연도를 평가기준일 이전 1년이 되는 사업연도로 하여 가중평균액을 계산한다.[62]

(3) 사업개시 후 3년 미만 법인의 순손익가치

사업개시 후 3년 미만인 비상장법인의 주식은 순자산가치로만 평가한다. 만약, 사업개시 후 3년 미만인 법인을 주식평가기준일이 속하는 사업연도 이전 사업연도에 흡수합병한 경우에는 합병법인의 3개 사업연도 중 피합병법인의 사업연도가 없는 사업연도의 1주당 순손익액은 합병법인의 순손익액을 그 합병법인의 해당 사업연도 말 발행주식총수로 나누어 계산한 가액에 따른다.

02 1주당 순손익액의 계산

사업연도별 1주당 순손익액은 최근 3년간의 사업연도별 순손익액을 각 사업연도 말 주식수로 나누어 계산한다. 순손익액은 「법인세법」상 각 사업연도 소득에 「상속세 및 증여세법」 규정에 따라 가산 또는 차감 항목에 해당되는 금액을 가감하여 계산하도록 하고 있다. 이는, 당해 법인의 순자산을 증가시키는 수익의 성질을 가졌지만 조세정책 목적 등으로 「법인세법」상 각 사업연도 소득금액 계산 시 익금불산입된 금액은 가산하고 반대로 당해 법인의 순자산을 감소시키는 손비의 성질을 가졌지만 각 사업연도 소득금액 계산 시에 손금불산입된 금액을 차감하여 순손익액을 산정함으로써 평가기준일 현재 주식가치를 보다 정확히 측정하고자 하는 것이다.[63] 즉, 기업회계상 당기 순손익액을 기초로 각 사업연도 소득을 산정하는 과정에서 조세정책상 목적 등으로 익금불산입 또는 손금불산입으로 세무조정된 특정 항목을 비상장

62) 예를 들어, 평가기준일이 2020.12.31.이면 최근 3년 사업연도는 2020, 2019, 2018년이 된다.
63) 대법원 2011두22280, 2013.11.14.

주식평가 시에는 다시 되돌림으로써 기업의 실제 상황에 가까운 순손익액을 산정하는 것이라고 할 수 있다. 순손익액은 실무상 편리하게 계산할 수 있도록 마련된 아래 서식[64]을 활용하고 있다.

(단위: 원) (제6쪽)

7. 순손익액

평가기준일 1년, 2년, 3년이 되는 사업연도				
① 각 사업연도 소득금액				
소득에 가산할 금액	② 국세, 지방세 과오납에 대한 환급금이자			
	③ 수입배당금 중 익금불산입한 금액			
	④ 기부금의 손금산입한도액 초과금액의 이월 손금 산입액 외			
가. 소계(① + ② + ③ + ④)				
소득에서 공제할 금액	⑤ 벌금, 과료, 과태료 가산금과 체납처분비			
	⑥ 손금 용인되지 않는 공과금			
	⑦ 업무에 관련 없는 지출			
	⑧ 각 세법에 규정하는 징수불이행 납부세액			
	⑨ 기부금 한도초과액			
	⑩ 접대비 한도초과액			
	⑪ 과다경비 등의 손금불산입액			
	⑫ 지급이자의 손금불산입액			
	⑬ 감가상각비(시행령 제56조 제4항 라목)			
	⑭ 법인세 총결정세액			
	⑮ 농어촌특별세 총결정세액			
	⑯ 지방소득세 총결정세액 등			
나. 소계(⑤ ~ ⑯)				
다. 순손익액(가 - 나)				
라. 유상증자 · 감자 시 반영액				
마. 순손익액(다 ± 라)				
바. 사업연도 말 주식수 또는 환산주식수				
사. 주당순손익액(마 ÷ 바)		⑰	⑱	⑲
아. 가중평균액 {(⑯ × 3 + ⑰ × 2 + ⑱) / 6}				

64) 평가심의위원회 운영규정 별지 제4호 서식 부표3, 국세청훈령 제2359호, 2020.4.1.

자. 기획재정부령이 정하는 율	
차. 최근 3년간 순손익액의 가중평균액에 의한 1주당 가액(아 ÷ 자)	

(1) 각 사업연도 소득금액

「법인세법」 제14조에 따른 각 사업연도 소득금액을 말하며, 익금의 총액에서 손금의 총액을 공제한 금액이다. 익금은 자본 또는 출자의 납입을 제외하고 해당 법인의 순자산을 증가시키는 거래로 인해 발생하는 모든 수익의 금액을 말하고, 손금은 자본 또는 지분의 환급, 잉여금의 처분을 제외하고 해당 법인의 순자산을 감소시키는 거래로 인해 발생하는 모든 손비의 금액을 말한다. 실무적으로는 기업의 결산서상 당기순손익을 기준으로 익금산입, 손금산입 등 「법인세법」상 세무조정을 거쳐 산출하며 아래 법인세 과세표준 및 세액조정계산서상 ⑩⑦란에 표기된 금액이다.

■ 「법인세법」 시행규칙 [별지 제3호 서식] 〈개정 2020. 3. 13.〉 (앞쪽)

사업연도	. . . ~ . . .	법인세 과세표준 및 세액조정계산서	법인명	
			사업자등록번호	

① 각 사업연도 소득계산				
	⑩① 결산서상 당기순손익		01	
	소득조정 금액	⑩② 익금산입	02	
		⑩③ 손금산입	03	
	⑩④ 차가감소득금액 (⑩①+⑩②−⑩③)		04	
	⑩⑤ 기부금한도초과액		05	
	⑩⑥ 기부금한도초과이월액 손금산입		54	
	⑩⑦ 각 사업연도 소득금액 (⑩④+⑩⑤−⑩⑥)		06	

	⑬③ 감면분추가납부세액	29	
	차감납부할세액 ⑬④ (⑫⑤−⑬②+⑬③)	30	

⑤ 토지 등 양도소득에				
	양도 차익	⑬⑤ 등기자산	31	
		⑬⑥ 미등기자산	32	
	⑬⑦ 비과세소득		33	
	과세표준 ⑬⑧(⑬⑤+⑬⑥−⑬⑦)		34	
	⑬⑨ 세율		35	

(2) 각 사업연도 소득에 가산할 금액

실제로는 법인의 순자산을 증가시킨 익금에 해당되지만 조세정책상 목적 또는 법인세 이중과세 방지 등의 이유로 각 사업연도 소득금액 계산 시에는 익금에 산입하지 않았던 금액에 대해 「상속세 및 증여세법」에서는 회사의 적정한 주식 가치 산정을 위해 각 사업연도 소득금액에 가산하도록 하고 있다.

가. 국세 및 지방세의 과오납금의 환급금이자: 납세자의 착오 납부 또는 국가의 착오 부과로 인해 납세자가 실제 부담해야할 세금보다 많이 납부한 경우 국가는 이를 환급해야 한다. 이때 과오납에 대한 보상성격으로 과오납한 기간에 대한 이자상당액, 즉 환급가산금을 지급하는데 「법인세법」에서는 보상의 효과가 감소되는 것을 방지하기 위해 익금불산입하고 있다. 그러나 그 실질은 회사의 순자산을 증가시키는 익금에 해당하므로 순손익액을 계산할 때 각 사업연도 소득금액에 가산한다.

나. 수입배당금 중 익금불산입한 금액: 법인이 지급하는 배당금은 이미 법인세가 과세된 소득이므로, 배당소득을 수취하는 자에게 다시 법인세 또는 소득세를 과세하게 되면 동일한 소득에 대하여 이중으로 과세하는 결과가 된다. 이에 따라 「법인세법」에서는 배당소득을 수취하는 법인에 대해 일정 범위의 금액을 익금에서 제외하고 있다. 그러나 그 실질은 회사의 익금이므로 순손익액 계산 시 해당 금액을 각 사업연도 소득금액에 가산한다.

다. 기부금한도초과이월액 손금산입액: 기부금은 「법인세법」상 손금으로 인정되는 한도가 있으며, 한도를 초과하는 금액은 당해 연도에 손금불산입되고 이후 5년 동안 이월하여 손금에 산입할 수 있다. 「상속세 및 증여세법」에서는 적정한 순손익액 계산을 위해 기부금 한도초과액도 지출한 당해 연도에 각 사업연도 소득금액에서 차감하고 이월하여 손금에 산입한 기부금은 이월한 연도에 실제 지출한 것이 아니므로 각 연도의 각 사업연도 소득에 가산하도록 하고 있다. 지출한 기부금 전액을 지출한 해당 연도 순손익액 계산 시 차감하므로 이월하여 손금산입한 기부금액을 그대로 두게되는 경우 중복해서 차감하게 되는 결과를 초래하기 때문이다.

라. 화폐성외화자산 · 부채 또는 통화선도 등의 평가이익: 회사에서 화폐성

외화자산 등을 해당 사업연도 종료일 현재의 매매기준율 등으로 평가하지 않은 경우에는 해당 사업연도 종료일 현재의 매매기준율 등으로 평가하여 발생한 이익을 각 사업연도 소득금액에 가산한다. 이는 「법인세법」상 화폐성 외화자산 등의 평가손익 반영 여부를 기업이 선택[65]할 수 있도록 하고 있으나, 기업의 회계처리를 그대로 적용할 경우 해당 기업의 선택에 따라 주식가치의 차이가 발생하게 되어 「상속세 및 증여세법」에서는 이를 해소하고자 기업마다 동일하게 적용할 기준을 두고 있다.

마. 업무용승용차 관련 비용 이월 손금산입액: 「법인세법」상 업무용승용차 관련 비용도 손금으로 인정되는 한도가 있으며, 한도를 초과하는 금액은 당해 연도에 손금불산입되고 이후 연도에 이월하여 손금산입된다. 「상속세 및 증여세법」에서는 해당 연도의 적정한 순손익액 계산을 위해 업무용승용차 관련 비용 중 손금불산입된 금액은 지출한 당해 연도에 각 사업연도 소득금액에서 차감하고 이월하여 손금에 산입한 업무용승용차 관련 비용은 이월한 연도에 실제 지출한 것이 아니므로 각 연도의 각 사업연도 소득금액에 가산하도록 하고 있다. 손금불산입액을 실제 지출한 연도의 각 사업연도 소득금액에서 차감했는데, 이월하여 손금산입한 금액을 그대로 두면 이중 손금산입되는 결과를 초래하기 때문이다.

(3) 각 사업연도 소득에서 차감할 금액

실제로는 법인의 순자산을 감소시키는 손금에 해당되나 조세정책상 목적 등의 이유로 각 사업연도 소득금액 계산 시에는 손금에 산입하지 않았던 금액에 대해 「상속세 및 증여세법」에서는 회사의 적정한 주식가치 산정을 위해 각 사업연도 소득금액에서 차감하도록 하고 있다.

가. 벌금, 과료, 과태료 가산금과 체납처분비: 「법인세법」상 손금으로는 인정되지 않으나 실제로는 지출된 비용이므로 각 사업연도 소득금액에서 차감한다.

---

65) 예를들어, 금융기관 외의 법인은 취득일 또는 발생일의 매매기준율과 사업연도 종료일 현재 매매기준율 중에서 법인이 신고하는 평가방법에 따라 평가한다.

나. 손금 용인되지 않는 공과금[66]: 법령에 따라 의무적으로 납부한 것이 아닌 공과금과 법령에 따른 의무의 불이행 또는 금지 · 제한 등의 위반에 대한 제재로서 부과되는 공과금은 대부분 「법인세법」상 손금으로 인정되지 않아 각 사업연도 소득금액에 해당 금액만큼이 포함되어 있다. 그러나 실제로는 지출된 비용이므로 각 사업연도 소득금액에서 차감한다.

다. 징벌적 목적의 손해배상금: 「법인세법」에 열거된 법률규정[67]이나 외국 법령에 따라 지급한 손해배상금 중에서 실제 발생한 손해를 초과하여 지급한 금액은 손금불산입한다. 그러나 이 금액도 실제로는 지출된 비용이므로 비상장주식 평가 시에는 적정한 순손익액 산정을 위해 각 사업연도 소득금액에서 차감한다. 참고로 「법인세법」에서는 실제 발생한 손해액이 분명하지 않으면 법인이 지급한 총 손해배상금의 3분의 2에 해당하는 금액을 손금불산입하도록 규정되어 있다. 이 항목은 순손익액계산서상 공제할 항목에 명시되어 있지는 않으나[68] 손금용인되지 않는 공과금이나 업무에 관련없는 지출 등 적절한 항목으로 구분하여 차감하면 될 것이다.

라. 업무에 관련없는 지출: 법인이 지출한 비용 중 해당 법인의 업무와 직접 관련이 없다고 인정되는 비용, 예를 들어 부동산 등 자산을 취득 또는 관리함으로써 생기는 유지비, 수선비, 관리비 등 비용은 손금에 산입하지 않는다. 이렇게 손금불산입된 금액이 있다면 이 금액도 실제로는 지출된 비용이므로 비상장주식 평가 시에는 각 사업연도 소득금액에서 차감하여 계산한다.

마. 각 세법에 규정하는 징수불이행 납부세액: 각 세법에 규정된 의무불이행으로 인해 납부하거나 납부할 세액(가산세 포함)으로서 각 사업연도 소득금액 계산 시 손금에 산입되지 않은 금액은 순손익액계산 시 각 사업연도 소득금액에서 차감하여 계산한다. 의무불이행에는 간접국세의 징수불이행 및 납부불이행 기타의 의무불이행의 경우를 포함한다.

---

66) 손금용인되지 않는 공과금이 「법인세법」에 열거되지는 않으나 임의출연금, 폐수배출부담금 등을 예로 들 수 있다.

67) 가맹사업거래의 공정화에 관한 법률, 하도급거래 공정화에 관한 법률 등 10개의 법률

68) 「상속세 및 증여세법」이 2020.2.11. 개정되어 동 규정이 추가되었다.

바. 기부금 한도초과액: 법인이 지출하는 기부금은 일정 범위 내에서 손금에 산입하는 법정 · 지정기부금과 아예 손금에 산입되지 않는 기타의 기부금이 있다. 이렇게 한도초과 또는 원천적으로 손금불산입된 기부금은 실제 지출한 비용이므로 지출한 연도의 적정한 순손익액 산정을 위해 비상장주식 평가 시에는 각 사업연도 소득에서 차감한다. 참고로, 한도초과된 기부금은 이후 연도에 이월하여 손금에 산입할 수 있는데 이후 연도에 이월하여 손금에 산입한 금액이 있다면 그 이후 연도의 비상장주식을 평가할 때는 순손익액을 산정할 때는 각 사업연도 소득금액에 다시 가산해야 한다. 당해 연도 순손익액 계산 시 이미 차감하였으므로 향후 연도에 이중으로 차감하는 것을 방지하기 위한 것이다.

사. 접대비 한도초과액: 법인이 지출한 접대비, 교제비, 사례금 기타 명목 여하에 불구하고 이와 유사한 성질의 비용으로 법인이 직접 또는 간접적으로 업무와 관련있는 자와의 업무를 원활하게 진행하기 위해 지출한 금액 중 일정 범위를 초과하는 금액은 손금에 산입하지 않는다. 이와 같이 손금산입 한도가 초과되어 손금불산입된 접대비도 실제 지출한 비용이므로 적정한 순손익액 산정을 위해 비상장주식 평가 시에는 각 사업연도 소득금액에서 차감 한다. 참고로 접대비는 기부금과는 달리 이후 연도에 이월하여 손금에 산입할 수는 없기 때문에 기부금의 경우처럼 이월하여 손금산입한 금액에 대한 처리는 고려할 필요가 없다.

아. 과다경비 등의 손금불산입액: 인건비, 복리후생비, 여비 및 교육훈련비, 해당 법인 외의 자와 동일한 조직 또는 사업 등을 공동으로 운영하거나 경영함에 따라 발생되거나 지출된 손비, 기타 법인의 업무와 직접 관련이 적다고 인정되는 경비로서 과다하거나 부당하다고 인정되는 금액은 손금에 산입하지 않는다. 이렇게 손금불산입된 금액은 실제 지출된 비용이므로, 각 사업연도 소득금액에서 차감한다.

자. 지급이자의 손금불산입액: 채권자가 불분명한 사채이자나 차입금 중에서 업무와 직접 관련이 없다고 인정되는 자산가액에 상당하는 금액의 이자 등은 「법인세법」 규정상 손금에 산입되지 않는다. 그러나 이렇게 손금불산입된

금액도 실제로는 지출된 비용이므로 적정한 순손익액 산정을 위해 각 사업연도 소득금액에서 차감한다.

차. 감가상각비 시인부족액: 기업에서 계상한 감가상각비가 세법에서 규정한 감가상각비[69]에 미달하는 경우 그 금액을 시인부족액이라 하는데 「상속세 및 증여세법」에서는 순손익액의 적정한 산정을 위해 시인부족액을 각 사업연도 소득금액에서 차감하도록 하고 있다. 다만, 시인부족액 중에서 이전 연도에 이월된 상각부인액으로 이미 손금추인한 금액[70]은 차감하지 않는다.

카. 법인세, 농어촌특별소득세, 지방소득세의 총결정세액: 당해 사업연도의 법인세 등 총결정세액은 각 사업연도 소득금액에서 차감한다. 회사가 결산 시 법인세비용으로 계상한 금액은 「법인세법」상 손금에 산입되지 않으므로 해당 금액 만큼은 각 사업연도 소득금액에 포함되어 있다. 따라서 정확한 순손익액을 산정하기 위해서 세법규정에 따라 법인이 실제 납부했거나 납부할 법인세 등을 계산하여 각 사업연도 금액에서 공제하는 것이다. 법인세는 각 사업연도 소득금액에서 이월결손금을 차감한 과세표준에 세율을 적용하여 계산하는 것이나, 「상속세 및 증여세법」 규정상 순손익액 계산 시 공제하는 법인세는 이월 결손금을 차감하기 전 각 사업연도 소득금액을 기준으로 계산한다. 이는 과거 연도에 이월된 결손금으로 인해 당해 연도의 순손익가치가 왜곡되는 것을 방지하기 위함이다. 한편, 세무조사 등으로 인해 과거 연도의 법인세가 당해 연도에 추징되더라도 당해 연도의 각 사업연도 소득금액에서 차감하지 않는다.

타. 업무용승용차 관련 손금불산입액: 「법인세법」상 업무용승용차 관련 비 용은 손금으로 인정되는 한도가 있으며, 한도를 초과하는 금액은 당해 연도에 손금불산입되고 이후 연도에 이월하여 손금산입된다. 「상속세 및 증여세법」 에서는 비상장주식 평가 시 해당 연도의 적정한 순손익액 계산을 위해 업무용 승용차 관련 비용 중 손금불산입된 금액은 지출한 당해 연도에 각 사업연도 소득금액에서 차감한다.

---

69) 상각범위액이라 하며 이를 초과하여 계상하면 상각부인액, 이에 미달하면 시인부족액이라 한다.
70) 당해 연도 상각부인액은 이월되어 이후 연도 시인부족액 범위 내에서 손금추인된다.

파. 화폐성외화자산 등 평가손실: 화폐성외화자산 등을 해당 사업연도 종료일 현재의 매매기준율 등으로 평가하지 않은 경우에는 해당 사업연도 종료일 현재의 매매기준율 등으로 평가하여 발생한 손실을 각 사업연도 소득금액에서 차감한다. 이는 「법인세법」에서는 화폐성외화자산 등의 평가손익 반영 여부를 기업이 선택[71]할 수 있도록 하고 있으나, 기업의 회계처리를 그대로 적용할 경우 해당 기업의 선택에 따라 주식가치의 차이가 발생하게 되어 「상속세 및 증여세법」에서는 이를 해소하고자 기업마다 동일하게 적용할 기준을 두고 있는 것이다.

(4) 유상증자 · 감자 시 반영액

평가기준일이 속하는 사업연도 중이나 또는 평가기준일이 속하는 사업연도 전에 유상증자 · 감자를 했을 경우 자본금의 증감액을 순손익액에 어떻게 반영할 것인가에 대해 「상속세 및 증여세법」에서는 평가기준일 이전 3년 이내에 해당 법인의 자본을 증가시키기 위해 유상증자를 하거나 자본을 감소시키기 위해 유상감자를 하는 경우 회사에 유입 또는 유출된 자본금 증감액에 자기자본이익률 10%를 곱하여 계산한 금액을 매 각 사업연도 순손익액 계산 시 가감[72]하도록 규정하고 있다. 다만 이때, 유상증자 또는 감자를 한 당해 사업연도의 순손익액은 사업연도 개시일부터 유상증자 또는 유상감자를 한 날까지의 기간에 대하여 월할로 계산해야 한다. 비상장주식 평가 시 증자 및 감자가 있는 경우 유상 및 무상 불문하고 증자 및 감자를 고려하여 3개년의 발행주식수를 환산하며 유상증자 및 감자의 경우에는 무상주와 달리 주식수뿐만 아니라 자본금의 증감을 가져오므로 자본금의 증감액 효과를 순손익액에 반영하여 계속기업의 적정한 주식가치를 평가하려는 것이다.

예 **평가기준일(2020.6.30.) 사업연도의 유상증자 및 이전 사업연도의 순손익액이 아래와 같을 경우 증자를 감안한 각 사업연도의 순손익액 계산**

---

71) 예를 들어, 금융기관 외의 법인은 취득일 또는 발생일의 매매기준율과 사업연도 종료일 현재 매매기준율 중에서 법인이 신고하는 평가방법에 따라 평가한다.

72) 순손익액 ± (유상증자 · 감자금액 × 자기자본이익률 10%)

① 2020.5.31. 유상증자 50을 했을 경우

구분	순손익액 ①	유상증자	기말 자본금	순손익액 반영액 ②	순손익액 ①+②
2020		50	250		
2019	100		200	50×10% = 5	105
2018	200		200	50×10% = 5	205
2017	300		200	50×10% = 5	305

② 2019.6.30. 유상증자 50을 했을 경우

구분	순손익액 ①	유상증자	기말 자본금	순손익액 반영액 ②	순손익액 ①+②
2020			250		
2019	100	50	200	(50×10%)6/12 = 2.5	102.5
2018	200		200	50×10% = 5	205
2017	300		200	50×10% = 5	305

(5) 사업연도 말 주식수 또는 환산주식수

1주당 최근 3년간의 순손익액의 가중평균액을 계산함에 있어서 각 사업연도 말 주식수는 사업연도 종료일 현재의 발행주식총수에 의한다. 다만, 평가기준일이 속하는 사업연도 이전 3년 이내[73]에 증자 또는 감자[74]를 한 사실이 있는 경우에는 증자 또는 감자 전의 각 사업연도 종료일 현재의 발행주식총수는 아래와 같이 환산하여 계산한다. 증자 또는 감자가 있는 경우 희석 효과를 반영하기 위함이다. 예를 들어 평가기준일 현재는 무상증자로 주식수만 증가했는데 직전 사업연도 주식수를 기준으로 산정한 1주당 가치를 그대로 적용하면 과대 또는 과소평가되는 결과가 되기 때문이다.

$$\text{환산 주식수} = \text{증·감자 전 각 사업연도 말 주식수} \times \frac{\text{증·감자 직전 사업연도 말 주식수} \pm \text{증·감자 주식수}}{\text{증·감자 직전 사업연도 말 주식수}}$$

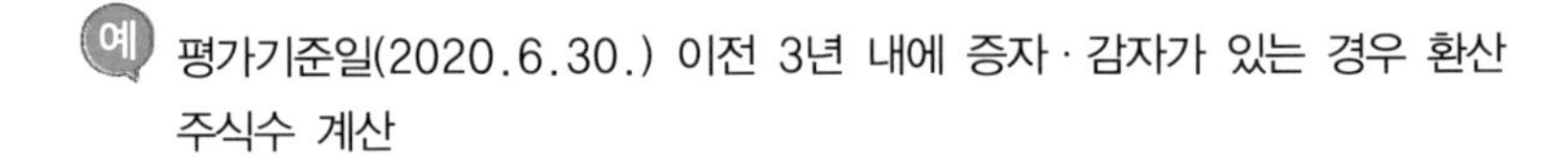
평가기준일(2020.6.30.) 이전 3년 내에 증자·감자가 있는 경우 환산 주식수 계산

73) 평가기준일 속하는 사업연도 중에 증자 또는 감자를 한 경우도 포함된다.
74) 유상 또는 무상을 불문한다.

구분	① 평가기준일이 속하는 사업연도 중에 증자 · 감자			② 평가기준일이 속하는 사업연도 전에 증자 · 감자		
	증자 · 감자	기말 주식수	환산 주식수	증자 · 감자	기말 주식수	환산 주식수
2020	△100	200			300	
2019	100	300	200	100	300	300
2018	100	200	200	100	200	300
2017		100	200		100	300

① 2019년: 300 × (300−100)/300 = 200
2018년: 200 × (200+100−100)/200 = 200
2017년: 100 × (100+100+100−100)/100 = 200
② 2019년: 300
2018년: 200 × (200+100)/200 = 300
2017년: 100 × (100+100+100)/100 = 300

세법해석 사례 및 판례 등

- 1주당 순손익가치 산정의 기초가 되는 순손익액은 각 사업연도 소득에 순자산을 증가시키는 수익의 성질을 가졌지만 조세정책상의 이유 등으로 각 사업연도 소득금액 계산 시 익금불산입된 금액 등을 가산하고, 그와 반대로 당해 법인의 순자산을 감소시키는 손비의 성질을 가졌지만 역시 조세정책상의 이유 등으로 각 사업연도 소득금액 계산 시 손금에 불산입된 금액 등을 차감하여 순손익액을 산정함으로써 평가기준일 현재의 주식가치를 보다 정확히 파악하기 위한 것임(대법원 2011두22280, 2013.11.14.).
- 비상장주식의 1주당 최근 3년간의 순손익액을 계산할 때, 각 사업연도의 주식수는 각 사업연도 종료일 현재의 발행주식총수에 의하는 것이며, 주식의 소각 또는 자본의 감소를 위하여 취득한 자기주식은 발행주식총수에서 제외함(법령해석과−3841, 2020.11.25.).
- 「조세특례제한법」 제60조 공장의 대도시 밖 이전에 대한 조세특례를 적용받아 익금불산입한 금액은 「상속세 및 증여세법 시행령」 제56조에 따른 비상장주식의 순손익액 계산 시 각 사업연도에서 가감되는 금액에 해당하지 아니함(재산세과−858, 2010.11.18.).
- 비상장주식 평가 시 순손익액 계산 시 3년균분 익금산입액과 유형자산 처분손익은 각 사업연도 소득에서 차가감하지 아니함(기획재정부 재산세제과−653, 2015.9.25.).
- 2011.7.25. 이후 상속 · 증여분부터 평가기준일이 속하는 사업연도 전 3년 이내에 유상증자, 유상감자한 사실이 있는 경우 발행주식총수는 무상증자, 무상감자가 있는 경우와 동일하게 주식의 희석효과를 반영하여 환산하

며, 순손익액은 각 사업연도 순손익액에 유상증자 · 유상감자에 따른 효과를 반영함(재산세과-170, 2012.5.3.).

- 순손익액 산정 시 각 사업연도의 소득금액에서 차감할 법인세액은 이월결손금을 각 사업연도 소득에서 공제하기 전의 소득금액에 대하여 납부하였거나 납부하여야 할 법인세 총결정세액을 말하는 것임(재산세과-486, 2011.10.19.).
- 사업개시 후 3년 미만인 법인에 해당하는 경우에는 같은 조 제4항 제2호의 규정에 따라 순자산가치로만 평가하는 것입니다. 이 경우 "사업개시 후 3년 미만의 법인"은 당해 법인의 사업개시일부터 평가기준일까지 역에 의하여 계산한 기간이 3년 미만인 법인을 말하는 것이며, 개인사업자가 법인으로 전환한 경우의 사업개시일은 법인전환 후 처음으로 재화 또는 용역의 공급을 개시한 때를 말하는 것임(재산세과-397, 2011.8.26.).

03 추정이익에 의한 순손익가치 계산

비상장주식의 1주당 순손익가치는 최근 3년간의 1주당 순손익액 가중평균액을 바탕으로 평가하는 것이 원칙이나, 해당 기업이 합병 또는 분할, 주요 업종이 바뀌었거나 1년 이상 휴업한 경우 등 일시적이고 우발적인 사건의 발생으로 최근 3년간의 순손익액이 증가하는 등 특별한 사유에 해당되는 경우에는 1주당 순손익 가치를 2개 이상의 신용평가전문기관, 회계법인 또는 세무법인이 산출한 1주당 추정이익의 평균가액에 의해 평가할 수 있도록 하고 있다. 즉, 이처럼 우발적인 사유 등이 있는 경우에는 순손익가치를 계산할 때 최근 3년간 순손익액의 가중평균액이나 추정이익의 평균가액 중에서 선택하여 평가할 수 있는 것이다.

1주당 순손익가치 = 1주당 추정이익의 평균가액 ÷ 순손익가치환원율(10%)

(1) 1주당 추정이익의 평균액을 적용할 수 있는 요건

최근 3년간의 순손익가치 가중평균액을 적용하지 않고 예외적인 평가방법을 적용하여 주식가치를 적정가치보다 낮게 평가하는 사례를 방지하기 위해 요건을 엄격하게 규정하고 있다. 납세자의 순손익가치를 추정이익으로 계산하기 위해서는 다음의 4가지 요건을 모두 충족하여야 한다. 다만, 이와 같은 모든 요건이 충족되어야 한다는 규정에도 불구하고 대법원에서는 일시 우발적 사건에 의하여 최근 3년간 순손익액이 비정상적으로 증가하는 등의 사유로 순손익가치를 최근 3년간 순손익액의 가중평균액으로 평가하는 것이 불합리하다고 인정되는 이상 추정이익 평균가액 산정의 요건을 갖추지 못하였다 하더라도 최근 3년간 순손익액의 가중평균액으로 평가하는 것은 위법하다고 판시[75]하였다. 그러나 국세청 및 기재부 등 과세관청의 입장은 법에 정한 모든 요건에 맞아야 추정이익을 적용할 수 있다는 일관된 입장이다.

가. 적용할 수 있는 사유: 일시적 · 우발적 사건으로 최근 3년간의 순손익액이 증가하는 등 다음 어느 하나의 사유에 해당될 것

① 기업회계기준상의 특별손익(자산수증익, 채무면제익, 보험차익, 재해손실)의 최근 3년간 가중평균액이 경상손익(법인세차감전손익 - 특별손익)의 최근 3년간 가중평균액의 50%를 초과하는 경우, 즉 기업의 최근 3년간 특별손익 비중이 과다하게 큰 경우를 말한다.

② 평가기준일 전 3년이 되는 날이 속하는 사업연도 개시일부터 평가기준일까지의 기간 중 합병 또는 분할[76]을 하였거나 주요 업종[77]이 바뀐 경우

③ 「상속세 및 증여세법」 제38조(합병에 따른 이익의 증여)의 규정에 의한 증여받은 이익을 산정하기 위하여 합병당사법인의 주식가액을 산정하는 경우

④ 최근 3개 사업연도 중 1년 이상 휴업한 사실이 있는 경우

⑤ 기업회계기준상 유가증권 · 유형자산의 처분손익과 자산수증이익 등(자산수증익, 채무면제익, 보험차익, 재해손실)의 합계액에 대한 최근 3년간의 가중평균액이 법인세차감전손익에 대한 최근 3년간 가중평균액의 50%를 초과하는 경우

⑥ 주요 업종(당해 법인이 영위하는 사업 중 직접 사용하는 유형고정자산의 가액이 가장 큰 업종을 말한다)에 있어서 정상적인 매출발생기간이 3년 미만인 경우

---

75) 대법원 2011두 23306, 2012.6.14.
76) 증자, 감자는 2015.3.12. 이후부터 제외됨.
77) 2 이상 업종을 영위 시 최근 3년 이내 매출액 기준으로 한 주요 업종이 변경된 경우 추정이익으로 산정할 수 있다.

⑦ 기타 위와 유사한 경우로서 기획재정부장관이 고시하는 사유에 해당하는 경우

나. 신고기한 내 신고: 상속세 및 증여세 과세표준신고기한까지 1주당 추정이익의 평균가액으로 신고할 것

다. 산정기준일과 평가서작성일: 1주당 추정이익의 산정기준일과 평가서 작성일이 상속세 또는 증여세 과세표준신고기한 이내일 것

라. 산정기준일과 상속개시일 등: 1주당 추정이익의 산정기준일과 상속개시일 또는 증여일이 같은 연도에 속할 것

(2) 1주당 추정이익을 산정할 수 있는 자

1주당 추정이익을 산정할 수 있는 자는 신용평가업인가를 받은 자,[78] 공인회계사법에 따른 회계법인 또는 세무사법에 따른 세무법인으로 한정되어 있다. 이들 중 2 이상이 산출한 1주당 추정이익을 평균한 가액으로 한다.

(3) 1주당 추정이익 산정방법

자본시장과 금융투자업에 관한 법률 시행령 제176조의5에는 주권상장법인과 다른 법인이 합병 시 요건과 방법을 규정하고 있는데, 제2항에 주권상장법인과 합병하는 비상장법인의 기준가격을 어떻게 산정할지를 금융위원회가 고시하도록 하고 있다. 「상속세 및 증여세법」에서는 이와 같이 금융위원회가 고시한 방법에 따른 수익가치에 순손익가치환원율(10%)을 곱하여 1주당 추정이익을 계산하도록 하고 있다. 금융위원회가 고시한 수익가치는 증권의 발행 및 공시 등에 관한 규정 시행세칙 제6조[79]에 따라 현금흐름할인모형, 배당할인모형 등 미래의 수익가치 산정에 관하여 일반적으로 공정하고 타당한 것으로 인정되는 모형을 적용하여 합리적으로 산정한 것을 말한다.

78) 한국신용평가주식회사, 한국신용정보주식회사, 한국기업평가주식회사, 서울신용평가정보주식회사 등이 있다.

79) 증권의 발행 및 공시 등에 관한 규정 제5-13(합병가액의 산정기준)에서 금융감독원장이 정하도록 위임

 **세법해석 사례 및 판례 등**

- 1주당 추정이익의 평균가액으로 평가할 수 있는지 여부를 판단할 때, 기업회계기준상의 특별손익의 최근 3년간 가중평균액이 경상손익의 최근 3년간 가중평균액의 50퍼센트를 초과하는지 여부는 절댓값을 기준으로 판단하는 것임(서면4팀-4182, 2006.12.27.).
- 1주당 추정이익 평균가액 산정에 있어 수익가치 계산 시 사업연도 말 현재의 발행주식수는 '증권의 발행 및 공시 등에 관한 규정 시행세칙'에 따라 계산하는 것임(법령해석과-4260, 2016.12.27.).
- 회계법인이 비상장주식 평가를 하면서 장래의 음수의 추정이익에 기초한 수익가치 요소가 순자산가치 요소보다 더 많이 반영되게 한 것은 그 주식의 객관적인 가치를 적절하게 반영하는 평가방법에 해당한다고 보기 어려움(인천지방법원2018구합-50400, 2018.10.4.).
- 일시우발이익 발생 시 비상장주식 순손익가치를 추정이익으로 평가할 수 있으나 상속세 과세표준신고의 기한 내에 신고하지 아니한 경우에는 해당 가액으로 할 수 없는 것임(기획재정부 재산세제과-278, 2015.4.3.).
- 비상장주식의 1주당 순손익가치 산정 시 「상속세 및 증여세법」 시행규칙 제17조의3 제1항 각호의 어느 하나에 해당하는 경우에는 1주당 추정이익의 평균가액으로 할 수 있으나, 이는 신고기한 내에 신고한 경우로서 1주당 추정이익의 산정기준일과 평가서 작성일이 신고기한 이내에 속하고, 산정기준일과 증여일이 동일연도에 속하는 경우에 한정함(상속증여세과-601, 2013.11.6.).
- 「상속세 및 증여세법」 시행규칙 제17조의3 제1항에 명시된 경우에 해당하지 않더라도 순손익가치 가중평균액으로 평가하는 것이 불합리한 경우 적용할 수 없음(서울고등법원(춘천)2017누-720, 2018.5.9.).

5절 최대주주가 보유한 주식의 할증평가

주주는 보유하는 주식수에 비례해서 의결권을 갖는다. 1주를 보유하고 있는 주주나 100주를 보유하고 있는 주주 모두에게 한 주당 부여된 의결권 가치는 동일하다. 그런 측면에서 보면 누가 몇 주를 보유하고 있는 것과는 관계없이

1주당 주식가액도 동일하게 평가되어야 할 것이다. 그러나 세법에서는 최대주주[80]와 그의 특수관계인(이하에서는 최대주주 등이라고 함)이 보유한 주식의 경우에는 경영권프리미엄이 있다고 보아 할증하여 평가하도록 하고 있다. 최대주주 등이 보유한 주식을 양도하거나 상속 · 증여할 경우 주식의 가액은 당초 평가한 가액에 20%를 가산한 가액으로 한다. 할증평가 대상이 되는 주식의 종류는 상장주식, 코스닥주식, 미상장주식, 비상장주식 등 모든 주식에 적용되며 매매사례가액 등 시가가 있더라도[81] 그 가액에 할증하여 평가한다. 가업승계를 준비하는 대표님들의 경우 지분율이 높아 대부분 최대주주 등에 해당될 것이다. 다만, 할증평가는 중소기업에는 적용되지 않으며 중소기업이 아니더라도 경영권프리미엄이 없다고 보여지는 특별한 경우에 해당되면 할증평가하지 않는다.

01 할증평가 대상 및 할증률

최대주주 등이 보유한 주식을 양도하거나 상속 · 증여할 경우 그 최대주주 등의 범위에 해당되는 주주에게는 각자가 보유한 지분율과는 무관하게 동일하게 20%를 가산하여 평가한다. 종전에 할증률은 기업의 규모와 보유 지분율에 차등을 두어 적용하였으나, 현재는 보유한 지분율의 크기에 관계없이 최대주주 등에 해당되면 일률적으로 20%를 할증하여 평가한다. 한편, 2020년부터 중소기업 주식은 할증평가하지 않는데, 「상속세 및 증여세법」에 할증평가하는 규정은 있었으나 중소기업 육성 및 원활한 가업승계 등을 위해 「조세특례제한법」 제101조 규정에 따라 할증평가가 배제되어 오다가 2020년부터 「상속세 및 증여세법」이 개정되어 중소기업 주식은 원천적으로 할증평가를 하지 않도록 하였다.

80) 최대주주란 최대주주와 그와 특수관계 있는 자 중 보유주식수가 가장 많은 1인을 말한다.
81) 비상장주식의 경우 2008년까지는 시가로 평가할 경우 할증평가를 하지 않았다.

구분	2003.1.1.~2019.12.31.				2020.1.1.~
기업규모	일반기업		중소기업*		일반기업
지분율	50% 이하	50% 초과	50% 이하	50% 초과	-
할증률	15%	30%	10%	20%	20%

* 「조세특례제한법」 규정에 따라 2020.12.31.까지 할증평가를 배제하고 있었다.

02 할증평가에서 제외되는 중소기업의 판정 기준

최대주주 등에 대한 할증평가는 중소기업 주식에는 적용되지 않는다. 따라서 승계하려는 기업이 세법에 규정하고 있는 중소기업에 해당되는지를 판단하는 것이 가장 선행되어야 한다. 중소기업은 중소기업기본법 제2조에 규정된 중소기업을 말하는데, 법에 정한 중소기업에 해당되면 최대주주 등 할증평가와 관련해서 추가로 검토할 필요가 없으므로 아래 중소기업 기준에 해당되는지를 먼저 자세히 확인해야 한다. 중소기업에 해당되기 위해서는 아래의 (1) 내지 (3) 기준을 모두 충족하여야 한다. 한편, 중소기업이 아닌 일반기업이라도 할증평가에서 제외되는 유형이 있는데 이에 대해서도 알아본다.

(1) 업종별 규모 기준

가. 평균매출액 등: 해당 기업이 영위하는 주된 업종과 평균매출액 또는 연간 매출액(이하에서는 평균매출액 등이라 함)이 중소기업기본법 시행령 별표 1의 기준에 모두 맞아야 한다. 매출액이라 함은 일반적으로 공정 · 타당하다고 인정되는 회계관행에 따라 작성한 손익계산서상의 매출액을 말하며, 평균매출액이란 직전 3개 사업연도의 총매출액을 3으로 나눈 금액이다. 다만, 직전 사업연도 말 현재 총 사업기간이 12개월 이상이면서 36개월 미만인 경우에는 사업기간이 12개월인 사업연도의 총매출액을 사업기간이 12개월인 사업연도 수로 나눈 금액으로 한다.

나. 직전 사업연도 또는 해당 사업연도에 창업한 경우 등의 평균매출액 등: 직전 사업연도 또는 해당 사업연도에 창업하거나 합병 또는 분할한 경우에는 창업일 등으로부터 12개월이 지났는지 여부에 따라 연간 매출액 등으로

환산하여 산정한 금액을 기준으로 한다.

다. 둘 이상의 업종이 있는 경우: 하나의 기업이 둘 이상의 서로 다른 업종을 영위하는 경우에는 평균매출액 등 비중이 가장 큰 업종을 주된 업종으로 한다.

(2) 자산규모 기준

업종에 관계없이 자산총액이 5천억 원 미만이어야 한다. 자산총액은 회계관행에 따라 작성한 직전 사업연도의 말일 현재 재무상태표상의 자산 총계이다. 해당 사업연도에 창업하거나 합병 또는 분할한 기업의 자산총액은 창업일이나 합병일 또는 분할일 현재의 자산총액으로 한다. 외국법인의 경우 자산총액을 원화로 환산할 때는 직전 5개 사업연도의 평균환율을 적용한다.

(3) 소유와 경영의 실질적 독립성 기준

소유와 경영의 실질적인 독립성이 다음 중 어느 하나에 해당되지 않아야 한다. 다만, ① 규정은 2020.6.9. 삭제되었다.

① 상호출자제한기업집단 등[82]에 속하는 회사 또는 공시대상기업집단의 소속회사로 편입, 통지된 것으로 보는 회사 중 상호출자제한기업집단에 속하는 회사

② 자산총액이 5천억 원 이상인 법인이 주식 등의 100분의 30 이상을 직간접으로 소유한 경우로서 최다출자자[83]인 기업

③ 관계기업에 속하는 기업의 경우 평균매출액[84] 등이 별표1의 기준에 맞지 않는 기업. 관계기업[85]이란 외부감사대상기업이 다른 국내기업을 지배함으로써 지배 또는 종속의 관계에 있는 기업을 말한다.

---

82) 독점규제 및 공정거래에 관한 법률 제14조에 따라 공시대상기업집단은 자산총액이 5조 원 이상, 상호출자제한기업집단은 자산총액이 10조 원 이상인 경우 해당

83) 주식소유자가 법인인 경우 그 법인의 임원, 소유자가 개인인 경우 그 개인의 친족 소유주식과 합해서 계산

84) 제7조의4【관계기업의 평균매출액 등의 산정】

85) 중소기업기본법 시행령 제2조 참조

(4) 중소기업 적용 기간의 유예

중소기업이 규모가 확대되는 등의 사유로 인해 일반기업이 되었더라도 그 사유가 발생한 연도의 다음연도부터 3년간은 중소기업으로 본다. 다만, 중소기업 외의 기업과 합병하거나 아래와 같은 사유로 중소기업에 해당하지 아니하게 된 경우에는 유예기간 없이 중소기업으로 보지 않는다.

① 중소기업이 3년간의 유예를 적용받아 중소기업으로 보는 기간 중에 있는 기업을 흡수 합병한 경우로서 중소기업으로 보는 기간 중에 있는 기업이 당초 중소기업에 해당하지 아니하게 된 사유가 발생한 연도의 다음연도부터 3년이 지난 경우

② 중소기업이 독점규제 및 공정거래에 관한 법률 제14조에 따른 상호출자제한기업집단에 속하는 회사 또는 공시대상 기업집단의 소속회사로 편입 · 통지된 것으로 보는 회사 중 상호출자제한기업집단에 속하는 회사에 해당하는 경우

③ 중소기업으로 보는 기간의 유예에 따라 중소기업으로 보았던 기업이 다시 중소기업의 일반요건을 갖추어 중소기업이 되었다가 평균매출액 등의 증가 등으로 다시 중소기업에 해당된 경우

03 할증평가하지 않는 주식

중소기업 기준에는 해당되지 않더라도 경영권프리미엄이 있다고 보기 어렵거나 경영권프리미엄이 이미 반영된 시가가 있는 경우 등 아래의 하나에 해당되는 경우에는 그 주식에 대해 할증평가를 하지 않는다.

가. 3년간 계속 결손금이 있는 경우: 평가기준일이 속하는 사업연도 전 3년 이내의 사업연도부터 계속하여 「법인세법」상 결손금이 있는 경우

나. 3년 이내 사업을 시작하고 영업이익이 '0'인 경우: 평가기준일부터 소급하여 3년 이내 사업을 개시한 법인으로서 사업개시일이 속하는 사업연도부터 평가기준일이 속하는 사업연도의 직전 사업연도까지 각 사업연도의 영업이익이 모두 영 이하인 경우

다. 평가기준일 전후 6월 내 최대주주 등 보유주식이 전부 매각된 경우: 평가기준일 전후 6개월[86](증여재산의 경우에는 평가기준일 전 6개월부터 평가기준일 후 3개월로 한다) 내에 최대주주 등이 보유하는 주식이 전부 매각된 경우에는 그 가액을 경영권프리미엄이 포함된 시가로 보아 할증평가하지 않는다. 다만, 특수관계인과의 거래 등으로 그 거래가액이 객관적으로 부당하다고 인정되거나 거래된 비상장주식의 액면가액이 발행주식총액의 100분의 1 미만이거나 3억 원 미만인 경우에는 제외하지 않는다.

라. 자본거래에 따른 이익의 증여 계산 시: 합병, 증자, 감자, 현물출자, 전환사채 등의 주식전환 등 자본거래에 따른 이익의 증여를 계산하는 경우에는 할증평가하지 않는다.

마. 순환출자법인의 주식: 평가대상법인이 최대주주로서 보유하고 있는 다른 법인의 주식을 평가할 때는 할증평가하지 않는다.[87] 종전에는 다른 법인(1차 출자법인)의 주식에 대하여는 할증평가하고 1차 출자법인의 주식을 평가할 때 1차 출자법인이 최대주주로서 보유하고 있는 또 다른 법인(2차 출자법인)의 주식에 대하여는 할증평가하지 않았으나[88] 과도한 중복 할증 방지를 위해 다른 법인 주식에 대해서는 할증평가에서 제외하는 것으로 2021년 세법이 개정되었다.

바. 상속세 신고기한 내 청산이 확정된 경우: 상속세 또는 증여세 과세표준 확정신고기한 이내에 평가대상 주식 등을 발행한 법인의 청산이 확정된 경우

사. 상속 또는 증여로 인해 최대주주 등에 해당되지 않는 경우: 최대주주 등이 보유하고 있는 주식을 최대주주 등 외의 자가 10년 이내(동일인으로부터 증여받은 재산을 합산하여 과세하는 기간)에 상속 또는 증여받은 경우로서 상속 또는 증여로 인하여 최대주주 등에 해당되지 않는 경우에는 할증평가하지 않는다. 10년 동안 받은 주식을 합산해도 최대주주 등에 해당되지 않는다면 해당 주식에는 경영권 프리미엄이 있다고 보기 어렵기 때문이다.

---

86) 양도소득세의 경우는 3개월이다.
87) 2021.2.17. 이후 상속세·증여세 과세표준신고를 하는 분부터 적용한다.
88) 서면4팀-4057, 2006.12.13.

아. 명의신탁 증여의제를 적용할 경우: 주식 등의 실제소유자와 명의자가 다른 경우로서 명의신탁재산의 증여의제 규정[89]에 따라 해당 주식을 실제 소유자로부터 명의자가 증여받은 것으로 보아 증여세를 과세할 때는 할증평가하지 않는다. 종전에는 할증평가하였으나 2016.2.5. 규정이 신설되어 이후 평가분부터는 할증평가에서 제외되었다.

04 최대주주 등의 판단 기준

자녀에게 가업승계를 준비하고 있는 대표님이라면 주식을 가장 많이 보유한 주주일 경우가 대부분이기 때문에 당연히 최대주주에 해당될 것이다. 다만, 최대주주 뿐만 아니라 그와 특수관계가 있는 자라면 단 1주를 보유하고 있어도 할증평가 대상이기 때문에 주식을 양도하거나 증여, 상속 시에 실수하지 않도록 주의를 기울여야 한다.

(1) 최대주주 등의 의미

최대주주와 그의 특수관계인에 해당하는 주주 모두를 최대주주 등이라 한다. 이때 최대주주라 함은 최대주주 등 중에서 보유주식수가 가장 많은 1인을 말하는 것이며, 단순히 해당 법인의 주주 중에서 주식을 가장 많이 보유한 자를 의미하지는 않는다. 즉, 최대주주 등의 할증평가는 해당 법인에서 주식수가 가장 많은 1인에 대해 적용하는 것이 아니라 주주 1인 및 그와 특수관계 있는 자의 주식수를 합한 것이 가장 많은 경우 그 주주 1인과 특수관계인에 대해 적용하는 것이다. 만약 최대주주 등이 2 이상인 경우에는 모두를 최대주주로 본다.

예 A주주가 40%, B주주가 30%, B주주의 배우자 C가 30%를 보유하고 있는 경우 할증평가대상인 최대주주 등은 A주주가 아니고 B와 C가 해당되는 것이다.

89) 「상속세 및 증여세법」 제45조의2

(2) 최대주주 등의 주식수 계산

가. 자기주식, 의결권 없는 주식은 제외: 최대주주 등의 주식에 대하여 할증평가를 할 때에 최대주주 등이 보유하고 있는 주식수 및 발행주식총수 등은 평가기준일 현재 당해 법인이 발행한 상법상 의결권 있는 주식에 의한다. 따라서 의결권이 제한되는 자기주식은 최대주주 등 주식수 계산 시 포함되지 않는다.

> ※ 참고로, 1주당 순자산가치 및 순손익가치를 계산할 때는 1주당 가치측정을 고려해야 하고 최대주주 할증평가 시에는 의결권행사 측면이 중요하므로 주식수를 계산할 때 차이가 있다.
>
> ① 1주당 순자산가치 계산 시: 평가기준일 현재의 발행주식총수를 말하며, 자기주식을 소유한 경우로서 소각 및 감자의 목적인 경우에는 발행주식총수에서 자기주식수를 차감하고 일시적 보유목적인 경우에는 차감하지 않는다. 발행주식총수에는 보통주뿐만 아니라 배당우선주 및 상환 · 전환우선주도 포함된다.
>
> ② 1주당 순손익가치 계산 시: 1주당 순자산가치는 평가기준일 현재로 계산하는 것과는 달리 순손익가치는 각 사업연도 말을 기준으로 한다. 따라서 발행주식총수 산정에 차이는 없으나 평가기준일 이전에 유무상 증자 및 감자 등 주식수 증감이 있는 경우 희석효과를 감안하여 주식수를 환산한다.
>
> ③ 최대주주 할증평가 규정 적용 시: 최대주주 할증평가는 경영권의 프리미엄을 인정하여 할증하는 것이므로 1주당 순자산가치나 순손익가치 계산 시와는 달리 의결권이 없는 우선주나 자기주식은 계산 시 제외한다.

나. 1년 이내 양도 · 증여 주식의 합산 계산: 최대주주 등이 평가기준일부터 소급하여 1년 이내에 양도하거나 증여한 주식 등은 아래 사항을 고려하여 최대주주 등이 보유하는 주식에 합산하여 계산한다.

① 최대주주 및 그의 특수관계인 간에 양도하거나 증여한 주식수는 합산하지 않는다. 최대주주 등 누구에게 주식의 소유권이 있더라도 어차피 할증평가 대상이 되는 최대주주 등의 주식에 포함되기 때문이다.

② 최대주주 등이 해당 주식을 양도 · 양수한 경우에는 순 양도분을 합산한다(음수인 경우에는 없는 것으로 한다).

③ 최대주주 등에 해당되었던 주주 등이 특수관계 이외의 자에게 주식을 양도하여 최대주주 등 평가기준일 현재 최대주주에 해당되지 않으면 양도한 주식을 합산하지 않는다. 즉, 평가기준일 현재 최대주주 등에 해당되는 경우에 이 규정이 적용되는 것이다.

(3) 최대주주 등에 포함되는 특수관계인의 범위

최대주주 및 그의 특수관계인에 해당하는 주주를 최대주주 등이라 하는데, 최대주주 등의 주식에 대해서는 20%를 할증하여 평가한다. 최대주주 등이 누구인지를 판정하기 위해서는 어느 한 주주를 기준으로 그의 특수관계인을 그룹지어 그렇게 형성된 그룹들을 기준으로 주식수가 가장 많은 그룹의 주주들이 최대주주 등이 된다. 예를 들어, 대표님이 주식의 20%를 보유하고 있고 그와 특수관계인인 아내와 처남이 각각 10%씩을 보유하고 있고 특수관계 없는 A, B가 각각 30%씩 보유하고 있다면 대표님과 특수관계인 2인의 주식수를 합하여 40%를 보유하게 되므로 이들이 최대주주 등이 된다. 즉, A, B가 개인적으로는 주식보유수가 가장 많으나 할증평가대상인 최대주주 등에는 해당되지 않는다. 따라서 특수관계인이 누가 해당되는지가 최대주주 할증평가 규정 적용여부를 판단하는데 있어서 중요한 요소가 된다. 「상속세 및 증여세법」상 할증평가를 할 때는 위 사례의 A와 B를 최대주주라 하지 않고 최대주주 등에 해당되는 주주 중에서 주식수가 가장 많은 대표님을 최대주주라고 규정하고 있다. 특수관계인이란 본인과 친족관계, 경제적 연관관계 또는 경영지배관계 등 관계가 있는 자[90]를 말한다.

세법해석 사례 및 판례 등

- 2016.2.5. 이후 최초로 평가하여 결정 또는 경정하는 명의신탁증여의제 대상 주식에 대해서는 할증평가를 배제함(기획재정부 재산세제과-8, 2017. 1.6.).
- 최대주주가 보유한 주식에 대한 할증평가율을 적용하는 경우 당해 법인의

90) 「상속세 및 증여세법 시행령」 제2조의2에 규정되어 있다.

발행주식총수와 최대주주의 보유주식수에는 평가기준일 현재 의결권이 제한되는 자기주식은 포함되지 아니하는 것임(서면4팀-3801,2006.11.17.).

- 최대주주 등이 보유하고 있는 주식을 최대주주 등 외의 자가 10년 기간 이내에 증여받는 경우로서 그 증여로 인하여 수증자가 최대주주 등에 해당되지 아니하는 경우에는 최대주주 주식 할증평가 규정을 적용하지 않음(상속증여세과-628, 2013.12.20.).
- A법인의 최대주주와 친족관계에 있는 자가 발행주식총수의 100분의 50 이상을 출자하고 있는 甲법인은 최대주주 등에 해당함(재산세과-306, 2011. 6.27.).
- 2009.1.1. 이후 상속 또는 증여받는 유가증권을 평가하는 분부터는 비상장주식의 시가가 확인되는 경우에도 최대주주 등에 해당하는 경우에는 할증평가함(재산세과-548, 2009.2.17.).
- 최대주주 등이 보유하는 주식 등이 상속개시일 전후 6월 이내의 기간 중에 전부 매각된 경우(같은 영 제49조 제1항 제1호의 규정에 적합한 경우에 한함)에 한하여 같은 영 제53조 제5항 제1호의 규정에 의하여 할증평가를 하지 아니함(서면4팀-2803, 2007.10.1.).
- 청구인은 쟁점주식을 받은 후에도 청구 외 법인의 최대주주 등에 해당하지 아니하므로 할증평가하여 증여세를 과세하는 것은 부당함(심사증여2007-0036, 2007.10.11.).
- 원고들이 법 제63조 제3항 전단의 '최대주주 등'에 해당하는 이상, 법 제63조 제3항의 위임에 따른 할증평가 제외 사유로서 최대주주 등이 보유하고 있는 주식 등을 최대주주 등 외의 자가 일정한 기간 이내에 상속 또는 증여받은 경우'에 적용되는 법 시행령 제53조 제6항 제7호에 해당할 여지가 없고, 원고들이 증여받은 이 사건 주식의 가치는 제63조 제3항의 할증평가 대상에 해당함(서울행정법원2018구합-52808, 2018.10.19.).
- 상속인들은 최대주주 등이었던 피상속인의 상속인들일 뿐 최대주주 등에는 해당하지 않았고 피상속인으로부터 주식을 상속받았지만 여전히 그 지분만으로는 최대주주 등에 해당하지도 아니하여 할증평가 대상에서 제외되어야 함(서울행정법원2011구합14685, 2012.11.16.).

시가대로 안받으면 부당행위로 보아 세금을 더 내야 한다

시가에 해당하는 금액보다 매매대금을 적게 받는 경우에는 시가대로 매매된 것으로 간주해서 추가로 세금이 부과될 수도 있다. 앞 장에서는 주식을 자녀에게 양도할 때 주식가액을 얼마로 평가해야 하는지에 대해 자세히 알아보았다. 주식가액의 평가가 중요한 이유는 만약 대표님이 자녀에게 주식을 양도하면서 적정한 대가를 받지 않는 경우에는 이를 부당한 행위 또는 계산으로 보아 주식을 양도한 대표님에게는 양도소득세를 추가로 과세하고, 낮은 대가를 지불하고 주식을 취득한 자녀에게는 증여세가 과세되기 때문이다. 대표님들이 주식을 매매하면서 액면가액이나 객관적인 산정근거 없이 어림짐작의 가액만 받는 경우가 왕왕 있다. 이 경우 일정한 기준에 해당되면 실제 대가를 얼마를 받았는지에 관계없이 이를 부인하고 세법에 따라 주식의 시가 또는 보충적 평가액으로 양도한 것으로 보아 양도가액을 다시 계산하여 양도세를 과세하는데, 이를 양도소득의 부당행위계산 부인이라고 표현한다. 그뿐만 아니라 자녀에게는 시가와 실제 지불한 대가의 차액을 증여받은 것으로 보아 증여세를 과세한다.

1절 부당한 행위로 보는 기준

주식 등을 매매하는 경우 양도자가 자녀 등 특수관계인과 거래를 하는 과정에서 양도소득에 대한 조세부담을 부당히 감소시킨 것으로 인정되는 경우에는 그 양도자의 행위 또는 계산을 부인하고 양도소득금액을 다시 계산하도록 소득세법에 규정하고 있다. 즉, 대표님이 주식을 자녀에게 양도하면서 시가보다 낮거나 높은 대가를 받는 경우 세법에서는 이를 부당한 행위로 보아 정상적인 시가를 기준으로 세금을 다시 계산하여 부과한다. 부당한 행위로 보기 위해서는 특수관계인과의 거래라는 기준과 조세의 부담을 부당히 감소시킨 것이라는 기준에 모두 해당되어야 한다.

01 특수관계인과의 거래이어야 한다

대표님과 자녀와의 관계는 당연히 특수관계인에 해당된다. 한편, 가업승계 시에는 대표님이 보유하고 있는 주식 외에 기타 친족이나 타인이 일부 보유하고 있는 주식을 승계과정에서 자녀가 매입하게 하는 경우도 있어 이들과 자녀가 특수관계인에 해당되는 경우에도 부당행위계산 부인 대상이 된다. 따라서 주식 양도자와 양수자 간에 특수관계가 있는지에 대한 검토가 선행되어야 한다. 특수관계인의 범위에 대해서는 국세기본법 규정[91]을 준용하고 있는데, 이는 전 장에서 설명한 최대주주 등의 할증평가 시 적용하는 특수관계인 범위와 유사하나 일치하지는 않는다. 특수관계인이란 본인과 다음 (1) 내지 (3)호의 어느 하나에 해당하는 관계에 있는 자를 말한다.

(1) 혈족 · 인척 등 친족관계인과의 거래

① 6촌 이내의 혈족, 4촌 이내의 인척, 배우자(사실혼 관계에 있는 자를 포함한다).

② 친생자로서 다른 사람에게 친양자 입양된 자 및 그 배우자와 직계비속

(2) 임원 · 사용인 등 경제적 연관관계인과의 거래

① 임원과 그 밖의 사용인, 본인의 금전이나 그 밖의 재산으로 생계를 유지하는 자

② ①호의 자와 생계를 함께하는 친족

(3) 주주 · 출자 등 경영지배관계인과의 거래

① 본인이 직접 또는 그와 친족관계 또는 경제적 연관관계에 있는 자를 통하여 법인의 경영에 대하여 지배적인 영향력을 행사하고 있는 경우 그 법인

② 본인이 직접 또는 그와 친족관계, 경제적 연관관계 또는 ①호의 관계에 있는 자를 통하여 법인의 경영에 대하여 지배적인 영향력을 행사하고 있는 경우 그 법인

91) 「국세기본법 시행령」 제1조의2 제1항, 제2항 및 같은 조 제3항 제1호

02 조세의 부담을 부당히 감소시킨 것으로 인정되어야 한다

조세의 부담을 부당하게 감소시킨 것으로 인정되기 위해서는 (1)항 및 (2)항 두 가지 기준에 모두 해당되어야 한다. 다만, 상장주식의 경우는 비상장 주식과는 다르게 적용되는 예외적인 규정이 있다.

(1) 일반 기준

① 특수관계인으로부터 시가보다 높은 가격으로 자산을 매입[92]하거나 특수관계인에게 시가보다 낮은 가격으로 자산을 양도한 때

② 그 밖에 특수관계인과의 거래로 해당 연도의 양도가액 또는 필요경비의 계산 시 조세의 부담을 부당하게 감소시킨 것으로 인정되는 때

(2) 시가와 거래가액의 차액 기준

시가와 실제 거래한 가액의 차액이 3억 원 이상이거나 그 차액이 시가의 100분의 5 이상인 경우이어야 한다. 즉, 시가보다 낮은 대가를 받았다고 해서 모두 조세의 부담을 부당하게 감소시켰다고 보는 것은 아니며, 두 가지 기준 금액 중 어느 하나라도 해당되어야 조세의 부담을 부당히 감소시킨 것으로 보는 것이다.

(3) 상장주식의 예외적인 적용기준[93]

가. 시가기준: 양도소득의 부당행위 여부를 판단할 때 상장주식의 시가는 「법인세법」을 준용한다. 이에 대해서는 "PART 1 제3장 1절 상장주식의 가액 평가"를 참조하기 바란다.

나. 차액기준: 상장주식을 양도하는 경우에는 위 두 가지 차액기준이 적용되지 않는다. 즉, 일반기준에만 해당되면 부당한 행위로 본다.

---

92) 취득자 입장에서 법이 규정된 것은 고가로 매입할 경우에는 양도소득세 과세대상이 취득자이기 때문이다. 즉, 이 경우 양도자에게 양도소득세가 과세되지 않고 취득자가 나중에 양도할 경우 양도소득세가 과세된다.

93) 2021.2.17. 「소득세법 시행령」 제167조(양도소득의 부당행위계산) 제7항 규정이 신설되었다.

2절 부당행위 및 계산 부인 시 과세방법

양도소득세 부당행위계산 부인 대상이 되는 경우 시가와 대가와의 차액에 대해 양도소득세가 추가로 과세된다. 즉, 시가보다 낮은 가액으로 양도할 경우 양도자에게는 시가로 양도한 것으로 보아 양도소득세가 과세된다. 또한, 시가보다 높은 가액으로 양도할 경우(즉, 취득자 입장에서 볼 때 시가보다 높은 가격으로 자산을 매입하는 경우)에는 취득자에게 양도소득세가 과세되는데, 취득자가 추후 해당 재산을 양도하는 시점에서 취득 당시 시가를 취득가액으로 보아 양도소득세를 과세하게 된다. 다만, 이는 양도소득 부당행위계산 부인 시 양도소득세를 과세하는 측면에서만 본 것이고, 이와는 별개로 거래 상대방에게는 증여세가 과세될 수 있다. 양도소득세 부당행위계산 부인 대상이 된다고 해서 반드시 증여세가 과세되는 것은 아니나, 해당될 가능성이 높으니 반드시 같이 검토하여야 한다. 만약, 대표님이 자녀에게 주식을 낮은 가액으로 양도할 경우 대표님에게는 양도소득세가 과세되고 자녀에게는 증여세가 과세될 가능성이 높다.

01 시가보다 낮은 대가를 받고 양도하는 경우

(1) 양도자(대표님)에게 양도소득세가 과세된다

대표님이 자녀에게 주식을 양도하고 실제 받은 금액대로 양도소득세를 신고하였더라도 세법에서는 실제 받은 금액을 부인하고 시가로 양도한 것으로 보아 양도소득세를 재계산하여 과세한다.

가. 과세요건: 시가와 받은 양도대가와의 차액이 3억 원 이상이거나 그 차액이 시가의 5% 이상인 경우에만 과세된다. 다만, 상장주식의 경우에는 이 금액규정을 적용하지 않는다.

나. 과세방법: 시가로 양도한 것으로 보아 양도소득세를 계산한다. 즉, 시가에서 차액 3억 원이나 시가의 5% 해당 금액을 차감하지 않는다. 증여세를 과세할 때 해당 금액을 차감하여 증여가액을 계산하는 것과는 다르다.

예 대표님이 자녀에게 1주당 시가 10,000원인 비상장주식 50,000주를 액면가액 주당 5천 원에 저가로 양도한 경우

① 시가: 500,000,000원 = 10,000원×50,000주
② 거래가액: 250,000,000원 = 5,000원×50,000주
③ 25,000,000원(① × 5%) ≤ 차액 250,000,000원(① - ②) < 3억 원
⇒ 시가와 거래가액의 차액이 3억 원에는 미달하나 시가의 100분 5 이상이므로 시가 500,000,000원을 양도가액으로 하여 양도소득세를 재계산한다.

(2) 취득자(자녀)에게 증여세가 과세된다

시가보다 낮은 대가를 지급하고 취득하였으므로 시가와 대가와의 차액은 증여받은 것으로 보아 증여세를 과세한다. 다만, 취득자가 추후 해당 재산을 양도할 때는 증여재산가액 만큼을 취득가액에 포함하여 양도소득세를 계산함으로써 이중으로 세금이 과세되지 않도록 하고 있다.

가. 과세요건: 시가와 대가와의 차액이 3억 원 이상이거나 그 차액이 시가의 30% 이상인 경우에만 과세된다.

나. 과세방법: 시가와 대가와의 차액 전액에 대해 증여세를 과세하지는 않고, 차액에서 3억 원 또는 시가의 30% 금액 중 적은 금액을 차감한 금액을 증여받은 것으로 보아 증여세를 과세한다.

예 대표님이 자녀에게 1주당 시가 10,000원인 비상장주식 50,000주를 액면가액 주당 5천 원에 저가로 양도한 경우

① 시가: 500,000,000원 = 10,000원×50,000주
② 거래가액: 250,000,000원 = 5,000원×50,000주
③ 150,000,000원(① × 30%) ≤ 차액 250,000,000원(① - ②) < 3억 원
⇒ 시가와 거래가액의 차액이 3억 원에는 미달하나 시가의 100분 30 이상이므로 3억 원 또는 150,000,000원 중 적은 금액을 차감하여 증여재산가액을 계산한다.

• 증여재산가액 100,000,000원 = 차액 250,000,000원 - 150,000,000원

다. 과세 제외되는 경우: 특수관계인 간의 거래라도 아래의 경우에는 과세되지 않는다.

① 거래소에 상장된 주식으로서 증권시장에서 매매된 경우에는 과세하지 않는다. 다만, 시간외대량매매 방법으로 매매된 것은 과세된다. 그러나 시간외대량매매의 경우라도 당일 종가로 매매된 것은 과세되지 않는다.

② 전환사채, 신주인수권부사채(신주인수권증권이 분리된 경우에는 신주인수권증권을 말함) 또는 그 밖의 주식으로 전환 및 교환하거나 주식을 인수할 수 있는 권리가 부여된 사채는 과세되지 않는다.

(3) 부당행위계산 부인의 적용 제외[94)]

개인과 법인 간에 재산을 양수 또는 양도하는 경우로서 주고받는 대가가 법인세법 규정에 따른 시가에 해당되어 법인세법상 부당행위계산 부인 규정이 적용되지 않는 경우에는 양도소득세 부당행위계산 부인 규정도 적용하지 않는다. 다만, 거짓 그 밖의 부정한 방법으로 양도소득세를 감소시킨 것으로 인정되는 때에는 그렇지 않다.

02 시가보다 높은 대가를 받고 양도하는 경우

(1) 양도자(대표님)에게 증여세가 과세된다

대표님이 자녀에게 주식을 양도하면서 시가보다 대가를 많이 받고 양도한 경우에는 시가와 대가와의 차액은 대표님이 증여받은 것으로 보아 증여세가 과세된다. 이 경우, 증여세가 과세된 증여재산가액 상당액만큼은 양도가액에서 차감하여 양도소득세를 재계산하고 양도소득세를 환급함으로써 이중으로 세금이 과세되지 않도록 하고 있다.

가. 과세요건: 증여세는 시가와 대가와의 차액이 3억 원 이상이거나 그 차액이 시가의 30% 이상인 경우에만 과세된다.

나. 과세방법: 시가와 대가와의 차액 전액에 대해 증여세를 과세하지는 않고, 차액에서 3억 원 또는 시가의 30% 금액 중 적은 금액을 차감한 금액을 증여받은 것으로 보아 증여세를 과세한다.

다. 과세 제외되는 경우: 시가보다 낮은 대가를 받았더라도 증여세 과세에서 제외되는 경우와 동일하다.[95)]

---

94) 아래 02의 경우에도 동일하다.

95) 위 01 (2) 참조

(2) 취득자(자녀)가 추후 양도할 때 양도소득세가 과세된다

양도자가 시가보다 높은 대가를 받은 경우, 즉 취득자인 자녀가 시가보다 높은 대가를 대표님에게 지급했을 때에 취득 시점에는 자녀에게 과세문제가 발생하지는 않는다.

다만, 추후 자녀가 해당 자산을 양도하는 경우 취득가액을 실제 지급한 금액이 아니라 취득 당시의 시가로 보아 계산한다. 이에 따라 실제 지급한 대가보다 낮은 시가를 취득가액으로 적용함에 따라 양도차액이 커져서 양도소득세가 추가로 과세된다. 물론 위에서 설명한 바와 같이 시가와 대가와의 차액이 3억 원 이상이거나 그 차액이 시가의 5% 이상인 경우에 한해서 재계산한다.

〈양도소득세 부당행위계산 부인 시 일반요건 및 과세방법 요약〉

구분	양도자(특수관계 개인)		양수자(특수관계 개인)	
저가양도 (취득자 저가매입)	금액 요건	(시가−대가)≥3억 원 또는 시가의 5%	금액 요건	(시가−대가)≥3억 원 또는 시가의 30%
	과세 방법	양도세 과세 ▶ 양도가액을 시가로 재계산	과세 방법	증여세 과세 ▶ 증여재산가액=(시가−대가) −MIN(3억 원, 시가의 30%) ※추후 양도 시 증여재산가액만큼 취득가액에 가산
고가양도 (취득자 고가매입)	금액 요건	(대가−시가)≥3억 원 또는 시가의 30%	금액 요건	(대가−시가)≥3억 원 또는 시가의 5%
	과세 방법	증여세 과세 ▶ 증여재산가액=(대가−시가) −MIN(3억 원, 시가의 30%) ※증여재산가액만큼 양도가액에서 차감, 양도세 환급	과세 방법	양도세 과세 ▶ 추후 양도 시 취득가액 차감 (취득가액을 시가로 재계산)

03 특수관계인에게 증여 후 5년 내 양도 시 부당행위계산 부인

특수관계인[96]에게 주식 등 자산을 증여한 후 그 주식을 증여받은 자가 증여일로부터 5년 이내에 다시 타인에게 양도했을 때 증여자가 그 주식을 직접 양도한 것으로 보아 증여자에게 양도소득세를 과세한다. 이는, 특수관계인에게 증여한 후에 이를 다시 타인에게 양도하는 방법을 이용하여 회피한 세금을 바로 잡고자 하는 것이다.

(1) 과세요건

아래의 두 가지 요건에 모두 해당되는 경우

① 특수관계인에게 주식 등을 증여한 후 증여받은 자가 증여일로부터 5년 이내에 다시 타인에게 양도하였을 경우. 이때 5년의 기간계산은 등기부상의 소유기간에 따른다.

② 증여받은 자의 증여세와 양도소득세를 합한 세액이 증여자가 직접 양도하는 경우로 보아 계산한 양도소득세액보다 적은 경우

(2) 과세방법

증여자가 그 주식을 직접 양도한 것으로 보아 증여자에게 양도소득세를 과세한다. 이 경우, 증여받은 자가 이미 납부한 증여세는 환급한다.

(3) 과세 제외되는 경우

가. 양도소득이 수증자에게 실제 귀속되는 경우: 수증자가 양도하면서 발생한 양도소득이 실질적으로 당해 수증자에게 귀속되는 경우에는 이 규정이 적용되지 않는다.

나. 배우자 등 이월과세 규정이 적용되는 경우: 이 규정은 배우자 등 이월과세 규정이 적용되는 경우에는 적용하지 않는다. 다만, 주식은 배우자 등 이월과세 규정이 적용되지 않으므로 배우자 또는 자녀에게 주식을 증여하고 5년 내

---

96) 배우자 등 이월과세 규정(소득세법 제97조의2 제1항)이 적용되는 경우 배우자 및 직계존비속은 제외된다.

이를 타인에게 양도할 경우에는 이 규정의 적용을 받는다.

〈참고: 배우자 등 이월과세〉

1. 적용요건: 거주자가 아래 자산의 양도일부터 소급하여 5년 이내에 그 배우자 또는 직계존비속으로부터 증여받은 경우
   -대상 자산: 토지, 건물, 특정시설물이용권, 부동산을 취득할 수 있는 권리
   *주식은 적용대상 자산이 아니다.
2. 적용방법
   -납세의무자: 수증자(*부당행위계산부인 규정은 증여자가 납세의무자이다)
   -취득가액: 증여한 배우자 또는 직계존비속이 취득한 가액
   -기 납부한 증여세: 필요경비로 공제
3. 이월과세규정이 적용 제외되는 경우
   가. 사업인정고시일부터 소급하여 2년 이전 증여받아 협의매수 또는 수용된 경우
   나. 이월과세를 적용할 경우 1세대 1주택 비과세 등에 해당될 경우
   다. 이월과세를 적용하여 계산한 양도소득 결정세액이 이월과세를 적용하지 않고 계산한 양도소득 결정세액보다 적은 경우
   ⇒ 이월과세가 적용되지 않는 경우 양도소득의 부당행위계산 부인 규정이 적용될 수 있다. 다만, 양도소득이 실질적으로 수증자(양도자)에게 귀속된 경우에는 부당행위계산 부인 규정도 적용되지 않는다. 이때야 비로소 수증자(양도자)가 증여받은 날에 취득하여 양도한 것으로 양도소득세를 계산하게 된다.

04 특수관계가 아닌 자에게 낮거나 높은 가액으로 매매한 경우

소득세법상 부당행위계산 부인 규정은 특수관계인 간의 거래에만 적용이 된다. 따라서 특수관계가 없는 자에게 주식을 낮은 가액으로 양도하더라도 주식을 양도한 자에게 양도소득세 과세문제는 발생하지 않는다. 그러나 「상속세 및 증여세법」에서는 특수관계인 간의 거래가 아니라 하더라도 그 거래의 관행상 정당한 사유가 있는 경우가 아니라면 위와 같은 경우 주식을 취득한 자에게 증여세가 과세된다.

가업승계 과정에서는 특수관계가 없는 타인이 보유한 주식을 대표님의 자녀가 취득할 경우가 생길 수 있다. 이때에도 정당한 사유 없이 시가보다 높거나 낮은 가액으로 거래하게 되면 증여세가 과세될 수 있으므로 유의해야 한다.

정당한 사유가 무엇인지에 대해 세법에 규정하고 있지는 않으나 해당 거래의 경위, 거래당사자의 관계, 거래가액의 결정과정 등을 고려할 때에 적정한 교환가치를 반영하여 거래하였다고 볼 수 있는지 여부 등 구체적인 사실을 확인하여 판단[97]하도록 하고 있다.

구분	요건	양도자(개인)	양수자(개인)
저가양도 (저가매입)	(시가-대가)≥ 시가의 30%, 정당한 사유없음.	• 과세 안됨.	• 증여세 과세 증여재산가액 = (시가-대가)-3억 원 *추후 양도 시 증여재산가액만큼 취득가액에 가산
고가양도 (고가매입)	(대가-시가)≥ 시가의 30%, 정당한 사유없음.	• 증여세 과세 증여재산가액 = (대가-시가)-3억 원 *양도세 환급: 증여재산가액 만큼 양도가액 차감	• 과세 안됨.

97) 서면4팀-403, 2008.2.20.

세법해석 사례 및 판례 등

- 최대주주가 한국증권거래소에서 거래되는 주식을 장중(대량)매매 또는 시간외종가매매를 통하여 특수관계 있는 자에게 매매한 경우 부당행위계산 적용됨(재산세과-969, 2009.5.18.).
- 배우자 및 직계존비속 간 증여 후 5년 이내에 양도하는 경우에는 「소득세법」 제97조의2를 적용하는 것이며, 그 외 특수관계인 간 증여 후 5년 이내에 양도할 때에는 같은 법 제101조(부당행위계산)를 적용하는 것임(부동산납세과-2054, 2015.12.4.).
- 별도세대인 乙이 직계존속인 甲으로부터 1주택을 증여받은 날부터 5년 이내에 그 주택을 양도하는 경우로서 그 주택 양도 당시 1세대 1주택 비과세 요건을 충족한 경우에는 이월과세규정을 적용하지 않고 「소득세법」 제101조(양도소득의 부당행위계산)가 적용되는 것임. 다만, 같은 법 제101조를 적용함에 있어서 해당 주택의 양도소득이 乙에게 실질적으로 귀속된 때에는 그러하지 아니함(부동산거래관리과-251, 2012.5.7.).
- 개인과 법인 간 매매계약일 현재 시가로 거래하여 「법인세법」상 부당행위계산 부인 규정이 적용되지 않는 경우 양도소득 부당행위계산 규정을 적용하지 않음(부당행위계산 해당 여부 판단은 매매계약일 기준으로 함)(법령해석재산-0569, 2015.6.29.).
- 쟁점주식의 양수인이 특수관계인에 해당하는 점, 청구인이 제시한 매매사례가액은 그 가액을 의도적으로 만들기 위한 거래로 보여 매매사례가액에서 제외함이 타당한 점, 시가로 인정할 매매사례가액이 없으므로 「상속세 및 증여세법」상 보충적 평가액이 시가에 해당하고, 쟁점주식의 거래가액은 시가보다 저가에 거래한 부당행위계산 부인 대상으로 보여 처분청의 과세는 잘못이 없음(조심-2017-서-1207, 2018.12.27.).
- 합리적인 경제인이라면 거래 당시의 상황에서 그와 같은 거래조건으로는 거래하지 않았을 것이라는 객관적인 정황 등에 관한 자료를 제출함으로써 '거래의 관행상 정당한 사유'가 없다는 점을 증명할 수 있으며, 이에 대해 납세의무자는 정상적인 거래로 보아야 할 만한 특별한 사정이 있음을 증명할 필요가 있음(대법원 2013두24495, 2015.2.12.).

자녀에게 주식 취득 자금은 있는가

대표님이 자녀에게 주식을 양도하는 경우 자녀의 주식 취득자금이 부족하면 문제가 될 수 있다. 현행 세법에서는 대표님이 자녀에게 주식 등 재산을 양도하게 되면 일단 자녀에게 증여한 것으로 추정하도록 규정하고 있다. 배우자 간 또는 부모와 자녀 간에 부동산이나 주식 등 재산을 매매하는 경우 형식은 재산을 양도한 것이지만 실질적으로는 증여한 것일 가능성이 높기 때문에 해당 거래에 대해 일단 증여로 추정하여 과세하는 것이다. 아울러, 타인으로부터 주식 등 재산을 취득한 경우에도 취득자금 중 일정금액 이상을 자력으로 취득한 것이 입증되지 않는 경우에는 증여로 추정하도록 규정하고 있다. 다만, 위 두 가지의 경우 모두 실제로 대가를 수수했다는 것을 입증하면 증여세가 과세되지 않는다. 과세관청에서는 주식 양도소득세신고서와 법인세 과세표준 신고 시 제출한 주식변동상황명세서를 기본 바탕으로 양도소득세 신고가 적정한지 여부를 확인할 뿐만 아니라 그 주식을 자녀가 실제로 매수한 것인지와 매수했다면 자녀에게 주식을 취득할 자금 능력이 있는지를 필수적으로 검증한다. 이 검증작업은 1차적으로 국세청의 전산시스템에 의해 자동으로 이루어지는데 이후 몇 차례의 정밀 검토과정에서 자금출처가 불분명하여 증여받은 혐의가 짙다고 판단되는 경우에는 세무조사 대상으로 선정된다. 일단 세무조사 대상으로 선정되면 해당 주식의 자금 출처뿐만 아니라 그간의 부동산 등 재산 증가상황과 신용카드사용 등 소비지출 내역을 포함한 재산취득 및 소비지출 자금에 대해 전반적인 조사를 하게 된다. 따라서 가업승계 과정에서 자녀가 대표님 또는 타인으로부터 주식을 매수할 때는 과세관청의 검증에 대비해서 취득자금 출처를 명확히 해놓아야 한다.

1절 배우자 등에게 재산을 양도하면 일단 증여한 것으로 추정한다

배우자 등에게 양도한 재산은 원칙적으로 증여한 것으로 추정하는데, 배우자 등에게 직접 양도한 경우뿐만 아니라 특수관계인을 거쳐 우회 양도하는 경우에도 증여한 것으로 추정한다. 추정은 명확하지 않은 사실이지만 일단 존재하는 것으로 정하여 법률효과를 발생시키는 것이므로 반대의 사실을 입증하게 되면 그 추정의 효과는 없어진다. 즉, 증여한 것이 아니라 실제 대금을 수수한 것이라는 것을 입증하면 증여세는 과세되지 않는다.

01 배우자 또는 직계존비속에게 양도한 경우 증여추정

배우자 또는 직계존비속에게 양도한 재산은 양도자가 그 재산을 양도한 때에 그 재산 가액 만큼을 배우자 등이 증여받은 것으로 추정하여 이를 배우자 등의 증여재산가액으로 한다. 이때 배우자는 민법상 혼인으로 인정되는 혼인관계에 의한 배우자를 말하며, 사실혼에 의한 배우자는 포함되지 않는다. 직계존비속의 경우에는 법정혈족(양자)을 포함한다.

(1) 증여시기

양도자가 재산을 양도한 때 배우자 등이 증여받은 것으로 규정되어 있는데, 그 양도한 때를 언제로 볼 것인지에 대해 명확히 규정하고 있지는 않다. 다만, 양도 행위를 부인하고 증여세를 과세하고자 하는 것이므로 증여세를 과세할 때 적용하는 증여시기를 기준으로 판단하는 것이 합리적일 것으로 보여진다. 일반적으로 부동산은 등기 접수일을, 주식의 경우에는 명의개서일을 증여시기로 본다.

(2) 증여재산가액

증여받은 것으로 추정하므로 당사자 간 양도계약서상 매매대금은 무의미하다. 따라서 해당 재산을 「상속세 및 증여세법」에 규정한 시가를 우선 적용하고 시가가 없는 경우 보충적 평가방법에 따라 평가한 가액을 증여재산가액으로 한다.

(3) 증여추정의 제외

거래당사자 간에 유상으로 매매한 사실이 입증되면 증여로 추정하지 않는다. 즉, 다음의 경우와 같이 양도한 것이 사실상 명백한 경우에는 증여추정을 적용하지 않는다.

① 법원의 결정에 의한 경매절차 또는 파산선고에 따라 처분된 경우

② 국세징수법에 따라 공매된 경우

③ 증권시장을 통하여 유가증권이 처분된 경우. 다만, 거래소 증권시장 업무규정에 따라 시간외대량매매방법으로 매매된 경우는 증여추정 규정이 적용된다(그러나 이 경우에도 당일 종가로 매매된 경우는 증여추정 규정이 적용되지 않음).

④ 배우자 등에게 대가를 받고 양도한 명백한 경우: 배우자 등에게 아래와 같이 대가를 받고 양도한 사실이 명백히 인정되는 경우, 배우자 등이 대가를 지급할 자금능력이 있더라도 그 대가를 실제로 지급하지 않았으면 인정되지 않는다.

ㄱ. 권리의 이전이나 행사에 등기 · 등록을 요하는 재산을 서로 교환한 경우

ㄴ. 이미 과세(비과세, 감면 포함)받았거나 신고한 소득금액 또는 상속재산 및 수증재산의 가액으로 그 대가를 지급한 사실이 입증되는 경우

ㄷ. 소유재산을 처분한 금액으로 그 대가를 지급한 사실이 입증되는 경우

ㄹ. 배우자 등의 채무 부담사실이 명백하고 동 채무로 대가를 지급한 경우

(4) 저가 또는 고가 양도 시 양도소득세, 증여세 과세

한편, 배우자 및 직계존비속에게 주식 양도 시 정상적으로 대금을 수수한 것이 객관적으로 확인됨에 따라 증여추정에서는 제외되더라도 그 거래가액이

시가보다 낮거나 높은 경우에는 양도소득세 또는 증여세가 과세된다.[98]

(5) 증여추정 규정 적용 시 배우자 등 이월과세 방법

거주자가 배우자 등으로부터 토지 등을 취득하고 그 취득일로부터 5년 이내에 이를 타인에게 양도한 경우로서 거주자가 취득한 것에 대해 증여추정 규정이 적용되는 때에는 배우자 등 이월과세가 적용될 수 있다. 이 경우 거주자의 양도소득세를 계산할 때 취득가액을 배우자 등이 취득한 가액으로 하며, 증여추정으로 거주자에게 부과된 증여세는 필요경비로 공제한다. 다만, 주식의 경우에는 배우자 이월과세규정은 적용되지 않는다.

02 특수관계인을 통해 배우자 등에게 우회 양도 시 증여추정

양도자가 특수관계인에게 재산을 양도한 후 그 특수관계인(양수자)이 양수일부터 3년 이내에 당초 양도자의 배우자 등에게 다시 양도한 경우, 특수관계인이 그 재산을 양도한 당시의 재산가액을 증여재산가액으로 추정하여 이를 배우자 등의 증여재산가액으로 한다. 다만, 배우자 등에게 증여세가 부과되는 경우에는 당초 양도자 및 양수자에게 양도소득세를 부과하지 않는다. 이 경우, 거래당사자가 유상으로 양도한 사실이 입증되면 증여로 추정하지 않는다. 아울러, 양도자 및 양수자가 부담한 양도소득세 결정세액을 합친 금액이 배우자 등이 증여받은 것으로 추정할 경우의 증여세액보다 큰 경우에도 적용하지 않는다.

2절 재산취득자금 등의 증여추정

재산을 취득하였거나 채무를 상환하였을 때 취득자금이나 상환자금을 누군가로부터 증여받은 것이 확실한 경우에는 증여받은 재산이므로 당연히

---

98) "PART 1 4장 2절 부당행위 및 계산 부인 시 과세방법" 참조

증여세가 과세된다. 그런데, 재산취득자금 또는 채무상환자금을 누군가로부터 증여받은 것으로 특정되지는 않은 경우에도 자금출처가 부족한 경우 증여받은 것으로 추정하여 과세될 수 있다.

01 재산취득자금 및 채무상환자금의 증여추정

재산을 취득한 자 또는 채무를 상환한 자의 직업, 연령, 소득 및 재산 상태 등으로 볼 때 재산을 자력으로 취득하였거나 채무를 자력으로 상환하였다고 인정하기 어려운 경우 그 재산을 취득하거나 채무를 상환한 때에 증여받은 것으로 추정하여 이를 증여재산가액으로 하여 증여세를 과세한다. 이때 누구로부터 증여받았는지 증여자가 특정되어야 하는 것은 아니다.

(1) 재산취득자금 등의 범위

재산을 취득하거나 채무를 상환하기 위하여 실제로 소요된 총 취득자금을 말하며, 취득세 등 취득 부수비용까지 포함한다. 이때, 재산취득 당시의 증빙서류가 불비하여 취득자금을 정확히 확인할 수 없는 경우에는 취득 당시 기준시가 또는 보충적 평가액을 취득자금으로 한다.

(2) 자금출처로 인정되는 경우

아래의 경우 자금출처로 인정된다. 다만, 자금능력이 인정되더라도 본인 자금으로 취득하지 않고 실제로는 증여받은 사실이 확인되는 경우에는 증여세가 과세된다.

가. 신고한 소득 등: 신고하였거나 과세(비과세 또는 감면받은 경우를 포함)받은 소득금액으로 그 소득에 대한 소득세 등 공과금 상당액을 뺀 금액

나. 상속 또는 증여받은 재산: 신고하였거나 과세관청의 세무조사 등 과정에서 과세받은 상속 또는 수증재산의 가액

다. 재산의 처분대가로 받은 금전 등: 재산을 처분한 대가로 받은 금전이나 부채를 부담하고 받은 금전으로 해당 재산의 취득 또는 당해 채무의 상환에 직접 사용한 금액, 이때 처분금액이 불분명할 경우에는 시가 혹은 보충적

평가액을 처분금액으로 보며, 그 처분금액에서 양도소득세 등 공과금 상당액을 뺀 금액으로 한다.

라. 농지경작소득

마. 취득일 전에 차용한 부채: 재산취득일 이전에 차용한 부채로서 다음과 같이 증명되는 채무로 입증된 금액. 다만, 원칙적으로 배우자 및 직계존비속 간의 소비대차는 인정하지 않는다.[99]

① 국가 · 지방자치단체 및 금융회사 등에 대한 채무는 해당 기관에 대한 채무임을 확인할 수 있는 서류

② 기타 채무는 채무부담계약서, 채권자확인서, 담보설정 및 이자지급에 관한 증빙 등에 의하여 그 사실을 확인할 수 있는 서류

바. 전세금 및 보증금: 재산취득일 이전에 자기 재산의 대여로서 받은 전세금 및 보증금

사. 기타 자금출처가 명백하게 확인되는 금액

(3) 자력취득 또는 자력상환하였다고 인정하지 않는 경우

자금출처로 입증된 금액의 합계액이 취득재산가액 또는 채무상환금액에 미달하는 경우에는 자력취득 또는 자력상환한 것으로 인정하지 않는다. 다만, 입증되지 않은 금액이 취득재산의 가액 또는 채무의 상환금액의 100분의 20에 상당하는 금액과 2억 원 중 적은 금액에 미달하는 경우에는 제외한다(다만, 그 재산의 취득자금을 증여받은 재산으로 하여 자금출처를 입증하는 경우 단서 규정은 적용하지 않는다).

미입증금액 〈 MIN(취득재산가액 또는 채무상환금액 × 20%, 2억 원)

(4) 증여추정 재산가액

취득재산가액 또는 채무상환자금 중에서 자금출처가 입증된 금액의 합계액에 미달되는 금액 전체가 증여재산가액이 된다. 일단 증여추정 대상이 되는

99) 실무상으로는 실제로 자금을 차입하여 사용하고 이를 상환한 것이 확인되면 자금출처로 인정된다.

경우에는 미달되는 금액에서 취득재산가액 또는 채무상환금액 중 20% 또는 2억 원 중 적은 금액을 차감하여 계산하지는 않는다.

(5) 증여시기

재산을 자력으로 취득하였다고 인정하기 어려운 경우에는 해당 재산을 취득한 때, 채무를 자력으로 상환했다고 인정하기 어려운 경우에는 그 채무를 상환한 때가 증여시기이다. 증여세는 10년 이내의 증여분을 합산하여 과세하므로 재산취득자금 등의 증여추정 규정은 재산취득 또는 채무상환이 있을 때마다 그 이전 10년 이내의 증여재산을 합산하여 해당 여부를 판단한다.

예 자금출처 증여추정 계산사례

재산취득① (채무상환)	입증금액	미입증 금액	증여추정 기준금액 Min(①×20%, 2억 원)	증여세 과세
8억 원	7억 원(본인 소득)	1억 원	1.6억 원	과세 제외
9억 원	6.5억 원(본인 소득)	2.5억 원	1.8억 원	2.5억 원
15억 원	11억 원(본인 소득) 2억 원(수증)	2억 원	-	4억 원(미입증 2억 원 +수증 2억 원)*

* 자금출처를 증여받은 것으로 입증하는 경우 증여추정 기준금액 규정은 적용하지 않으므로 미입증금액과 수증액 모두 증여세 과세됨.

02 증여추정의 적용배제

증여추정 규정을 적용함에 있어서 취득자금 또는 상환자금이 직업, 연령, 소득, 재산상태 등을 고려하여 일정금액 이하인 경우와 취득자금 또는 상환자금의 출처에 관한 충분한 소명이 있는 경우에 증여추정 규정을 적용하지 않는데, 이 기준에 대해서는 아래와 같이 국세청 훈령[100]으로 정하고 있다.

〈재산취득자금 등의 증여추정 배제기준〉

재산취득일 전 또는 채무상환일 전 10년 이내에 주택과 기타 재산의 취득가액 및 채무상환금액 누적액이 각각 아래 기준에 미달하고, 주택취득자금, 기타재산 취득자금 및 채무상환자금의 합계액이 총액한도 기준에 미달하는 경우에는 증여추정

100) 상속세 및 증여세 사무처리규정, 국세청 훈령 제2382호, 2020.7.20.

규정을 적용하지 않는다. 다만, 위 기준과 관계없이 취득가액 또는 채무상환금액을 타인으로부터 증여받은 사실이 확인될 경우에는 증여세 과세대상이 된다.

구분	취득재산		채무상환	총액한도
	주택	기타재산		
1. 30세 미만인 자	5천만 원	5천만 원	5천만 원	1억 원
2. 30세 이상인 자	1억 5천만 원	5천만 원	5천만 원	2억 원
3. 40세 이상인 자	3억 원	1억 원	5천만 원	4억 원

03 차명계좌에 보유한 재산의 증여추정

「금융실명거래 및 비밀보장에 관한 법률」 제3조에 따라 실명이 확인된 계좌 또는 외국의 관계법령에 따라 이와 유사한 방법으로 실명이 확인된 계좌에 보유하고 있는 재산은 계좌 명의자가 그 재산을 취득한 것으로 추정하여 증여추정 규정을 적용한다. 종전에는 차명계좌를 개설하여 현금이 입금되어도 명의자가 자금을 인출하여 사용하지 않는 한 단순히 입금되었다는 사실만으로는 증여세를 과세하기 어려워 2013.1.1.부터[101]는 차명계좌에 대한 증여추정 규정을 신설하여 금융계좌에 자산이 입금되는 시점에 계좌의 명의자가 재산을 취득한 것으로 추정하되 명의자가 차명재산임을 입증하는 경우에는 과세제외하도록 명문화하였다.

세법해석 사례 및 판례 등

- 직계존비속 간의 양도거래를 실질적인 양도로 인정하기 위해서는 이를 주장하는 자가 대가를 지급한 사실 등을 명백히 입증해야 함(심사증여2010-0056, 2010.8.30.).
- 배우자 등에 대한 양도 시의 증여추정 규정이 적용되어 증여세가 부과된 자산을 그 취득일로부터 5년 이내에 양도하는 경우 취득가액은 당초 배우자의 취득가액이 되는 것임(서면4팀-1754, 2004.10.29.).
- 직계존비속 간 사실상 소비대차계약에 의하여 자금을 차입하여 사용하고 추후

101) 2013.1.1. 이후 신고하거나 결정 또는 경정하는 분부터 적용한다.

이를 변제한 사실이 확인되는 경우 증여세가 과세되지 아니함(서면- 2018-상속증여-179, 2019.3.27.).

- 실명이 확인된 계좌에 보유하고 있는 재산은 명의자가 재산을 취득한 것으로 추정하는 것이나 명의자가 차명재산임을 입증하는 경우에는 그러하지 않는 것임(상속증여세과-692, 2018.7.20.).

04 축의금 및 로또당첨금과 자금출처

가. 축의금 및 부의금 등 자금출처 인정범위: 결혼식 축의금 또는 부의금도 재산취득자금의 출처로 인정될 수 있다. 다만, 그 축의금 등을 본인의 자금으로 볼 수 있을 것인가 아니면 증여받은 것으로 보아 증여세를 내야 하는지에 대한 판단이 선행되어야 한다. 세법에서는 비과세되는 증여재산의 범위를 규정하고 있는데, 기념품, 축하금, 부의금은 그 물품 또는 금액을 지급한 자별로 사회통념상 인정되는 물품 또는 금액을 기준으로 비과세 여부를 판단하도록 하고 있고 혼수용품으로서 통상 필요하다고 인정되는 금품, 일상생활에 필요한 가사용품에 한하여 비과세되고 호화 · 사치용품이나 주택, 차량 등은 포함하지 않는다고 하고 있다.[102] 이와 같이 사회통념에 따라 본인에게 귀속된 것으로 볼 수 있는 축의금 등에 대해서는 자금출처로 인정받을 수 있으나 그 범위에 대해서는 아래의 사례를 바탕으로 신중하게 검토하여야 한다.

나. 로또복권 등 당첨금의 자금출처 인정범위: 로또복권 등의 당첨금도 자금출처로 인정받을 수 있다. 이와 관련한 사례를 보면 다음과 같다.

세법해석 사례 및 판례 등

- 부모가 자녀의 결혼축의금으로 받아 관리하던 금전으로 자녀가 부동산을 취득한 경우 자녀의 자금출처인정 범위는 그 결혼축의금이 누구에게 귀속되는지 등에 대하여 세무서장이 사회 통념 등을 고려하여 구체적인 사실에 따라 판단하는 것임(재삼46014-1057, 1998.6.12.).

102) 「상속세 및 증여세법 시행령」 제35조, 통칙46-35…1

- 통상 필요하다고 인정하는 혼수용품은 일상생활에 필요한 가사용품에 한하고, 호화 · 사치용품이나 주택 · 차량 등을 포함하지 아니하며, 결혼축의금이 누구에게 귀속되는지 등에 대하여는 사회통념 등을 고려하여 구체적인 사실에 따라 판단하는 것임(서면인터넷방문상담4팀-1642, 2005.9.12.).
- 20만 원 미만의 축하금에 대하여는 증여세를 부과하지 아니함(재삼46014-1383, 1995.6.8.).
- 이 사건 제2채권의 취득자금의 출처가 위 결혼축의금이라고 하더라도, 결혼축의금이란 우리 사회의 전통적인 미풍양속으로 확립되어 온 사회적 관행으로서, 혼사가 있을 때 일시에 많은 비용이 소요되는 혼주인 부모의 경제적 부담을 밀어주려는 목적에서, 대부분 그들과 친분 관계에 있는 하객들이 혼주의 경제적 부담을 밀어주려는 목적에서, 대부분 그들과 친분 관계에 있는 하객들이 혼주인 부모에게 성의의 표시로 조건 없이 무상으로 건네는 금품을 가리킨다고 할 것이어서, 그 중 신랑, 신부인 결혼 당사자와의 친분 관계에 기초하여 결혼 당사자에게 직접 건네진 것이라고 볼 부분을 제외한 나머지는 전액 혼주인 부모에게 귀속된다고 봄이 상당하고, 별지 결혼축의금 내역의 기재에 나타난 그 교부의 주체, 취지 및 금액 등을 종합하여 보면, 위 결혼축의금은 하객들이 원고의 아버지를 보고 교부한 금원으로서, 혼주 중 아버지에게 전액 귀속되었다고 봄이 상당함(서울고등법원2008누22831, 2010.2.10.).
- 청구인은 결혼축의금 중 본인 축의금 해당분을 쟁점부동산 취득대금으로 사용하였다고 주장하나, 청구인은 2013.1.24. 쟁점부동산 취득대금 자금출처에 대한 소명서를 제출하면서 '쟁점부동산 등 재산취득 자금출처 부족액 OOO원에 대한 정확한 자금출처 소명이 불가한 상황이며, 취득자금 출처부족액 대부분을 홍OOO으로부터 조달하였던 것으로 기억된다'는 취지로 진술하였고, 청구인의 결혼식 이후 어머니인 홍OOO 예금계좌로 일부 금액이 입금된 내역은 나타나지만 해당 금액이 청구인 본인의 축의금인지와 본인의 축의금이라고 인정하다 하더라도 청구인에게 실제 귀속되었는지가 불분명할 뿐더러 설령 청구인 본인의 축의금으로써 청구인에게 귀속되었다고 하더라도 결혼일(2004.5.9.)과 쟁점부동산 취득일(2007.11.20.) 사이에는 상당한 시일이 경과되었고, 청구주장을 입증할 수 있는 다른 증빙도 제시되지 아니하고 있으므로 해당 금액이 쟁점부동산 취득대금으로 사용되었다고 보기도 어려움(조심2013서3275, 2013.11.28.).
- 본인이 자식으로부터 증여받은 자금으로 구입한 로또복권이 당첨되어 지급받은 당첨금은 본인에게 귀속되는 소득금액에 해당함(상속증여세과-453, 2014.11.20.).

• 복권을 구입하고 당첨금을 수령한 과정, 이후 이 사건 복권당첨금의 사용처와 그 취득 재산의 소유 명의, 복권당첨 전후의 원고부부의 생활관계 등 여러 사정에 비추어 보면, 이 사건 복권당첨금은 원고 부부 쌍방의 공유로 봄이 타당함(대법원 2014두35461, 2014.5.29.).

05 자금출처 세무조사 대상자 선정

자금출처 세무조사는 재산의 취득자금 또는 채무의 상환자금 등의 출처가 불분명하여 누군가로부터 증여받은 혐의가 있는 경우 실시하므로 증여세 조사로 분류된다. 자금출처 조사대상자는 단순히 특정 재산의 취득액과 소득 규모만을 비교하여 선정하지는 않는다. 일정기간의 소득금액과 재산증가액 및 소비지출액을 비교 분석하여 탈루혐의가 있는 경우 선정한다. 아울러, 자금출처 세무조사 대상으로 선정할 때는 외견상 드러나지는 않았으나 자금이 유입되었을 것으로 보여지는 본인 및 관련인의 사업장에 대해서도 수입금액 누락여부 등에 대해 동시에 조사하는 경우도 있다.

6장 주식은 언제 양도해야 하나

주식의 양도 시기는 여러 가지 상황을 고려해야 하겠지만 세금 측면에서만 볼 때 최적의 주식 양도 시기는 양도소득세가 최소화되는 시점일 것이다. 양도소득세가 최소화되는 시기는 주식가치가 최대한 낮게 평가되는 때인데 회사가 성장하는 추세라면 가급적 시기를 앞당겨 양도할 필요가 있고 반대의 경우라면 늦추는 것이 유리하다. 이에 대해서는 후술하는 "PART 2 1장 2절 주식은 언제 증여해야 하나"를 참고하기 바란다. 아울러, 주식을 취득하는 자녀가 취득 자금의 출처를 입증하지 못하면 증여세가 과세될 수 있으므로 주식을 양도하고 대금을 지불하는 시점마다 자금을 어떻게 조달할 수 있을지 확실히 입증할 수 있을 때 주식 양도를 실행할 필요가 있다.

Part 2

미리미리 증여하자

대표님 주식을 적정한 시가대로 자녀에게 증여하여 가업을 승계하는 방법이다. 대표님이 사망하면 자녀에게 상속 절차를 통해 가업이 승계되겠지만, 가업을 안정적으로 승계하기 위해서는 미리 주식을 자녀에게 이전할 필요가 있다. 주식을 증여하는 방법은 매매하는 방법에 비해 자녀에게 자금부담이 줄어들지만, 증여세 최고세율이 양도소득세보다는 높으므로 단순히 세금 측면만을 본다면 양도소득세보다는 부담이 더 큰 것이 일반적이다. 다만, 증여의 경우에는 주식의 가치평가만 정확히 하여 승계한다면 승계과정에 크게 복잡한 문제는 없으며 가업승계를 위해 주식을 증여하는 경우 일정범위 금액에 대해 낮은 세율로 과세하는 증여세과세특례제도도 마련되어 있으니 이를 적극적으로 활용하면 유용하다. 가업승계 시 핵심은 주식 가치의 평가와 수증자, 즉 자녀의 세금납부자금 마련, 증여세과세특례 제도 활용으로 요약될 수 있다. 한편, 증여를 할 경우 수증자는 증여세를 납부해야 하고, 만약 수증자가 증여세를 내지 못할 경우 증여자가 연대해서 납세의무를 지게 된다. 주식을 증여할 경우 증권거래세는 과세되지 않는다. 한편, 대표님이 주식을 타인 명의로 명의신탁해 놓은 경우 복잡한 문제가 발생하는데 이때 발생하는 증여세 과세문제와 이를 해소하기 위한 방법에 대해서도 살펴본다.

1장 주식을 증여하면 세금은 얼마나 내는가

자녀가 주식 등 재산을 부모로부터 무상으로 이전받거나 현저히 낮은 대가를 지급하고 매수할 경우 증여세가 과세된다. 자녀가 주식을 증여받은 경우 증여세는 증여재산가액에서 증여재산공제 5천만 원(자녀가 미성년자인 경우 에는 2천만 원)을 차감한 과세표준에 10~50%의 누진세율을 적용하여 산출 한다. 이하에서는 증여세의 계산구조와 산출세액이 나오기까지의 과정과 신고 · 납부방법에 대해 주요 내용위주로 설명한다. 아울러, 증여세를 최소화하기 위해서 어느 시점을 선택하고 어떤 방법을 활용하는 것이 좋은지에 대해서도 검토해 본다.

1절 납부할 증여세액의 계산 및 신고·납부

01 납부할 증여세액의 계산

주식 등 재산을 증여할 경우 해당 주식 등의 증여시점으로부터 10년 이내에 동일인으로부터 증여받은 재산가액이 1천만 원 이상이면 합산하여 증여세 과세가액을 산정한다. 여기에서 성년인 자녀가 증여받은 경우 5천만 원을 공제한 후에 증여세율을 적용하여 납부할 증여세를 계산한다.

구분	내용
① 증여재산가액	• 국내외의 모든 증여재산 – 재산가액은 시가로 평가, 시가가 없으면 보충적 평가방법으로 평가한 가액
② 비과세 증여재산 및 과세가액 불산입 재산	• 사회통념상 인정되는 피부양자 생활비, 교육비 등 • 장애인이 증여받아 신탁한 재산 등
③ 채무부담액	• 증여재산에 담보된 채무인수액(임대보증금 등 포함)
④ 증여재산 가산액	• 동일인으로부터 해당 증여일 전 10년 이내 증여받은 재산의 과세가액 합계액이 1천만 원 이상인 경우 그 과세가액을 합산 *동일인은 증여자가 직계존속인 경우 그 배우자를 포함

<table>
<tr><th>구분</th><th>내용</th></tr>
<tr><td>⑤ 증여세 과세가액</td><td>• ① − ② − ③ + ④</td></tr>
<tr><td>⑥ 증여공제</td><td></td></tr>
<tr><td>ㄱ. 증여재산공제</td><td><table>
<tr><th>증여자</th><th>배우자</th><th>직계존속</th><th>직계비속</th><th>기타친족</th></tr>
<tr><td>공제한도액
(10년간 누계)</td><td>6억 원</td><td>5천만 원*</td><td>5천만 원</td><td>1천만 원</td></tr>
</table>*수증자가 미성년자인 경우 2천만 원</td></tr>
<tr><td>ㄴ. 재해손실공제</td><td>• 증여세 신고기한 이내에 증여재산이 재난으로 멸실·훼손된 경우 과세가액에서 공제</td></tr>
<tr><td>⑦ 감정평가수수료</td><td>• 증여재산 감정평가수수료 5백만 원 등</td></tr>
<tr><td>⑧ 증여세 과세표준</td><td>• 일반적인 경우: ⑤ − ⑥ − ⑦
• 합산배제(명의신탁): 명의신탁금액 − ⑦
• 합산배제(법45의3, 4): 증여의제이익 − ⑦
• 합산배제(기타): 증여재산가액 − 3천만 원 − ⑦</td></tr>
<tr><td>⑨ 세율</td><td><table>
<tr><th>과세
표준</th><th>1억 원
이하</th><th>5억 원
이하</th><th>10억 원
이하</th><th>30억 원
이하</th><th>30억 원
초과</th></tr>
<tr><td>세율</td><td>10%</td><td>20%</td><td>30%</td><td>40%</td><td>50%</td></tr>
<tr><td>누진
공제</td><td>−</td><td>1천만 원</td><td>6천만 원</td><td>1억 6천만 원</td><td>4억 6천만 원</td></tr>
</table></td></tr>
<tr><td>⑩ 산출세액</td><td>• ⑧ × ⑨</td></tr>
<tr><td>⑪ 세대생략할증세액</td><td>• 수증자가 자녀가 아닌 직계비속이면 산출세액의 30% 할증(수증자가 미성년자로서 증여재산이 20억 원 초과 시 40% 할증)
• 다만, 증여자의 최근친 직계비속이 사망하여 그 사망자의 최근친인 직계비속이 증여받은 경우는 적용 제외</td></tr>
<tr><td>⑫ 세액공제·감면</td><td>• 신고세액공제: (산출세액 및 세대생략할증세액 − 납부세액공제 등 기타세액공제 및 감면세액)×3%
• 기타 세액공제 등: 납부세액공제, 문화재자료징수유예세액, 외국납부세액공제 등등</td></tr>
<tr><td>⑬ 납부할 세액</td><td>• ⑩ + ⑪ − ⑫</td></tr>
</table>

(1) 증여재산가액 평가

증여재산가액은 원칙적으로 시가로 평가한다. 주식도 마찬가지이다. 다만, 시가 산정이 어려운 경우에는 보충적 평가방법에 의해 평가한 가액으로 한다. 주식가액의 평가에 대해서는 "PART 1 3장 주식대금은 얼마를 받아야 하나"를 참조하기 바란다.

(2) 증여재산 가산액

주식 등 재산을 증여하면 그 증여일 이전 10년 이내에 증여한 재산이 있는지를 반드시 확인해야 한다. 만약, 주식을 증여하기 이전 10년 이내에 동일인으로부터 증여받은 증여세 과세가액 합계액이 1천만 원 이상인 경우에는 이번에 증여한 주식의 증여세 과세가액에 합산하여 증여세를 계산한다. 이를 증여재산 가산액이라 한다.

가. 10년 내[1] 증여받은 재산이어야 한다: 증여받을 때마다 그 증여시점을 기준으로 10년 이내 증여받은 재산가액을 가산한다. 따라서 직전에 증여받을 때 가산했던 증여재산가액이라도 현재 증여시점에서 볼 때 10년이 지난 증여재산가액은 가산하지 않는다.

예 아버지로부터 주식을 2008년 5천만 원, 2015년 1억 원, 2020년 1억 원 증여받았을 경우 각 증여 일자별 증여가액

- 2008년: 5천만 원
- 2015년: 1억 5천만 원(증여 1억 원+2008년 증여받은 5천만 원 가산)
  *2015년 이전 10년 이내 증여분 합계액이 1천만 원 이상(5천만 원)이므로 가산
- 2020년: 2억 원(증여 1억 원+2015년 증여 1억 원 가산)
  *2020년 이전 10년 이내 증여분 1억 원 가산, 2008년 증여분은 10년 경과로 가산 제외

나. 동일인으로부터 증여받아야 한다: 동일인으로부터 수차 증여를 받은 경우 해당 증여일 기준으로 10년 이내 증여재산가액을 가산[2]하는데 이때 증여자가 부모, 조부모 등 직계존속인 경우 동일인에는 그 직계존속의 배우자를 포함한다. 직계존속의 배우자가 이혼 또는 사별한 경우에는 동일인으로 보지 않으며, 증여자가 부모일 경우 계모 · 계부는 동일인에 포함되지 않는다. 아울러 부와 조부는 동일인에 해당하지 않는다.

예 2011년 祖父로부터 주식 5천만 원, 2015년 母로부터 주식 1억 원, 2020년 父로부터 주식 1억 원 증여받았을 경우 각 증여일자별 증여가액

- 2011년: 5천만 원(祖父 증여 5천만 원)
- 2015년: 1억 원(母 증여 1억 원)
- 2020년: 2억 원(父 증여 1억 원+2015년 母 증여 1억 원 가산)

---

1) 국세기본법 제4조(기간의 계산), 세법에 특별한 규정이 없으면 민법 규정(제156조 내지 제160조)에 의한다.
2) 동일인이 없으면 증여가 있을 때마다 증여자별 · 수증자별로 과세가액을 각각 계산하여 과세한다.

*祖父는 동일인이 아니며 母는 父와 동일인으로 보므로 10년 내 증여분은 합산한다.

다. 가산액이 1천만 원을 넘어야 한다: 해당 증여일 전 10년 이내 증여한 재산의 합계액이 1천만 원 이상인 경우에 가산하는데, 매번 증여가 있을 때마다 동일인으로부터 10년 이내 1천만 원 이상을 증여받았는지 여부를 판단해야 한다.

예 父로부터 주식을 2011년 5백만 원, 2015년 1억 원, 2020년 1억 원 증여받았을 경우 각 증여일자별 증여가액

- 2011년: 5백만 원
- 2015년: 1억 원(증여 1억 원)
  *2015년 기준 10년 내인 2011년에 증여한 재산가액이 1천만 원 미만이므로 가산 제외
- 2020년: 2억 5천만 원(증여 1억 원+2015년 증여 1억 원+2011년 증여 5백만 원 가산)
  *2020년 기준 10년 내인 2011년 및 2015년에 증여받은 재산 합계액이 1천만 원 이상이므로 가산

라. 합산배제 증여재산[3]: 10년 이내 동일인으로부터 증여를 받았더라도 증여재산에 가산하지 않는 경우가 있는데, 명의신탁 증여의제 등 대부분 증여받은 것으로 의제되거나 또는 증여받은 것으로 추정된 재산이나 이익의 경우가 이에 해당된다.

(3) 증여재산공제

거주자가 배우자, 직계존비속 및 기타 친족으로부터 증여받는 경우 10년간 합산하여 아래의 금액을 공제한다. 따라서 10년이 지나면 다시 동일 금액을 공제받을 수 있다. 증여재산공제는 수증자를 기준으로 증여자별 그룹하여 계산한다. 한편, 수증자가 비거주자이면 증여재산공제가 적용되지 않는다.

증여자	배우자	직계존속	직계비속	기타 친족
공제한도(10년 누계)	6억 원	5천만 원*	5천만 원	1천만 원

* 수증자가 미성년자인 경우 2천만 원

3) 「상속세 및 증여세법」 제47조(증여세 과세가액) 제1항에 규정되어 있다.

가. 증여자가 배우자인 경우: 배우자로부터 증여를 받은 경우 6억 원 (07. 12. 31. 이전에는 3억 원)을 공제한다. 배우자는 민법상 혼인으로 인정되는 혼인관계에 의한 배우자를 말하며, 사실혼 관계에 있는 배우자는 공제대상이 아니다.

예 **배우자로부터 주식을 2007년 4억 원, 2015년 4억 원, 2020년 2억 원 수증했을 경우 각 증여일자별 증여재산공제액**

- 2007년: 3억 원 공제('07.12.31.까지는 3억 원 공제)
- 2015년: 6억 원 공제('07년 3억 원+'15년 3억 원*)
  *10년 내 공제총액은 6억 원을 초과하지 못함.
- 2020년: 6억 원 공제('15년 4억 원+'20년 2억 원)

나. 증여자가 직계존속인 경우: 부모 및 조부모 등 직계존속으로부터 증여받는 경우 5천만 원(2013.12.31. 이전은 3천만 원)을 공제한다. 다만, 수증자가 미성년자(만 19세 미만)이면 2천만 원(2013.12.31. 이전은 1천 5백만 원)을 공제한다. 계부 · 계모와 자녀 간의 증여 시에도 직계존비속 공제 금액이 동일하게 적용된다.

예 **1) 父로부터 주식을 2013년 4천만 원, 2015년 4천만 원, 2020년 2천만 원 수증했을 경우 각 증여일자별 증여재산공제액**

- 2013년: 3천만 원('13.12.31.까지는 3천만 원 공제)
- 2015년: 5천만 원 공제('13년 3천만 원+'15년 2천만 원*)
  *10년 내 공제총액은 5천만 원을 초과하지 못함.
- 2020년: 5천만 원 공제('13년 3천만 원+'15년 2천만 원+'20년 0원)

2) 2020.1.1. 父로부터 주식 8천만 원, 母로부터 주식 4천만 원, 祖父로부터 주식 8천만 원 수증했을 경우 각 증여자별 증여재산공제액: 5천만 원

- 父母: 3천만 원(부모는 동일인으로 봄)
  *5천만 원×(8천만 원+4천만 원)÷2억 원
- 祖父: 2천만 원(5천만 원−3천만 원)

다. 증여자가 직계비속인 경우: 직계비속으로부터 증여받는 경우 5천만 원(2015년까지는 3천만 원)을 공제하며 직계비속의 범위에는 수증자와 혼인 중인 배우자의 직계비속도 포함된다(2010.1.1. 이후 증여분부터 적용).

라. 증여자가 기타 친족인 경우: 배우자나 직계존비속이 아닌 6촌 이내 혈족 및 4촌 이내 인척으로부터 증여를 받는 경우 1천만 원을 공제한다. 시부모와 며느리의 관계는 직계존비속에 해당하지 않고 기타 친족에 해당한다.

마. 창업자금 등에 대한 증여세 과세특례 등의 경우

① 창업자금 및 가업승계 주식에 대한 증여세 과세특례의 경우: 증여재산 공제를 적용하지 않는다.

② 자금출처 부족으로 증여추정하는 경우: 증여자와 수증자의 관계가 확인되는 경우에는 증여재산 공제가 가능하다.

(4) 납부할 증여세액의 계산

가. 증여세 세율: 세율은 기본세율과 특례세율로 구분된다.

① 기본세율: 과세표준 구간에 따라 세율이 누진으로 적용되는 초과누진 세율을 말한다. 1997.1.1.부터 상속세율과 증여세율이 동일하게 적용된다.

1997.1.1.~1999.12.31.			2000.1.1.~현재		
과세표준	세율	누진공제액	과세표준	세율	누진공제액
1억 원 이하	10		1억 원 이하	10	
5억 원 이하	20	1,000만 원	5억 원 이하	20	1,000만 원
10억 원 이하	30	6,000만 원	10억 원 이하	30	6,000만 원
50억 원 이하	40	1억 6천만 원	30억 원 이하	40	1억 6천만 원
50억 원 초과	45	4억 1천만 원	30억 원 초과	50	4억 6천만 원

② 특례세율: 창업자금 과세특례 대상 자금을 증여하거나 가업승계특례 대상 주식을 증여할 경우 10%의 특례세율을 적용한다. 가업승계 주식의 경우에는 과세표준이 30억 원을 초과하는 금액에 대해서는 20%를 적용한다. 창업자금 과세특례 및 가업승계에 대한 증여세 과세특례 제도에 대해서는 뒤에서 설명한다.

나. 직계비속에 대한 증여 시 할증과세: 증여를 받는 자가 증여자의 자녀가 아니고 손자인 경우에는 증여세 산출세액에 100분의 30에 상당하는 금액을 가산한다. 2016.1.1. 이후 증여분부터는 그 직계비속이 미성년자인 경우로서 증여재산가액이 20억 원을 초과하는 경우에는 100분의 40에 상당하는 금액을

가산한다. 다만, 증여자의 최근친인 직계비속이 사망하여 그 사망자의 최근친인 직계비속이 증여받은 경우에는 적용하지 않는다. 즉, 외조모가 외손자에게 증여 시 할증과세 대상이나 외손자의 모가 사망한 경우에는 할증과세하지 않는다.

예 2020.1.1. 조부가 미성년 손자에게 주식 50억 원을 증여한 경우 증여세 산출세액 및 할증세액(증여 시 父는 생존)

- 증여세 과세표준: 4,980,000,000원=5,000,000,000-20,000,000
- 증여세 산출세액: 2,030,000,000원=4,980,000,000×50% -460,000,000
- 할증세액: 812,000,000원=2,030,000,000×40%

다. 증여세 납부세액공제: 10년 이내 증여재산에 해당되어 가산한 증여재산가액에 대하여 이미 납부하였거나 납부할 증여세액은 증여세 산출세액에서 공제한다. 이때 산출세액은 세대생략으로 인한 할증세액은 제외한다. 증여세액이란 증여 당시 해당 증여재산에 대한 증여세 산출세액을 말한다.

- 공제액: 가산한 증여재산에 대한 증여세 산출세액
- 한도액: 증여세 산출세액×가산한 증여재산의 과세표준 / (해당 증여재산+가산한 증여재산)의 과세표준

라. 외국납부세액공제: 증여재산에 대해 외국의 법령에 따라 증여세를 부과받은 경우 부과받은 증여세에 상당하는 아래 금액을 증여세 산출세액에서 공제한다.

- 공제액: 증여세 산출세액×외국의 법령에 따른 증여세 과세표준 / 증여세 과세표준
- 한도액: 외국법령에 따라 부과된 증여세액

마. 증여 신고세액공제: 증여세 과세표준 신고기한 내에 신고를 한 경우[4]에는 아래와 같이 계산한 세액의 3%를 공제한다. 다만, 창업자금 및 가업승계주식에 해당하는 재산을 증여받은 경우에는 신고세액공제를 적용하지 않는다.

[(증여세 산출세액+세대생략할증과세액)-(문화재자료 등의 징수유예세액 +납부세액공제+외국납부세액공제+다른 법률에 따른 공제 · 감면세액)]×3%

4) 신고기한 내 증여세액을 납부하지 않아도 신고만 하면 신고세액공제는 적용함.

세법해석 사례 및 판례 등

- 당해 증여일 전에 부가 사망한 경우에는 그 사망한 사람의 생전에 증여받은 재산은 10년 내 동일인 합산과세하지 아니하는 것임(재산세과-58, 2010. 2.1.).
- 동일인으로부터 증여받은 재산가액을 합산하여 과세할 때, 부와 계모는 동일인으로 보지 않음(재산세과-399, 2010.6.16.).
- 당초 증여받은 부동산을 반환하고 해당 부동산을 양도한 대금 중 일부를 현금으로 증여받은 것은 동일한 재산을 재차 증여받은 경우에 해당하지 않으므로 증여세 과세가액에 합산하여 계산함(법령해석과-1874, 2018.7.2.).
- 계부, 계모와 자녀 간의 증여 시에도 직계존비속공제 금액이 동일하게 적용되나 계부 또는 계모의 부모로부터 증여받는 경우에는 적용되지 않음(기재부 재산-998, 2010.10.21.).
- 증여받은 재산을 증여세 신고기한으로부터 3월이 경과한 후에 증여자에게 반환하고 해당 증여일로부터 10년 이내에 동일인으로부터 동일 재산을 증여받은 경우 당초 증여받은 재산가액을 합산하여 과세하는 것임(상속증여세과-00038, 2016.1.12.).
- 민법상 증여계약이 합의해제된 경우 당초 증여계약의 효력이 소멸되었으므로 동일 부동산에 대하여 증여재산 합산과세 규정을 적용함에 있어서도 당초 증여는 없고 재차증여만 있는 것으로 보아 합산과세를 배제하는 것이 타당함(조심2011서2867, 2011.12.14.).
- 증여재산공제 적용 시 직계존속은 수증자의 직계존속인 혈족을 말하는 것이며, 동일자에 각각 증여받은 경우 증여재산공제는 각각의 증여재산가액으로 안분하여 적용하는 것임(상속증여세과-606, 2019.7.15.).
- 직계혈족인 조부가 사망한 후 재혼하지 않은 계조모로부터 증여를 받는 경우 「상속세 및 증여세법」 제53조 제3호에 따라 공제함(상속증여세과-984, 2017.9.12.).
- 혼인 외 출생자는 직계존비속에 해당되는 것이며, 혼인 외 출생자인지의 여부는 친생자 확인소송 등에 의하여 납세의무자가 입증해야 함(상속증여세과-00334, 2016.3.28.).

02 증여세 신고 및 납부

주식 등 재산을 증여받으면 증여일이 속하는 달의 말일부터 3개월 내에 증여세 과세표준과 세액을 신고하고 납부해야 한다. 소득세나 부가가치세 등 대부분의 세금은 이렇게 납세의무자가 신고하고 납부하는 것으로 납부할 세금이 최종 확정되며 특별한 경우 외에는 과세관청의 검증절차를 거치지 않는다. 그러나 증여세나 상속세의 경우에는 납세의무자가 신고하는 것은 사실상 협력의무에 불과하며, 최종적으로 내야할 세금이 얼마인지는 과세관청에서 세무조사 등 검증절차를 거쳐 결정하도록 하고 있다. 그렇지만, 증여세 신고가 협력의무에 불과하다고 하더라도 신고내용에 오류가 있는 경우에는 추가로 납부할 세금이 발생하거나 가산세를 부담해야 할 경우도 있으므로 위에서 설명한 증여세액의 계산이나 아래의 신고 · 납부 절차를 정확히 숙지하여 신고해야 한다. 한편, 증여세(상속세)의 경우에는 세액의 규모가 클 경우 일시에 세금납부가 어려움을 감안하여 장기간 나누어 세금을 내도록 연부연납제도를 두고 있다.

(1) 증여세 과세표준 신고 및 납부

가. 증여세 신고 · 납부기한: 증여세 납세의무가 있는 자는 증여받은 날이 속하는 달의 말일부터 3개월 이내에 증여세 과세표준 신고서를 작성하여 관할 세무서장에게 신고해야 한다. 예를 들어, 증여받은 날이 2020.12.1.인 경우 신고 · 납부기한은 2021.3.31.이다.

나. 증여세 신고기한의 예외 규정

① 주식 등의 상장 등에 따른 이익의 증여 및 합병에 따른 상장 등의 이익의 증여: 정산기준일[5]이 속하는 달의 말일로부터 3개월이 되는 날

② 특수관계법인과의 거래를 통한 이익의 증여의제, 특수관계법인으로부터 제공받은 사업기회로 발생한 이익의 증여의제, 특정법인과의 거래를 통한

5) 정산기준일이란 해당 주식 등의 상장일로부터 3개월이 되는 날이며, 만약 그 3개월이 되는 날까지의 사이에 해당 주식 보유자가 사망하거나 해당 주식을 증여 · 양도하는 경우에는 그 사망일 · 증여일 또는 양도일

이익의 증여의제: 수혜법인 또는 특정법인의 법인세 신고기한이 속하는 달의 말일부터 3개월이 되는 날

다. 증여세 신고서 제출: 증여세 신고서와 그 과세표준의 계산에 필요한 증여재산의 종류 · 수량 · 평가가액 및 각종 공제 등을 증명할 수 있는 서류 등을 첨부하여 제출해야 한다. 증여세 신고서는 증여재산 종류에 따라 4가지[6]로 구분된다.

(2) 증여세액의 납부 및 연대납세의무

증여세 자진 납부할 세액은 증여세 신고서를 제출하면서 납부해야 한다. 만약 납부세액이 1천만 원을 초과하는 경우에는 분납이 가능하고, 2천만 원을 초과하는 경우에는 최소 5년간 분할해서 납부할 수 있는 연부연납이 가능하다. 연부연납에 대해서는 뒤에 자세히 설명한다. 한편, 증여세는 수증자가 납부하는 것이 원칙이나 예외적으로 증여자에게 연대납세의무를 지우는 경우도 있다.

가. 증여세의 분납: 증여세 납부세액이 1천만 원을 초과하는 경우에는 아래와 같이 납부할 금액의 일부를 납부기한이 지난 후 2개월 이내에 분할해서 납부할 수 있다. 분납은 증여세 신고서상 '분납'란에 분납세액을 기재하는 것으로 신청에 갈음한다. 다만, 연부연납을 허가받은 경우에는 분납할 수 없다.

① 납부할 세액이 2천만 원 이하인 경우: 1천만 원을 초과하는 금액을 분납할 수 있다. 예를 들어, 납부할 세액이 1천 5백만 원이면 1천만 원은 당초 납부기한 내에 납부해야 하고 나머지 5백만 원을 2개월 이내에 분납하면 된다.

② 납부할 세액이 2천만 원 초과하는 경우: 납부할 세액의 50% 이하의 금액을 분납할 수 있다. 예를 들어, 납부할 세액이 3천만 원이면 1천 500만 원은 당초 납부기한 내에 납부해야 하고 나머지 1천 500만 원을 2개월 이내에 분납하면 된다.

---

6) 기본세율 적용 증여재산신고용, 창업자금 등 특례세율 적용 증여재산신고용, 특수관계법인과의 거래를 통한 증여의제이익신고용, 특수관계법인으로부터 제공받은 사업기회로 발생한 이익의 증여의제신고용

나. 증여세의 연대납세의무: 증여세 납세의무자는 원칙적으로 증여를 받은 수증자이다. 그러나 수증자로부터 증여세를 확보하기 곤란한 일정한 사유가 있는 경우에는 증여세를 증여자가 연대하여 납부할 의무가 있다. 증여자에게 증여세를 납부하게 할 때에는 세무서장은 그 사유를 증여자에게 알려야 한다.

① 증여자에게 연대납세의무가 있는 경우

ㄱ. 수증자의 주소나 거소가 분명하지 아니한 경우로서 증여세에 대한 조세채권을 확보하기 곤란한 경우

ㄴ. 수증자가 증여세를 납부할 능력이 없다고 인정되는 경우로서 체납처분을 하여도 증여세에 대한 조세채권을 확보하기 곤란한 경우

ㄷ. 수증자가 비거주자인 경우

② 증여세 연대납세의무 면제: 수증자가 증여세 납세능력이 없는 경우에는 원칙적으로 증여자에게 연대납세의무를 부여하고 있으나 저가 · 고가양도에 따른 이익의 증여 등 특정한 이익의 증여에 대하여는 증여세 연대납세의무를 면제[7]하고 있다.

다. 증여자가 증여세를 납부한 경우 재차 증여 여부

① 증여자에게 연대납세의무가 있는 경우: 증여자가 연대납세의무자로서 수증자의 증여세를 대신 납부하는 경우에는 재차증여에 해당하지 않는다.

② 증여자에게 연대납세의무가 의무가 없는 경우: 수증자가 납부해야할 증여세를 증여자가 대신 납부하는 경우 대신 납부한 세액에 대하여는 증여세가 과세된다.

(3) 증여세(상속세) 연부연납

상속세나 증여세의 경우 일반적으로 세액이 고액이고 해당 상속재산이나 증여재산이 부동산 등 단기간 내에 현금화하기 어려운 경우가 많아 납세자에게 자금을 마련할 시간을 부여하여 세금을 원활히 납부할 수 있도록 연부연납 제도를 두고 있다. 연부연납은 국세징수법상 징수유예나 고지유예처럼 특별한 사유[8]를 요하지는 않으나 납세담보를 제공해야 하고 연납에 따른 가산금

7) 「상속세 및 증여세법」 제4조의2 제6항 참조
8) 사업이 중대한 위기, 재해 또는 도난, 납세자 또는 동거가족의 질병이나 중상해 등

(이자)을 부담해야 한다.

가. 연부연납 신청요건

① 상속세 또는 증여세 납부세액이 2천만 원을 초과: 납부해야할 상속세나 증여세액이 2천만 원을 초과해야 한다. 그런데, 여러 건의 증여가 있어 동일한 납부기한으로 고지된 경우 2천만 원의 기준을 어떻게 설정할 것인지에 대해 국세청과 조세심판원은 다른 해석을 하고 있다. 국세청은 재산의 증여가 증여시기를 달리하여 수차례 발생함에 따라 각 증여시기별로 산출된 여러 건의 증여세 고지서가 동일한 납부기한으로 하여 고지된 경우 납부세액이 2천만 원을 초과하는지 여부는 각 고지서별 납부기한 내의 납부세액을 기준으로 판단하도록 하고 있는 반면, 조세심판원은 "증여자와 수증자 및 납기가 동일한 여러 건의 증여세에 대하여 각각의 고지세액이 2천만 원 이하이더라도 고지세액의 합산금액이 2천만 원을 초과하는 경우에도 연부연납 요건에 부합한다"라고 하고 있다.

② 기한 내에 신청: 연부연납 신청은 상속세 및 증여세를 신고기한 내에 정상적으로 신고할 때뿐만 아니라 신고기한 내 신고하였으나 수정사항이 있어서 다시 수정하여 신고하는 경우, 신고기한을 경과하여 신고한 경우, 세무서로부터 무신고, 무납부, 과소신고에 따라 세금고지를 받은 경우 등 대부분 경우 가능하나 반드시 정해진 기한 내에 신청을 해야 한다.

ㄱ. 법정신고기한 내 자진신고 시: 상속세 또는 증여세 과세표준 법정신고기한 이내

ㄴ. 수정신고 및 기한 후 신고 시: 수정 · 기한 후 신고서를 제출하는 때

ㄷ. 과세표준과세액결정통지 시: 결정통지에 따른 해당 납세고지서상 납부기한

ㄹ. 연대납세의무자에게 납부통지 시: 납부통지서상 납부기한

③ 담보의 제공

ㄱ. 담보의 종류: 금전, 국채증권, 지방채증권 및 특수채증권, 상장법인이 발행한 사채권 중 보증사채 및 전환사채, 상장된 유가증권으로서 매매사실이 있는 것, 납세보증보험증권, 무기명수익증권 및 환매청구가 가능한 수익증권, 양도성예금증서, 은행 및 신용보증기금 · 보증채무를

이행할 자금능력이 충분하다고 세무서장이 인정하는 자 등의 납세보증서, 토지, 보험에 든 등기 · 등록된 건물, 공장재단, 광업재단, 선박, 항공기 또는 건설기계

ㄴ. 담보의 가액: 납세담보를 제공할 때에는 담보할 국세의 100분의 120(현금, 납세보증보험증권 또는 은행의 납세보증서의 경우에는 100분의 110) 이상의 가액에 상당하는 담보를 제공해야 한다.

ㄷ. 담보하는 국세: 연부연납허가 담보 시 담보할 국세에는 연부연납 가산금이 포함되며, 연부연납 신청 시 제공한 담보재산 가액이 연부연납 신청세액에 미달하는 경우에는 그 담보로 제공된 재산가액에 상당하는 세액의 범위 안에서 연부연납을 허가할 수 있다. 연부연납을 허가받은 자가 연부연납 세액의 각 회분을 납부한 경우에는 같은 금액에 상당하는 담보를 순차로 해제할 수 있다.

나. 연부연납 허가: 아래의 기간 이내에 신청인에게 허가 여부를 서면으로 통지해야 하며, 해당 기간까지 서면을 발송하지 않은 경우에는 연납을 허가한 것으로 본다.

① 법정신고기한 내 신고 시: 신고기한으로부터 상속세 9개월, 증여세 6개월

② 수정 · 기한 후 신고 시: 신고일이 속하는 달의 말일부터 상속세 9개월, 증여세 6개월

③ 과세표준과세액결정통지 시: 납부기한 경과일부터 14일, 납부기한을 경과하여 연부연납 허가여부 통지를 하는 경우 그 연부연납액에 상당한 세액의 징수에 있어서는 연부연납 허가여부 통지일 이전에 한하여 국세징수법상 가산금이나 중가산금을 부과하지 않는다.

④ 연대납세의무자에게 납부통지 시: 납부기한 경과일부터 14일

⑤ 연부연납 신청 시 특정납세담보[9]를 제공한 경우: 연부연납 신청일에 허가받은 것으로 간주하며 별도 연부연납 허가 통지절차는 요하지 않는다.

다. 연부연납 기간(5년, 10년, 20년): 연부연납 기간은 일반적으로 5년이며, 가업상속재산의 경우에는 최장 20년간 연부연납이 가능하다.

---

9) 금전, 국채 · 지방채, 세무서장이 인정하는 유가증권, 납세보증보험증권, 세무서장이 인정하는 금융기관 등 보증인의 납세보증서

① 일반적인 경우(5년): 상속세 및 증여세의 연부연납 기간은 허가받은 날로부터 5년 이내 범위에서 납세자가 신청한 기간으로 한다. 다만, 각 회분의 분할납부세액이 1천만 원을 초과하도록 연부연납 기간을 정해야 한다.

② 가업상속공제를 받았거나 중소 · 중견기업을 상속받은 경우 상속세 연부연납 기간

ㄱ. 가업상속공제를 받았거나 아래의 요건이 모두 충족되는 중소기업 또는 중견기업을 상속받은 가업상속재산[10]의 경우: 연부연납 허가일부터 10년 또는 연부연납 허가 후 3년이 되는 날부터 7년 내의 범위 내에서 납세자가 신청한 기간

ㄴ. 위 ㄱ.의 경우에 가업상속재산이 50% 이상인 경우: 연부연납 허가일부터 20년 또는 연부연납 허가 후 5년이 되는 날부터 15년 이내의 범위 내에서 납세자가 신청한 기간

〈연부연납 기간 10년, 20년을 적용하는 요건〉

1. 조세특례제한법 시행령 제2조 제1항에 따른 중소기업 또는 같은 영 제9조 제2항에 규정한 중견기업을 상속받은 경우

2. 피상속인이 다음 요건을 모두 갖춘 경우

가. 해당 중소기업 또는 중견기업의 최대주주 등으로서 피상속인과 그의 특수관계인의 주식 등을 합하여 해당 기업의 발행주식총수 등의 100분의 50 이상*을 5년 이상 계속하여 보유할 것

*상장법인의 경우 100분의 30 이상

나. 피상속인이 해당 기업을 5년 이상 계속하여 경영한 경우로서 해당 기업의 영위기간 중 다음의 어느 하나에 해당하는 기간을 대표이사 등으로 재직할 것

1) 100분의 30 이상의 기간

2) 5년 이상의 기간(상속인이 피상속인의 대표이사 등의 직을 승계하여 승계한 날부터 상속개시일까지 계속 재직한 경우로 한정한다.)

3) 상속개시일부터 소급하여 5년 중 3년 이상의 기간

3. 상속인이 다음 요건을 모두 갖춘 경우. 이 경우 상속인의 배우자가 요건을 모두 갖춘 경우에는 상속인이 요건을 갖춘 것으로 본다.

가. 상속개시일 현재 18세 이상일 것

10) 「상속세 및 증여세법」 제18조의 가업상속재산가액과 유사한 개념이나 동일하지는 않다.

나. 상속세과세표준 신고기한까지 임원으로 취임하고, 상속세 신고기한부터 2년 이내에 대표이사 등으로 취임할 것

〈가업상속재산의 범위〉

1. 위 3호에 해당하는 상속인이 받거나 받을 상속재산으로 다음의 재산
   가. 개인기업: 기업활동에 직접 사용되는 토지, 건축물, 기계장치 등 사업용 자산의 가액에서 해당 자산에 담보된 채무액을 뺀 가액
   나. 법인기업: 법인의 주식 등의 가액, 해당 주식의 가액에 그 법인의 총자산가액 중 상속개시일 현재 사업무관자산을 제외한 자산가액이 차지하는 비율을 곱하여 계산한 금액에 해당하는 것(사업용 자산가액 산정 시 타인에게 임대하고 있는 부동산, 지상권, 부동산임차권 등 부동산에 관한 권리는 제외된다)
2. 유아교육법 제7조 제3호에 따른 사립유치원에서 직접 사용하는 교지, 실습지, 교사 등 상속재산

③ 연부연납 기간의 변경: 연부연납세액의 전부 또는 일부를 일시에 납부하기 위하여 서면으로 신청하는 경우 전부 또는 일부를 일시에 납부하도록 허가할 수 있다. 이 경우 연부연납가산금은 변경된 연부연납 기간에 따라 계산하여 징수한다.

라. 연부연납 대상금액의 산정 및 납부: 연부연납 기간에 납부할 금액은 매년 납부할 금액이 1천만 원을 초과하는 금액 범위에서 다음에 따라 계산된 금액으로 납부한다.

① 일반적인 상속 · 증여의 경우: 신고 · 납부기한 또는 납세고지서에 따른 납부기한과 납부기한 경과 후 연부연납 기간에 매년 납부할 금액

② 가업상속공제를 받은 경우 등(특정상속재산이 50% 미만): 연부연납 허가 후 3년이 되는 날부터 연부연납 기간에 매년 납부할 금액

③ 가업상속공제를 받은 경우 등(특정상속재산이 50% 이상): 연부연납 허가 후 5년이 되는 날부터 연부연납 기간에 매년 납부할 금액

④ 위 ② 및 ③호의 경우 연부연납할 수 있는 상속세 납부세액의 범위: 가업상속공제를 받은 경우 등에 해당되는 경우 아래와 같이 연부연납할 수 있는 상속세 납부세액에 대해서만 10년 또는 20년의 연부연납 기간을 적용한다.

$$\text{상속세 납부세액} \times \frac{\text{가업상속재산가액} - \text{가업상속공제금액}}{\text{총 상속재산가액} - \text{가업상속공제금액}}$$

이때, 가업상속재산가액은 연부연납 기간을 10년 또는 20년 적용할 때 요건을 갖춘 상속인이 상속받은 특정 상속재산을 말한다.

⑤ 세액변경 시 연부연납 방법: 연부연납 기간 중에 행정소송 등에 따라 세액이 감액결정된 때에는 최종 확정된 연부연납 각 회분의 납부기한이 지난 분납 세액을 뺀 잔액에 대하여 나머지 분납할 회수로 평분한 금액을 각 회분의 연납금액으로 한다.[11]

마. 연부연납 가산금: 연부연납의 허가를 받은 자는 각 회분 분납세액에 대하여 아래와 같이 연부연납 이자율로 계산한 가산금을 본세에 합산하여 납부한다. 연부연납 이자율은 2020.2.10.까지는 연부연납 신청일 현재의 이자율을 적용하였으나 2020.2.11.부터 각 회분의 분할납부세액의 납부일 현재 이자율을 적용하는 것으로 개정되었다. 이자율은 연 1천분의 18로 규정하고 있다. 만약, 개정 전에 연부연납 기간 중에 있는 경우에는 2020.2.11. 이후 납부하는 분부터 납부일 현재 이자율을 적용할 수 있으며, 이후에는 계속하여 적용해야 한다.

① 첫 회분 납부할 가산금

연부연납 허가 총세액	×	신고기한 또는 납세고지서의 납부기한의 다음 날부터 그 분할납부세액의 납부기한까지의 일수	×	납부일 현재 이자율

② 2회분부터 납부할 가산금

(연부연납 허가 총세액	−	직전 회까지 납부한 분납세액 합계액)	×	직전 회의 분납세액 납부기한의 다음 날부터 당해 분납기한까지의 일수	×	납부일 현재 이자율

③ 연부연납 세액을 일시납부하고자 하는 경우 연부연납 가산금 계산: 연부연납 세액의 1회 분납 세액에 대한 가산금은 연부연납을 허가한 총세액에

11) (상증통칙71-68…4)

대하여 허가 후 30일이 경과한 날의 다음 날부터 1회 분납세액의 납부기한까지의 일수에 대하여 계산하는 것으로서, 납세자가 연부연납 세액의 전부를 일시에 납부하고자 하여 그 세액을 고지하는 경우 당해 납세고지서에 의한 납부기한까지의 일수에 대하여 연부연납 가산금을 계산한다.

바. 연부연납 허가의 취소 · 변경 및 징수 사유: 다음의 사유에 해당되면 연부연납 허가를 취소하거나 변경하고 관련세액의 전액 또는 일부를 징수할 수 있다.

① 납부기한 내 미납 시: 연부연납 세액을 지정된 납부기한까지 납부하지 않은 경우. 이때, 연부연납 신청 시 특정 납세담보[12]를 제공하여 그 신청일에 연부연납 허가를 받은 것으로 보는 경우의 납부기한은 납부예정일자를 말한다.

② 담보변경 등 명령 미이행 시: 담보의 변경 기타 담보 보전에 필요한 관할 세무서장의 명령을 따르지 않은 경우

③ 납기 전 징수사유 해당 시: 납기 전 징수사유[13]에 해당되어 그 연부연납 기한까지 연부연납에 관계되는 세액의 전액을 징수할 수 없다고 인정되는 경우

④ 상속받은 사업 폐업 등: 상속받은 사업을 폐업하거나 해당 상속인이 그 사업에 종사하지 아니하게 된 경우 등[14]의 사유에 해당하는 경우

⑤ 유아교육법 제7조 제3호에 따른 사립유치원에 직접 사용하는 재산을 해당 사업에 직접 사용하지 아니하는 경우 등

사. 연부연납 허가 취소 및 변경 방법

① 상속받은 사업 폐업 등의 경우: 연부연납 허가일부터 5년 이내에 상속받은 사업을 폐업하거나 해당 상속인이 그 사업에 종사하지 아니하게 되는 사유에 해당되는 경우: 허가일부터 5년에 미달하는 잔여기간에 한하여 연부연납을 변경하여 허가한다.

② 그 밖의 경우: 그 밖의 경우에는 연부연납 허가를 취소하고 연부연납에 관계되는 세액을 일시에 징수한다.

---

12) 금전, 국채 · 지방채, 세무서장이 인정하는 유가증권, 납세보증보험증권, 세무서장이 인정하는 금융기관 등 보증인의 납세보증서

13) 국세의 체납처분을 받을 때, 강제집행을 받을 때, 경매가 시작된 때, 어음교환소에서 거래정지 처분을 받은 때 등

14) 「상속세 및 증여세법 시행령」 제68조 제6항에 규정되어 있다.

03 증여세 납부자금 출처

자녀가 대표님으로부터 주식을 증여받은 경우에는 고액의 증여세 납부자금을 어떻게 조달하였는지에 대해서도 반드시 검증을 하게 되므로 자금출처를 명확히 준비해 놓아야 한다. 증여세 납부자금을 일시에 확보하기가 어려울 경우에는 위에서 설명한 분납이나 연부연납제도를 활용하면서 자금확보 계획을 마련해야 한다.

(1) 자녀 본인 자금으로 납부

자녀에게 신고된 소득이나 증여받은 재산이 있거나, 재산을 처분하여 보유하고 있는 자금이 있으면 본인 자금으로 납부한다. 그런데, 본인의 소득 등으로 증여세를 납부할 능력이 충분히 있는 경우라 하더라도 증여자인 부모가 세금을 대신 납부하는 경우에는 해당 세금에 대한 증여세가 다시 부과되므로[15)] 본인 자금이 있는 경우에는 본인 자금이 있는 계좌에서 출금하여 증여세를 납부해야 한다.

(2) 증여세 상당액의 현금을 함께 증여

증여세 납부 능력이 없는 자녀에게 주식 등 재산을 증여하는 경우, 증여세 상당액의 현금을 동시에 증여하여 그 주식 등과 현금을 합산하여 증여세를 신고한다. 이렇게 증여받은 현금으로 증여세를 납부하는 경우에는 1회의 증여세 신고 · 납부로 주식 증여가 종결된다. 따라서 자녀가 납부 능력이 없고 증여자가 현금까지 증여할 수 있는 여력이 된다면 이 방법을 사용하는 것이 가장 간단한 방법이다.

예 주식 20억 원을 자녀에게 증여한다고 가정하고 이때 부담해야 할 증여세를 감안하여 현금 10억 원을 함께 증여할 경우 납부할 증여세는 약 9억 8천 9백만 원이다. 즉, 현금 10억 원을 함께 증여함으로써 주식과 현금 증여에 대한 세금을 납부할 수 있다.

---

15) 다시 부과된 세금을 또 대신 내주면 또 증여세가 부과된다.

- 증여가액: 3,000,000,000원(주식 20억 원+현금 10억 원)
- 증여세 과세표준: 2,950,000,000원(3,000,000,000-50,000,000)
- 산출세액: 1,020,000,000원(2,950,000,000×40%-160,000,000)
- 신고세액공제: 30,600,000원(1,020,000,000×3%)
- 납부할 증여세액: 989,400,000원

(3) 증여세 상당액을 차용하여 납부

아래와 같이 차입한 사실이 객관적으로 증명되는 채무를 발생시켜 증여세를 납부할 수 있다. 세법에서는 원칙적으로 배우자 및 직계존비속 간의 소비대차는 인정하지 않고 있으나, 차입금 원금과 이자를 변제한 사실이 명백히 확인되는 경우에는 차입한 것으로 인정된다.

① 국가 · 지방자치단체 및 금융회사 등에 대한 채무는 해당 기관에 대한 채무임을 확인할 수 있는 서류

② 기타 채무는 채무부담계약서, 채권자확인서, 담보설정 및 이자지급에 관한 증빙 등에 의하여 그 사실을 확인할 수 있는 서류

③ 타인명의 대출금: 금융기관으로부터 타인명의로 대출받았으나 그 대출금에 대한 이자지급 및 원금상환 및 담보제공 사실 등에 의하여 사실상 채무자가 그 재산의 취득자임이 확인되는 경우 당해 대출금은 취득자금 출처로 인정된다.

세법해석 사례 및 판례 등

- 수증자가 증여자의 자녀가 아닌 직계비속인 경우에는 직계비속에 대한 증여의 할증과세가 적용되는 것이며, 수증자가 비거주자인 경우에는 증여자가 수증자와 연대하여 납부할 의무가 있는 것임(상속증여세과-674, 2016.6.30.).
- 수증자가 증여받은 재산(금전을 제외한다)을 신고기한 경과 후 3월 이내에 증여자에게 반환하거나 증여자에게 다시 증여하는 경우에는 그 반환하거나 다시 증여하는 것에 대하여 증여세를 부과하지 아니하는 것임(재삼46014-2675, 1997.11.14.).
- 수증자가 증여받은 주식을 법정신고기한이 지난 후 3개월 이내에 증여해제(합의해제)로 증여자에게 반환한 경우 그 반환은 증여세 과세대상에서 제외되어 같은 법 제68조에 따른 증여세 과세표준신고 의무가 없는 것임(법령해석과-2011, 2015.8.17.).

- 연대납세의무 없는 증여자가 수증자의 증여세를 대신 납부하는 경우 대신 납부한 세액에 대하여는 증여세가 과세됨(재삼46014-135,1997.1.24.).
- 수증자가 납부해야 할 증여세를 증여자가 대신 납부하는 경우에는 그 대신 납부한 세액에 대하여 「상속세 및 증여세법」 제36조 및 제47조 제2항의 규정에 의하여 합산과세되는 것이나, 부동산과 금전을 동시에 증여받아 당해 증여받은 금전으로 부동산과 금전에 대하여 부과된 증여세를 납부하는 경우에는 그러하지 아니함(서일46014-11458, 2003.10.16.).
- 재산의 증여가 증여시기를 달리하여 수차례 발생함에 따라 각 증여시기별로 산출된 여러 건의 증여세 고지서가 동일한 납부기한으로 하여 고지된 경우 연부연납 요건 판단 시 납부세액이 2천만 원을 초과하는지 여부는 각 고지서별 납부기한 내의 납부세액을 기준으로 함(과세기준자문, 법규과-26, 2014.1.13.).
- 「상속세 및 증여세법」상 연부연납제도는 증여세 고지세액 건별로 그 허가여부를 판단하는 것이 원칙이라 하겠으나, 쟁점세액과 같이 재차증여 합산과세된 경우로서 증여자 및 수증자가 같고, 처분청의 증여세 경정고지일이나 납부기한도 같으며, 그 납부할 세액이 2천만 원을 초과할 뿐 아니라 개별고지 건으로 볼 때 납부할 세액이 2천만 원을 초과하지 않는다는 사유 외에는 다른 연부연납 요건을 모두 충족하는 경우 연부연납제도의 입법취지가 상속세와 증여세의 경우 거액인 경우가 많고 재산의 환가에 상당한 기간이 소요되는 경우도 많아 국세수입을 해하지 아니하는 한도에서 납세의무자에게 분할 납부 및 기한유예의 편익을 제공하려는 것인 점(대법원 1992.4.10. 선고 91누9374 판결, 같은 뜻임), 쟁점세액의 경우 연부연납을 허가하더라도 국가로서는 조세채권을 실현하는데 문제가 없어 보이는 점, 「상속세 및 증여세법」 제47조 제2항에서 동일인으로부터 10년 내에 증여받은 가액을 증여세 과세가액에 합산하여 과세하도록 한 취지 등에 비추어 볼 때, 쟁점세액도 「상속세 및 증여세법」상 연부연납 허가요건을 충족한 것으로 보아 이를 허가하는 것이 타당한 것으로 판단됨(조심2014서1333, 2014.6.25.).
- 부동산을 제3자와 공동으로 소유하고 있는 경우에도 연부연납 신청 시 해당 부동산(또는 신청인 지분)을 납세담보로 제공할 수 있는 것임(상속증여세과-624, 2020.8.27.).
- 내국인이 연부연납 시 특수관계인이 소유하는 재산을 납세담보로 제공하는 것은 증여세 과세대상에 해당하지 아니하는 것임(기획재정부 재산세제과-158, 2018.2.27.).

2절 주식은 언제 증여해야 하나

세금 측면에서 볼 때 최적의 주식 증여시기는 주식가치가 최대한 낮게 평가되는 때인데, 그 시점이 언제인지 정확히 알기는 어렵다. 다만, 주식가치는 회사가 지속됨에 따라 상승하는 것이 일반적이라는 점과 회사의 영업실적이 상향 또는 하향추세인지 어느 정도 가늠할 수 있다는 점 등을 고려하여 「상속세 및 증여세법」상 주식가액 평가규정을 바탕으로 최대한 유리한 시기를 선택해야 한다. 예를 들어, 비상장주식의 경우 매매사례가액이 있으면 그 가액으로 평가해야 하나, 만약 매매사례가액이 보충적 평가액보다 크고 회사의 영업실적이 하향세에 있다면 주식증여 시기를 늦춰 보충적 평가액으로 평가하는 것이 합리적일 것이다. 상장주식의 경우에는 당일 증여를 하였더라도 주식가치는 증여일 전후 2개월간의 최종시세를 평균하여 평가하도록 하고 있는데, 증여일 후에 주식가치가 급락하는 상황이라면 당초 증여를 취소하고 다시 증여를 하는 방법도 고려할 수 있다.

01 조금씩 나누어 미리 증여한다

자녀에게 가업을 승계하기로 했다면 일시에 주식 전부를 증여하는 것보다는 장기적으로 나누어 미리 증여하는 것이 유리하다. 증여재산은 해당 증여일 전 10년 이내에 동일인으로부터 증여받은 증여세 과세가액 합계액이 1천만 원 이상인 경우에는 해당 주식의 증여세 과세가액에 누적하여 가산하는데, 증여시기에 10년 이상의 여유를 둘 수 있다면 자녀에게 증여 시 공제하는 증여재산 공제 5천만 원을 다시 공제받을 수 있고 증여재산가액이 고액인 경우 누진세율도 다르게 적용받아 증여세를 절세할 수 있다.

예 父가 자녀에게 주식을 2009년 20억 원, 2020년 20억 원씩 나누어 증여했을 경우와 2020년에 한 번에 40억 원을 증여했을 경우 증여세 비교

구분	① 나누어 증여 시		② 한 번에 증여 시	차이(①-②)
	2009년	2020년	2020년	
증여재산가액	2,000,000,000원	2,000,000,000원	4,000,000,000원	
증여재산가산액				
증여재산공제	30,000,000원*	50,000,000원	50,000,000원	
증여세과세표준	1,770,000,000원	1,750,000,000원	3,950,000,000원	
증여세율	40% -160,000,000원	40% -160,000,000원	50% -460,000,000원	
산출세액	548,000,000원	540,000,000원	1,515,000,000원	△427,000,000

* 2013년까지는 직계존비속 간 증여 시 3천만 원 공제

이 사례의 경우 누진세율 등 적용차이로 인해 한 번에 증여할 경우보다 나누어 증여하는 경우 증여세액이 427,000,000원 감소되는 것을 알 수 있다.

02 증여한 주식을 반환하고 다시 증여한다

주식 등 재산을 증여하였더라도 당사자 간의 합의에 따라 일정기간 내에 반환하는 경우 당초 증여가 없었던 것으로 보아 증여세를 부과하지 않는다. 상장주식의 경우에는 회사의 경영성과 등 내부요인뿐만 아니라 국내외의 경제, 사회, 정치적 요인에 의해서도 주가가 수시로 급등락하고 예측이 어려워 주식을 증여한 이후 주식가치가 크게 하락할 가능성이 충분히 있다. 이와 같이 증여 후 주식가치가 하락한 경우에는 증여주식을 반환하고 다시 증여하는 방법을 고려해 볼 수 있다.

가. 증여세 신고기한 이내에 반환 시: 수증자가 증여재산을 당사자 간의 합의에 따라 증여세 과세표준신고기한[16] 이내에 증여자에게 반환하는 경우 처음부터 증여가 없던 것으로 본다. 다만, 반환하기 전에 과세관청으로부터 과세표준과 세액의 결정을 받은 경우에는 해당되지 않는다. 증여가 없었던 것으로 보는 것이므로 당초 증여 및 반환에 대해 모두 증여세가 과세되지 않는다.

16) 증여받은 날이 속하는 달의 말일부터 3개월 이내, 「상속세 및 증여세법」 제68조

나. 증여세 신고기한이 지난 후 3개월 이내에 반환 시: 증여세 신고기한이 지나고 나서 3개월 이내에 반환할 경우 당초 증여한 것에 대해서는 과세를 하지만, 반환한 것에 대해서는 증여세가 과세되지 않는다.

다. 증여세 신고기한이 지난 후 3개월을 경과하여 반환 시: 증여세 신고기한이 지나고 나서 3개월이 경과한 후에 반환을 할 경우 당초 증여 및 반환분에 대해 모두 증여세가 과세된다.

03 증여일 전후의 매매사례가를 기준으로 판단한다

비상장주식의 가액은 매매사례가액을 최우선적으로 적용하여 평가하도록 되어있기 때문에 주식을 증여하고자 하는 시점 전후에 매매사례가액이 있는지를 먼저 확인해야 한다. 매매사례가액이 없으면 회사의 순자산 및 순손익가치를 바탕으로 평가한 보충적 평가액에 의해 주식을 평가해야 한다. 주식을 증여하고자 하는 시점의 매매사례가액이 보충적 평가액보다 큰지 적은지를 우선 검토하여 매매사례가액이 보충적 평가액보다 적다면 해당 매매사례가액으로 주식가액을 평가하여 증여하는 것이 합리적일 것이다. 이와 반대로 매매사례가액이 보충적 평가액보다 크다면 매매사례가액을 적용하지 않고 보충적 평가액으로 주식가액을 평가할 수 있도록 증여시기를 늦추는 것이 유리하다. 아울러, 회사의 영업실적이 상승세에 있다면 시기를 늦출수록 보충적 평가액도 커지게 되므로 이런 점도 반드시 고려하여 주식의 증여시기를 결정해야 한다.

가. 매매사례가액 적용가능 기간: 증여일 전 6개월 또는 후 3개월 사이에 매매사례가액이 있으면 비상장주식의 시가는 그 매매사례가액으로 결정된다. 아울러 그 기간을 벗어났더라도 증여일 전 2년 내의 기간과 법정결정 기한[17]까지의 기간 중에 매매사례가액이 있으면 평가심의위원회 심의를 거쳐 시가에 포함될 수 있다. 따라서 주식 증여를 고려하고 있다면 그 시기를 전후해서 매매사례가액이 있는지, 혹은 향후에라도 다른 주주가 주식을 매매할 예정

17) 증여세는 신고기한 경과 후 6개월, 상속세는 신고기한 경과 후 9개월이다.

인지를 최대한 확인할 필요가 있다.

나. 매매사례가액의 인정범위: 매매사례가액이 있더라도 가족 등 특수관계인과의 거래로서 객관적으로 부당한 가액이면 인정되지 않는다. 또한, 특수관계자 간 거래가 아니더라도 아래 금액 미만인 소액의 주식거래는 정상적인 거래라 하더라도 시가로 인정되지 않는다. 해당 거래가액의 경우 법인의 주식가치를 정확히 반영하고 있다고 보기 어렵기 때문이다. 실무상은 좀 더 엄격하다. 형식상은 법테두리에 있는 정상적인 거래라고 하더라도 낮은 시가를 적용할 목적으로 매매사례가액을 만들기 위해 서로 간에 공모를 하였는지까지 금융거래 조사 등을 통해 면밀하게 검토한다.

① 액면가액의 합계액으로 계산한 해당 법인의 발행주식총액 또는 출자총액의 100분의 1에 해당하는 금액
② 3억 원

04 1주당 순손익가치가 낮은 시점을 선택한다

매매사례가액 등이 없으면 보충적 평가방법으로 주식 증여가액을 평가하는데, 이 경우 순손익가치가 큰 비중을 차지한다. 비상장주식은 일반적으로는 회사의 순자산가치를 2의 비중으로, 순손익가치를 3의 비중으로 하여 1주당 가액을 평가한다. 따라서 회사의 자산에 큰 변동이 없다면 순손익가치가 낮게 평가되는 시점을 증여시기로 선택한다. 만약, 회사의 손익이 계속해서 증가할 것으로 예상된다면 지금 시점이 증여가액이 낮은 시점일 것이고, 손익이 계속해서 감소할 것으로 예상된다면 증여시기를 늦추는 것이 유리하다. 한편, 1주당 순손익가치는 최근 3년간의 1주당 순손익액을 가중평균하여 계산하는데 증여일 직전 1년의 1주당 순손익액에 50% 비중을 둔다. 따라서 가장 최근 연도의 순손익액이 적다면 주식가치가 낮게 평가될 여지가 있다. 만약, 앞으로 계속 해서 회사의 손익이 감소할 것으로 예상된다면 증여시기를 조금 더 늦출 필요가 있다.

05 순손익가치를 추정이익으로 적용할 수 있는지 확인한다

(1) 추정이익과 3년간 순손익액 가중평균액 비교

1주당 순손익가치를 최근 3년간의 순손익액으로 평가하지 않고 예외적으로 회계법인이나 세무법인 등이 산출한 추정이익의 평균액으로 평가할 수 있다. 다만, 추정이익을 적용하여 주식가치를 적정가치보다 낮게 평가하는 사례를 방지하기 위해 요건을 엄격하게 정하고 있다. 이 요건에 해당되면 추정이익과 최근 3년간 순손익액 중에서 비교하여 낮은 가액을 선택할 수 있다.

(2) 추정이익 적용요건 및 산정방법 등

가. 추정이익의 적용요건: 아래의 ① 내지 ④의 네 가지 요건에 모두 해당될 경우 순손익가치를 추정이익의 평균액으로 평가할 수 있다.

① 일시적 · 우발적 사건으로 최근 3년간의 순손익액이 증가하는 등 다음 어느 하나의 사유에 해당될 것

ㄱ. 기업회계기준상의 특별손익(자산수증익, 채무면제익, 보험차익, 재해손실)의 최근 3년간 가중평균액이 경상손익(법인세 차감 전 손익-특별손익)의 최근 3년간 가중평균액의 50%를 초과하는 경우

ㄴ. 평가기준일 전 3년이 되는 날이 속하는 사업연도 개시일부터 평가기준일까지의 기간 중 합병 또는 분할[18]을 하였거나 주요 업종[19]이 바뀐 경우

ㄷ. 「상속세 및 증여세법」 제38조(합병에 따른 이익의 증여)의 규정에 의한 증여받은 이익을 산정하기 위하여 합병당사법인의 주식가액을 산정하는 경우

ㄹ. 최근 3개 사업연도 중 1년 이상 휴업한 사실이 있는 경우

ㅁ. 기업회계기준상 유가증권 · 유형자산의 처분손익과 자산수증이익 등(자산 수증익, 채무면제익, 보험차익, 재해손실)의 합계액에 대한 최근 3년간의 가중평균액이 법인세 차감 전 손익에 대한 최근 3년간 가중평균액의 50%를 초과하는 경우

---

18) 증자, 감자는 2015.3.12. 이후부터 제외됨.

19) 2 이상 업종을 영위 시 최근 3년 이내 매출액 기준으로 한 주요 업종이 변경된 경우 추정이익으로 산정할 수 있다.

ㅂ. 주요 업종(당해 법인이 영위하는 사업 중 직접 사용하는 유형고정자산의 가액이 가장 큰 업종을 말한다)에 있어서 정상적인 매출발생기간이 3년 미만인 경우

② 증여세 등 신고기한까지 1주당 추정이익의 평균가액으로 신고할 것

③ 1주당 추정이익의 산정기준일과 평가서 작성일이 증여세 등 신고기한 이내일 것

④ 1주당 추정이익의 산정기준일과 증여일 또는 상속개시일이 같은 연도에 속할 것

나. 1주당 추정이익평균액 산정방법: 「상속세 및 증여세법」에서는 금융위원회가 고시한 방법에 따른 수익가치에 순손익가치환원율(10%)을 곱하여 추정이익의 평균액을 계산하도록 하고 있다. 금융위원회가 고시한 수익가치에 대해서는 「증권의 발행 및 공시 등에 관한 규정」 시행세칙 제6조[20]에 현금흐름할인모형, 배당할인모형 등 미래의 수익가치 산정에 관하여 일반적으로 공정하고 타당한 것으로 인정되는 모형을 적용하여 합리적으로 산정한다고 규정하고 있다.

다. 1주당 추정이익평균액을 산정할 수 있는 자: 1주당 추정이익평균액을 산정할 수 있는 자는 신용평가업인가를 받은 자,[21] 공인회계사법에 따른 회계법인 또는 세무사법에 따른 세무법인으로 한정되어 있다.

06 부동산 과다보유법인의 경우

자산총액 중에서 부동산 등 비율이 50% 이상인 회사는 주식가치를 평가할 때 일반회사와는 다르게 순자산가치를 3의 비중으로, 순손익가치를 2의 비중으로 하여 1주당 가액을 평가한다. 따라서 평가시점의 부동산가치가 얼마나 되는가가 중요한 요소이다. 현실적으로 부동산가치는 하락할 가능성이 높지 않으므로, 만약 회사의 부동산가치가 계속 증가하는 추세라면 현재

20) 증권의 발행 및 공시 등에 관한 규정 제5-13(합병가액의 산정기준)에서 금융감독원장이 정하도록 위임
21) 한국신용평가주식회사, 한국신용정보주식회사, 한국기업평가주식회사, 서울신용평가정보주식회사 등이 있다.

시점이 증여가액이 낮은 시점이라고 볼 수 있다. 부동산가액에는 토지 및 건물, 부동산을 취득할 수 있는 권리, 지상권, 전세권과 등기된 부동산임차권이 포함되며 부동산비율을 계산할 때 자산총액은 해당 법인의 장부가액으로 평가하되 토지 및 건물은 기준시가와 장부가액 중 큰 금액으로 평가한다. 만약, 앞으로 부동산가치가 변동될 여지가 없다면 부동산과다보유법인도 위와 같이 최근 3년간의 순손익액 변동추이를 바탕으로 주식평가 시점을 정하는 것이 유리하다. 한편, 향후 보유부동산을 매각하거나 부동산 외의 다른 자산이 증가될 예정인 경우 부동산 보유비율이 50% 미만이 될 수 있으므로 이런 점을 감안하여 평가방법을 비교하여 증여시점을 결정할 필요도 있다.

07 순자산가치로만 평가하는게 유리한지 확인한다

회사의 주식가치를 평가할 때 순손익가치를 고려하지 않고 반드시 순자산가치로만 평가해야 하는 경우[22]가 있다. 만약, 사업개시 후 3년이 지나지 않은 시점에서 향후 영업실적이 급격히 상승할 것으로 예상된다면 3년이 지나기 전에 순자산가치로만 주식을 평가해서 증여하는 것이 유리하다.

08 자산은 줄이고 부채는 늘린다

가. 배당가능한 잉여금: 배당가능 잉여금이 있으면 미리미리 배당을 실시하여 유동자산 비중을 낮춘다. 배당을 하게 되면 개별 주주는 배당소득세를 내야 하지만, 순자산이 줄어들어 증여할 주식의 평가액이 낮아지고 그만큼 증여세가 줄어든다. 만약, 자녀가 주주라면 배당을 실시하여 증여세 납부자금을 확보할 수도 있다.

나. 증여시점으로 가결산하여 평가: 주식을 평가할 때 회사의 자산을 편의상 직전 사업연도 말 기준으로 간이평가하는 경우가 많으나, 직전 사업연도 말부터 증여일까지 기간 중에 자산의 감소 요인이 있다면 반드시 증여일을 기준으로 자산을 정확히 평가한다.

22) "PART 1 3장 2절 비상장주식의 가액 평가" 참조

다. 채무를 앞당겨 발생시킨다: 회사가 빚을 내어 비용을 지불할 예정이 있는 경우, 증여를 하기 전에 채무를 발생시켜 비용화한다. 이렇게 되면 채무 증가로 자산가치는 감소된다. 다만, 채무를 발생시켜 단순히 현금으로 보관하고 있다면 순자산가치 증감이 없어 무의미하다.

09 평가심의위원회를 활용한다

비상장주식을 보충적 방법으로 평가하는 경우 객관적이고 법적 안정성은 있으나 기업의 특성을 충분히 반영하지 못하는 측면이 있다. 이 경우 평가심의위원회 심의를 통해 유사상장법인비교평가액이나 현금흐름할인법, 배당할인법 등 주식의 평가액으로 당해 비상장주식을 평가할 수 있도록 하고 있다. 다만, 이렇게 평가한 가액은 보충적 평가방법에 따른 평가액의 100분의 70에서 100분의 130 범위 내 가액이어야 한다.[23)]

2장 명의신탁 주식에 대한 과세 및 환원

주식 등 재산의 소유권을 본인이 아닌 제3자의 명의로 해놓고 실제로는 본인이 소유권을 행사하는 행위를 명의신탁이라 하는데 「상속세 및 증여세법」에서는 명의신탁 행위가 일단 조세회피 목적이 있다고 추정하여 해당 재산을 증여한 것으로 보아 증여세를 과세한다. 명의신탁은 주로 주식과 부동산의 소유권과 관련하여 발생하는데 부동산은 부동산실명법에 따라 과징금이 부과되어 「상속세 및 증여세법」상 증여세 과세대상에서는 제외되며 문제가 되는 것은 대부분 주식이다. 지금은 1인 주주인 법인 설립도 가능하지만 2001.7.23. 전에는 주주가 최소 3인 이상이어야 했고 1995.12.31. 전에는 7인 이상이 되어야 설립할 수 있었다. 이에 따라 부득이하게 가족이나 지인 명의로 명의신탁을 해놓는 경우가 많았다. 이외에도 법인의 과점주주가 될 경우 법인에게 부과된 세금의 제2차납세의무를 지게 되는 등 각종 의무, 책임,

23) 평가심의위원회 심의 요건은 "PART 1 3장 2절 비상장주식의 가액 평가" 참조

행정상 제재를 부담해야 하기 때문에 이를 회피하기 위해 지금도 제3자 명의로 주식을 분산하는 경우가 왕왕 있다. 세법에서는 이렇게 실질소유자와 명의자를 다르게 하여 조세회피수단으로 악용하는 것을 방지하기 위해 실질과세원칙과는 괴리가 있음에도 명의자에게 증여한 것으로 보아 증여세를 과세하고 있다. 한편, 명의신탁에 대한 증여세는 2018년까지는 명의수탁자에게 과세를 하였으나 2019년부터는 명의를 신탁한 자에게 과세하도록 변경되었다. 이렇게 명의신탁한 주식은 가업승계 과정에서 어떻게 정리를 해야 할지 고민거리가 아닐 수 없다. 이하에서는 명의신탁 주식을 중심으로 증여세 과세는 어떻게 되며 가업승계 과정에서 어떻게 자녀에게 슬기롭게 주식을 이전할 것인지에 대해 알아본다.

1절 명의신탁에 대한 증여세 과세

01 명의신탁 증여의제 과세대상 재산

권리의 이전이나 그 행사에 등기, 등록, 명의개서가 필요한 재산을 말하며 부동산, 자동차, 선박, 중기, 주권, 사채권 등과 같이 등기, 등록, 명의개서 등의 권리행사에 있어 효력발생 요건 내지 대항요건으로서 법률상 요구되는 경우만을 가리킨다.[24)]

(1) 등기 재산

부동산, 공장재단, 광업재단, 선박 등 등기부에 소유권이 등기되어야 할 물건을 말한다. 다만, 토지, 건물 등 부동산에 대해서는 1995.7.1.부터 부동산 실권리자명의등기에 관한 법률의 시행으로 명의신탁 약정이 무효화되고 과징금 등이 부과됨에 따라 1997.1.1. 이후부터는 명의신탁 증여의제 과세 대상에서 제외되었다.

24) 대법원 84누341, 1987.3.24.

(2) 등록 재산

특허권, 실용신안권, 의장권, 상표권, 저작권 등 행정관청의 등록원부에 등록하는 재산이 해당되며, 수산업법에 의한 어업권, 광업법에 의한 광업권, 자동차관리법에 의한 자동차, 항공법에 의한 항공기, 건설기계관리법에 의한 건설기계 등이 해당된다.

(3) 명의개서 재산

명의개서란 취득자의 주소와 성명을 주주명부에 기재하는 것을 말한다. 명의개서 대상재산으로서 주권과 사채권이 있는데, 실무상 명의신탁 증여의제 과세대상이 되는 것은 대부분 주식이다.

(4) 장기 미명의개서 재산

매매 등으로 주식의 소유권을 취득하였음에도 불구하고 소유자 명의로 명의개서를 하지 않은 경우 그 실질이 명의를 신탁한 경우와 같으므로 명의신탁 재산으로 취급한다.

02 명의신탁 증여의제 과세요건

명의신탁재산을 증여한 것으로 의제하여 과세하는 것은 실질과세원칙과는 부합하지 않는 측면이 있다. 그러나 재산 소유권의 실제소유자와 명의자가 다른 경우 조세를 회피할 우려가 있어 이를 규제하기 위한 입법목적에 따른 것으로 아래의 요건이 모두 충족되어야 과세가 가능하다.

(1) 재산의 실제소유자와 명의자가 달라야 한다

실제소유자와 명의자가 다르다는 사실은 과세관청이 입증해야 한다. 즉, 과세관청이 명의신탁재산에 대해 증여세를 과세하기 위해서는 주주명부가 작성된 사실 및 실제소유자와 명의자가 다르게 명의개서된 사실을 증명하거나, 주주명부가 작성되지 아니한 사실 및 주식등변동상황명세서 등에 주식 등의 소유자 명의가 실제소유자와 다르게 기재된 사실을 증명하여야 한다.[25] 실무상 실제소유자와 명의자가 다르다는 사실은 주식을 취득할 때 자금의 출처, 주식을 양도한 경우 양도대금의 사용처, 배당을 받은 경우 배당소득과 그에 대한 세금납부액의 자금 흐름, 소유주와 명의자와의 관계 등 직 · 간접으로 다양한 방법에 의해 확인을 한다.

(2) 조세회피목적이 있어야 한다

가. 회피대상 조세의 범위: 명의신탁에 대한 조세회피 목적 여부를 판단할 때 조세는 상속세 또는 증여세에 한정하지 않으며 국세기본법 제2조 제1호 및 제7호에 규정된 국세 및 지방세와 관세법에 규정된 관세를 말한다. 명의신탁으로 회피가능한 사실상 모든 세금이 해당된다고 볼 수 있다.

나. 조세회피의 추정과 입증책임: 타인 명의로 재산의 등기 등을 한 경우 및 실제소유자 명의로 명의개서를 하지 않은 경우에는 일단 조세회피 목적이 있는 것으로 추정하여 과세한다. 추정[26]은 명확하지 않은 사실을 일단 존재하는 것으로 정하여 법률효과를 발생시키는 것이므로 반대의 사실을 입증하게 되면 추정의 효과는 소멸한다. 따라서 납세자는 명의신탁행위가 조세회피와는 상관없는 다른 목적이 있었다는 사실과 명의신탁 당시에나 장래에 회피될 조세가 없었다는 점을 객관적이고 납득할 만한 증거자료에 의해 통상인이라면 의심을 가지지 않을 정도로 증명을 해야 한다.[27] 만약, 구체적으로 입증하지 못할 경우 조세회피 목적이 있는 것으로 추정하여 과세가 된다. 다만, 소유권을 취득했음에도 실제소유자 명의로 명의개서를 하지 않은 경우로서 다음의 경우에는 조세회피 목적이 있는 것으로 추정하지 않는다

① 매매로 소유권을 취득한 경우로서 종전소유자가 양도소득세과세표준신고 또는 증권거래세과세표준신고를 하면서 소유권 변경내용을 신고하는 경우

25) 대법원 2016두65084, 2017.3.30.
26) 비교) 의제, 간주: 진실에 반하는 사실이라고 하여도 법률효과상으로 특정되어 반대증거가 있어도 그 정한 사실을 변경시킬 수 없는 것을 말함.
27) 대법원 2017두39419, 2017.12.13.

② 상속으로 소유권을 취득한 경우[28])로서 상속인이 상속세 신고, 수정신고, 기한 후 신고 등을 통해 해당 재산을 상속세 과세가액에 포함하여 신고한 경우. 다만, 상속세과세표준과 세액을 결정 또는 경정할 것을 미리 알고 수정신고하거나 기한 후 신고하는 경우는 제외한다. 명의신탁자 사망으로 상속인이 명의신탁주식을 상속했으나 명의개서는 하지 않고 당초 명의수탁자에게 그대로 둔 경우라도 상속세 신고 등을 한 경우에는 조세회피 목적이 있는 것으로 추정하지 않는다는 것이다.

다. 조세회피 목적의 판단 시점: 조세회피의 목적 유무는 명의신탁 당시를 기준으로 판단하며, 실질적으로 조세를 회피한 사실이 있는 경우뿐만 아니라 조세회피의 개연성이 있는 경우까지를 포함하여 판단한다.[29])

라. 조세회피 목적에 대한 판단 기준: 조세회피 목적에 대한 판단 기준이 법령에 정해져 있지는 않다. 헌법재판소[30])에서는 명의신탁에 의한 조세의 회피는 증여세에 한정된 것이 아니고 각종의 국세와 지방세 그리고 관세에 대해서도 가능하다고 판시하면서 아래와 같이 조세의 회피방법에 대해 구체적으로 예를 들고 있다.

① 명의신탁에 의하여 재산이 없는 상태를 허위로 작출하고 결손처분을 받아 조세의 납부를 면탈

② 명의신탁을 이용하여 주식을 미리 상속인에게 이전하여 상속세를 회피

③ 명의신탁을 이용하여 주식의 소유를 분산함으로써 주식배당소득에 대한 합산과세를 회피하여 누진적 소득세 부담을 회피

④ 자산총액 중 토지, 건물 및 부동산에 관한 권리의 가액 합계액이 50% 이상인 법인과 주식 등의 합계액이 차지하는 비율이 50% 이상인 법인에 대하여 과점주주가 당해 법인의 주식을 50% 이상 양도하는 경우에 발생하는 양도소득에 대하여 누진적 양도소득세율 20% 내지 40%를 적용하여 소득세를 납부하여야 하는데 명의신탁을 통하여 과점주주의 지위를 벗어나 누진적

28) 상속 취득에 대한 조세회피 목적을 배제하는 규정 신설 후인 '16.1.1. 이후 과세하며 '16.1.1. 이후 상속하는 분부터 명의개서해태 증여의제 규정을 적용함(재산세제과-880, 2019.12.27.).
29) 대법원 2002두5351, 2002.9.10.
30) 2004헌바40, 2005헌바24[병합], 2005.6.30.

소득세 부담을 경감, 회피

⑤ 비상장법인의 주식 또는 지분을 취득하여 과점주주(51% 이상)가 된 경우 당해 법인의 부동산 등을 취득한 것으로 보기 때문에 과점주주는 당해 법인이 소유하는 취득세 과세대상 물건 가액에 주식소유비율을 곱하여 산정한 취득세를 취득한 주식에 대하여 납부하여야 하는데 명의신탁을 통하여 과점주주가 되는 것을 방지하면 과점주주로서 주식취득에 대하여 부담할 취득세를 회피

⑥ 정상거래를 가장한 부의 이전을 방지하기 위해 세법에서는 특수관계자의 범위를 규정하고 있는데 명의신탁을 이용하여 특수관계자가 되는 범위를 벗어나게 되면 「상속세 및 증여세법」상 특수관계자에게 적용되는 각종 조세회피 방지규정들, 예컨대 저가양도 및 고가양수, 부동산무상사용, 무상금전대부, 합병, 증자 및 감자, 전환사채 발행 등을 통한 이익에 대해서 증여세를 부과하는 규정들을 회피하여 상속세와 증여세를 회피할 수 있으며, 「소득세법」, 「법인세법」, 「부가가치세법」 등에 존재하는 특수관계자에게 적용되는 조세회피 방지 규정을 회피하여 소득세, 법인세, 부가가치세 등을 회피

⑦ 법인(주식을 한국증권거래소에 상장한 법인을 제외한다)의 재산으로 그 법인에게 부과되거나 그 법인이 납부할 국세 · 가산금 · 체납처분비에 충당 하여도 부족한 경우에는 그 부족액에 대하여 당해 법인의 발행주식총수의 100분의 51 이상의 주식을 소유한 과점주주가 부족액에 지분율을 곱하여 산출한 금액에 대하여 제2차 납세의무를 지도록 되어 있는데 명의신탁을 통하여 제2차 납세의무자가 되지 않도록 하거나 지분율을 줄여 조세를 회피 또는 경감

세법해석 사례 및 판례 등

- 조세회피 목적 여부는 사후적으로 회피된 조세가 있었는지 여부를 기준으로 판단하지 않고, 명의신탁 당시에 조세회피의 개연성 여부와 조세회피와는 상관없는 불가피한 사유가 있었는지를 기준으로 판단함(조심2111서299, 2011.4.19.).
- 명의신탁 이후 배당을 실시하지는 않았으나, 명의신탁 당시 회사의 배당가능자원이 누적되어 있었던 점에서 배당소득세에 대한 종합소득세 부담 감경, 제2차 납세의무의 책임한도 감경 등을 통한 조세회피 목적이 없었다고

보기 어려움(대법원 2015두60006, 2016.3.24.).

- 기존 명의신탁을 해지할 수 있음에도 유지하여 유상증자를 받는 것은 과점주주로서의 제2차 납세의무를 회피하려는 의도가 존재함(대법원 2017두38614, 2018.6.20.).
- 쟁점주식 명의신탁에 따른 결과로 청구인의 조세부담(양도소득세 xx백만원)이 크지 않게 되었다 하여 위의 조세회피 의도가 없다고 하기는 어려움(조심-2019-서-0162, 2019.10.21.).
- 신용등급이 나쁘다는 증빙부족, 이익배당에 따른 종합소득세 누진과세 회피의 개연성이 있고, 출자자의 제2차 납세의무자 지정통지를 회피할 가능성이 있는 점 등에서 처분청의 이 건 증여세 과세처분에는 달리 잘못이 없음(조심-2017-서-3049, 2018.4.16.).
- 명의신탁 주식에 대하여 유상증자시 배정된 신주인수는 새로운 명의신탁으로 보아야 하며, 명의신탁으로 과점주주에 해당하지 않는 것으로 보이게 한 것은 조세회피 목적이 없다고 보기 어려움(조심-2019-서-2129, 2019.12.24.).
- 명의신탁이 조세회피 목적이 아닌 다른 이유에서 이루어졌음이 인정되고 그 명의신탁에 부수하여 사소한 조세경감이 생기는 것에 불과한 경우에는 조세회피 목적이 있었다고 보기 어려움(대법원 2013두13655, 2018.10.25.).
- 법인설립 후 배당을 실시한 사실이 없을 뿐만 아니라 조세의 체납이나 탈루사실도 없으므로 명의신탁 당시를 기준으로 조세회피 의도나 그 개연성이 있었다고 보이지 않음(조심2017중4413, 2018,5.24.).
- 주식 명의신탁이 조세회피 목적이라기보다는 발기인 수 요건 충족과 협력업체 선정 및 유지 등 경영목적상의 사유라는 청구주장에 신빙성이 있어 보이고, 명의신탁 당시 기준으로 조세회피 의도나 그 개연성이 있었다고 보이지 않음(조심-2017-중-4415, 2018.5.24.).
- 사업자금 대출목적과 여신사후관리에 따라 이루어진 사실이 청구외법인의 주거래은행 대출규정 및 당시 여신담당자의 확인서 등에 의해 구체적으로 확인되는 점, 명의신탁자 및 수탁자의 경우 사실상 청구외법인의 배당여력이 없어서 배당소득세 경감이나 회피한 사실이 없고 비상장주식 양도소득세는 10% 단일세율로 누진세율을 회피하는 양도소득세가 없는 점 등(조심-2017-중-4214, 2018.1.9.).
- 쟁점주식을 명의신탁한 것은 ○○○의 코스닥상장 및 상장유지가 그 목적이었고, 회피된 종합소득세가 xx만 원에 불과하는 등 거래기간 및 규모에 비해 회피된 조세경감액이 사소하여 조세회피 목적이 있었다고 보기 어려움(조

심-2014-부-4135, 2015.9.2.).

- 쟁점주식의 명의신탁은 조세회피 목적이라기보다는 주식담보대출을 활용의 폭을 넓혀 상장주식에 투자하기 위한 목적이 있었던 것으로 보여 처분청이 쟁점주식 명의신탁을 조세회피 목적으로 보아 증여세를 과세한 처분은 잘못임(조심-2016-중-1460, 2016.12.29.).
- 경업금지 의무를 준수하기 위하여 명의신탁하였고, 실제로 이익배당을 실시한 적이 없는 등 조세회피 목적이 있다고 볼 수 없음(대법원 2018두32477, 2018.4.26.).
- 이 사건 명의신탁은 경영상 어려움을 타개하기 위한 조치로 보이고, 명의수탁자들 또한 특수관계자들로서 제2차 납세의무를 회피할 목적이 있었다고 보기 어려우며 배당소득의 종합소득합산과세에 따른 누진세율 적용을 회피할 목적이 없었다고 볼 여지가 큼(대법원 2016두51689, 2017.6.19.).

(3) 명의신탁에 대한 당사자 간 합의가 있어야 한다

명의신탁 증여의제 규정은 권리의 이전이나 행사에 등기 등을 요하는 재산에 있어서 실질 소유자와 명의자가 합의 또는 의사소통을 하여 명의자 앞으로 등기 등을 한 경우에 적용되는 것이므로, 명의자의 의사와 관계없이 일방적으로 명의자의 명의를 사용하여 등기 등을 한 경우에는 적용될 수 없는 것인바, 즉 타인명의를 도용한 경우에는 과세관청이 증여세를 부과할 수 없는데, 다만 명의 도용에 대한 입증책임은 명의도용 사실을 주장하는 자에게 있다.[31]

세법해석 사례 및 판례 등

- 명의신탁에 대한 명의자의 동의는 그 형태를 불문하는 것인바, 명의자와 대여자가 동거인, 직원 또는 그 배우자들이고, 일부는 쟁점주식의 명의신탁에 필요한 서류를 준 사실로 보아 청구인들이 명의를 무단으로 도용당하였다는 주장은 받아들이기 어려움(조심2012구1159, 2012.4.20.).
- 청구인은 명의를 빌려간 ○○○과 친·인척 등의 아무런 특수관계가 없는 점, 청구인이 ○○○에 쟁점법인의 대표이사 ○○○을 상대로 체불 임금 및

31) 대법원 2007두15780, 2008.2.14.

퇴직금 청구 소송을 제기한 사실이 있으므로 ○○○과 청구인이 명의신탁으로 상호 간의 이익을 도모하기 위해 합의 또는 의사소통을 했던 관계로 보기는 어려운 점, 청구인은 전문적인 지식을 갖추지 못한 채 생계유지를 위해 어렵게 쟁점법인에 입사한 상황이었고, ○○○은 이러한 청구인의 어려운 상황을 알고 청구인의 의사와 상관없이 명의신탁에 필요한 인감증명서 등을 요구하여 일방적으로 쟁점주식을 명의신탁한 것으로 보이는 점, 청구인의 생활형편이나 경력 등을 고려할 때 청구인이 주식 및 유상증자 등에 대한 정확한 개념과 명의신탁으로 발생할 수 있는 위험 등을 알지 못하고 ○○○의 요구에 따라 인감증명서 등을 제공하였다는 주장에 신빙성이 있어 보이는 점 등에 비추어 처분청이 청구인에게 쟁점주식 명의신탁에 따른 증여세를 과세한 이 건 처분은 잘못이 있는 것으로 판단됨(조심2018서895, 2018.9.6.).

- 상속취득에 대한 조세회피 목적을 배제하는 규정은 신설 후인 2016.1.1. 이후 과세하며 2016.1.1. 이후 상속하는 분부터 명의개서해태 증여의제 규정을 적용함(재산세제과-880, 2019.12.27.).
- 주식이 명의수탁자에게 명의신탁되었음이 밝혀진 이상 과세관청은 이에 기하여 명의신탁증여의제규정에 의한 증여세를 부과할 수 있고 반드시 처분 사유로서 명의신탁자를 특정하여 밝힐 필요까지는 없음(대법원 2017두55121, 2017.11.9.).

03 명의신탁 증여의제 시기

명의신탁재산 증여 시기는 소유권을 취득한 자가 타인명의로 등기, 등록, 명의개서 등을 한 경우와 소유권을 취득하였음에도 본인명의로 등기 등을 하지 않고 종전 소유자 명의를 그대로 유지하고 있는 경우로 나누어 규정되어 있다.

(1) 소유권을 취득하여 타인명의로 등기 등을 한 경우

소유권을 취득한 실제소유자가 다른 사람 명의로 등기, 등록, 명의개서를 한 날에 증여한 것으로 의제한다. 주식 등 명의개서는 취득한 자의 주소와 성명을 주주명부(실질주주명부를 포함)에 기재하는 것을 말하는데, 주식의 소유권을 취득한 자가 그 주식의 명의를 타인명의로 명의개서한 경우에는 그 명의개서일에 타인에게 증여한 것으로 의제한다. 상장주식의 경우도 실질주주명부를 작성한 날을 증여시기로 보며, 유상증자로 인하여 교부받은 신주를 실제소유자가 아닌 제3자 명의로 명의개서한 경우 제3자 명의로 명의 개서한 날이 증여시기이다.

(2) 소유권을 취득했는데 종전소유자 명의로 계속 보유하고 있는 경우

실제소유자가 소유권을 취득한 후에도 본인명의 또는 다른 사람 명의로 소유권 등기 등을 변경하지 않고 종전소유자 명의로 그대로 두고 있는 경우에는 소유권 취득일이 속하는 연도의 다음연도 말일의 다음 날에 종전소유자에게 명의신탁한 것으로 의제한다.

예 갑이 2010년 6월 26일에 을로부터 주식을 취득하였으나 종전소유자 명의로 계속 두고 있는 경우 증여시기는: 2012년 1월 1일

2002.12.31. 이전 취득한 주식의 명의를 개서하지 않은 경우 일률적으로 2003.1.1에 취득한 것으로 의제하며 증여 시기는 소유권 취득일이 속하는 연도의 다음연도 말일의 다음 날인 2015.1.1.이 증여의제시기가 된다.

(3) 주주명부가 작성되지 않은 경우

중소법인의 경우 주주명부 자체가 없는 경우가 있다. 과세관청에서는 회사가 제출한 주식변동상황명세서 등에 타인명의로 등재된 사실이 확인되어 과세하고자 하였으나 주주명부상 명의개서 사실이 확인된 것은 아니어서 명의신탁에 따른 증여세를 과세할 수 없다는 논란이 있었다. 이에 따라, 2004.1.1.부터는 주식변동상황명세서 등을 바탕으로 명의개서 여부를 판단할 수 있도록 기준이 마련되었다. 그러나 위 기준에 따라 명의개서가 된 것으로 판정하였음에도 불구하고 명의신탁 증여의제 시 적용할 증여시기가 명확히 규정되어 있지 않아 예규나 법원 판례를 적용하다가 2020.1.1.부터 주식변동상황명세서 등에 표기된 거래일 등으로 증여시기를 명확히 하였다.

가. 2019.12.31. 이전: 주주 등의 명세 또는 주식등변동상황명세서를 기준으로 명의개서 여부를 판단[32]하되 증여시기는 주식변동상황명세서 등의 거래일이나 명세서 제출일을 기준으로 적용한다.

나. 2020.1.1. 이후: 증여일은 아래 순서에 따라 적용한다.

① 증여세 또는 양도소득세 등의 과세표준신고서에 기재된 소유권이전일

② 주식등변동상황명세서에 기재된 거래일

세법해석 사례 및 판례 등

- 유상증자로 인하여 교부받은 신주를 실제소유자가 아닌 제3자 명의로 명의개서한 경우 명의신탁재산의 증여시기는 그 제3자 명의로 명의개서한 날이 되는 것이며, 주식의 가액은 그 명의개서한 날을 기준으로 평가한 가액이 되는 것임(상속증여세과-374, 2019.4.29.).
- 상장주식의 명의신탁 증여의제 시기는 상장주식 취득일 또는 예탁계좌에 입고한 날이 아니라 실질주주명부를 작성한 날임(조심2015중-1614, 2015.7.20.).
- 주주명부 확인이 불가능하여 주식등변동상황명세서 등에 의하여 명의개서 여부를 판단하는 경우에는 실제소유권 이전처리일 등(소유권 이전처리일이 확인되지 않는 경우 주식등변동상황명세서 등의 거래일)을 기준으로 함(재산세제과-489, 2018.6.11.).
- 주식등변동상황명세서 등이 제출되면 주식 등의 변동상황이 회사를 비롯한 외부에 명백하게 공표되어 명의신탁으로 인한 증여의제 여부가 판정될 수 있는 것이므로 위 명세서 등의 제출일을 증여의제일로 보아야 함(대법원 2017두32395, 2017.5.11.).

04 명의신탁 증여의제 재산가액 평가

(1) 일반기준

상속세나 증여세가 부과되는 재산가액은 「상속세 및 증여세법」 제60조부터 제66조의 규정에 따라 평가하므로 명의신탁증여의제 재산가액도 평가방법은

---

32) 2004.1.1. 이후 주주 등의 명세, 주식변동상황명세서를 제출하는 분부터 적용

동일하다. 다만, 타인명의로 등기 등을 한 경우에는 등기 등을 한 날을 기준으로 평가하며, 장기미명의 개서 재산은 아래 일자를 기준으로 평가한다.

가. 2015.12.31. 이전: 증여의제일, 즉 소유권 취득일이 속하는 연도의 다음연도 말일의 다음 날을 기준으로 평가한 가액

나. 2016.1.1. 이후: 소유권 취득일을 기준으로 평가한 가액

(2) 최대주주할증평가

주식 등의 실제소유자와 명의자가 다른 경우로서 해당 주식 등을 명의자가 실제소유자로부터 증여받은 것으로 보는 경우 최대주주할증평가를 적용하지 않는다.[33)]

(3) 합산과세

일반적으로 증여재산은 10년 이내 증여분까지 합산하여 과세하나, 명의신탁재산은 증여세 합산과세 대상에서 제외[34)]된다.

(4) 과세표준

명의신탁재산의 증여의제를 적용할 때 증여세 과세표준은 명의신탁재산의 가액에서 감정평가수수료를 차감한 금액이며 증여재산공제, 재해손실공제는 적용하지 않는다.

05 명의신탁 증여의제 납세의무자, 연대납세의무자

(1) 증여세납세의무

명의신탁에 대한 증여세는 종전에는 명의자에게 과세를 해왔으나 명의신탁을 통해 조세를 회피하고자 하는 자는 실제소유자인데 명의를 대여했다는 사실만으로 실제소유자가 아닌 명의자에게 증여세를 부담하게 하는 것이

---

33) 2016.2.5. 이후 평가하는 분부터 최대주주 할증평가 규정을 적용하지 않음.

34) 2019.1.1. 이후 증여의제되는 것부터 적용. 다만, 2019.1.1. 이전에 소유권을 취득하였으나 명의개서를 하지 않아 2019.1.1. 이후 증여로 의제되는 분에 대해서는 종전규정에 따른다.

가혹하다는 점을 고려하여 2019년부터 납세의무자를 명의자에서 실제소유자로 변경하였다. 다만, 2018.12.31. 이전에 실제소유자가 소유권을 취득하였으나 명의개서를 하지 않아 2019.1.1. 이후로 증여로 의제되는 분에 대해서는 비록 증여시점은 2019.1.1. 이후로 보지만 실제소유권 취득일이 2018.12.31. 이전이므로 종전규정을 적용하여 명의자(명의수탁자)가 증여세를 납부할 의무가 있다.

예 갑이 2018년 6월 26일에 을로부터 주식을 취득하고 종전소유자인 을 명의로 계속 두고 있는 경우 증여시기는 2020년 1월 1일이나 명의자(명의수탁자)인 을이 납세의무자가 된다.

(2) 증여세연대납세의무

2018.12.31. 이전에는 명의자가 증여세를 납부할 의무가 있었고 실제소유자가 해당 증여세를 연대하여 납세할 의무가 있었으나, 실제소유자로 납세의무자가 변경되면서 명의신탁증여의제와 관련하여 증여세연대납세의무 규정은 삭제되었다.

(3) 명의신탁재산에 대한 물적납세의무

실제소유자가 명의신탁증여의제에 따른 증여세, 가산금 또는 체납처분비를 체납한 경우, 그 실제소유자의 다른 재산에 대하여 체납처분을 집행하여도 징수할 금액에 부족한 경우에는 명의자에게 증여한 것으로 보는 재산으로서 납세의무자인 실제소유자의 증여세, 가산금 또는 체납처분비를 징수할 수 있다.

2절 명의신탁 주식의 환원

대표님이 타인명의로 명의신탁해놓은 주식을 자녀에게 승계하기 위해서는 대표님 명의로 환원하는 절차가 필요하다. 명의신탁 주식을 그대로 두게 되면 명의수탁자가 퇴사하면서 소유권을 주장하거나 급작스럽게 사망할 경우 주식관련 분쟁이 발생하여 자녀에게 승계하는데 어려움을 겪을 수 있다. 주식을 명의신탁한 행위에 대해서는 증여세가 과세되나, 명의신탁 해지를 하여 원 소유자 명의로 되돌리는 경우에는 증여세가 과세되지 않는다. 당초 명의신탁에 대해 증여세가 과세되지 않으려면 그 행위가 조세회피 목적이 없었다거나 명의가 도용되었다는 등 불가피한 사정이 인정되어야만 증여세가 과세되지 않는데, 사실을 입증하기가 쉽지 않은 것이 현실이다. 명의신탁에 대한 증여세를 회피하기 위해 명의수탁자가 주식을 자녀에게 양도하는 형식을 이용하는 경우도 있는데, 금융추적조사 등을 통해 과세관청에 포착될 가능성이 높다. 중소기업 주식을 실제소유자 명의로 되돌려 놓으려면 '명의신탁주식 실제소유자 확인제도'를 활용하는 것이 유용하다. 그 제도를 활용하기 어려운 경우에는 실제소유자임을 입증할 수 있는 서류를 갖추어 회사의 주주명부를 변경하고 법인세과세표준 및 세액 신고 시 첨부하는 주식변동상황명세서에 변경내용을 기재하여 제출해야 한다. 이 경우에는 명의신탁 주식 실제소유자 확인제도와는 달리 명의신탁 해지가 정당한지에 대해 세무조사 등을 통해 검증이 될 가능성이 높다.

01 명의신탁 주식 실제소유자 확인제도

과거에는 법인을 설립할 때 일정 인원 이상의 발기인[35)]이 있어야 했다. 그 때문에 부득이하게 가족이나 지인 명의를 빌려 주주로 등재하는 사례가 빈번했다. 이렇게 명의신탁한 주식의 명의를 실제소유자 명의로 되돌려 놓을 경우에는 당초 명의신탁 및 해지과정에서 누락한 세금이 없었는지 과세관청에서 세무조사를 통해 검증하고 있다. 세무조사를 하게 되면 납세자에게 과도한 불편이 야기되는 점과 중소기업의 가업승계 등을 원활히 하기 위한 측면을 고려해서 2014년부터는 일정한 요건이 충족되는 경우 간편하게 실제소유자 여부를 확인하는 제도를 시행하고 있다. 그럼에도 명의신탁한 기간이 오래됨에 따라 당초 실제소유자였는지를 입증하지 못하는 경우가

35) 1996.9.30.까지 7인 이상, 1996.10.1.~2001.7.23.까지 3인 이상

많은 것이 현실이고, 이에 따라 명의자가 실제소유자에게 양도하는 형식으로 명의를 되돌리는 편법이 활용되기도 한다.

(1) 신청요건

아래 요건을 모두 충족해야 한다.

가. 법인설립일 기준: 주식발행법인이 2001년 7월 23일 이전에 설립되었을 것

나. 중소기업 기준: 실명전환일 현재 「조세특례제한법 시행령」 제2조의 중소기업 요건을 모두 갖춘 기업

① 매출액이 중소기업기본법 시행령 별표1에 따른 규모기준 이내일 것

② 자산총액이 5천억 원 미만일 것

③ 실질적인 독립성이 중소기업기본법 시행령 제3조 제1항 제2호에 적합할 것 등. 따라서, 중소기업이더라도 상호출자제한기업집단에 속하는 회사는 신청대상이 아님.

다. 적용 대상자 및 대상주식: 실제소유자와 명의수탁자(실명전환 전 주주명부 등에 주주로 등재되어 있던 자로서 거주자)가 법인설립 당시 발기인으로서 설립 당시에 명의신탁한 주식을 실제소유자에게 환원하는 경우일 것. 이때, 설립 당시 명의신탁주식에는 법인설립 이후에 주주배정방식으로 배정된 신주를 기존주주가 실권 없이 균등하게 인수하는 증자[36](무상증자 또는 주식배당을 원인으로 증자한 경우를 포함)를 원인으로 명의수탁자가 새로이 취득한 주식을 포함한다.

라. 실명전환주식가액: 실명전환주식가액은 제한이 없다. 2017.5.1. 상속세 및 증여세사무처리규정 개정 전에는 실제소유자별 · 주식발행법인별로 실명전환하는 주식가액의 합계액이 30억 원 미만인 경우에만 실명전환을 신청할 수 있었다.

(2) 신청방법

가. 신청인 및 관할: 주식 실제소유자가 주소지 또는 거소지 관할 세무

36) 「상법」 제418조 제1항 및 「자본시장과 금융투자업에 관한 법률」 제165조의6 제1항 제1호 참조

서장에게 신청

나. 신청서류

① 명의신탁주식 실제소유자 확인신청서

② 중소기업 등 기준검토표

③ 주식발행법인이 당초 명의자와 실제소유자 인적사항, 실명전환(명의개서)일, 실명전환주식수 등을 확인하여 발행한 주식 명의개서 확인서. 이 경우 주식발행법인에는 한국예탁결제원 또는 명의개서대행회사에 주식을 예탁한 경우에는 명의개서 대행기관을 포함한다.

④ 주식 등을 명의신탁한 사유·경위 등에 관한 실제소유자와 명의수탁자의 확인서 또는 진술서 및 명의수탁자의 신분증 사본, 신탁약정서, 법인설립 당시 정관 및 주주명부, 법인등기부등본, 주식대금납입 또는 배당금 수령에 관한 금융 증빙 등 실제소유자임을 입증할 수 있는 서류를 최대한 준비한다.

다. 신청기한: 실제소유자 명의로 전환 후에 신청할 수 있으며, 「법인세법」 제119조에 따른 주식등변동상황명세서가 제출되기 전이라도 신청할 수 있다.

(3) 처리절차

가. 서면확인: 세무서장(재산제세 담당과장)은 현장확인 등 절차를 거치지 않고 신청서의 기재내용과 제출된 서류 등을 바탕으로 실제소유자 여부를 판정 처리할 수 있다.

나. 자문위원회 자문: 다음 각호의 어느 하나에 해당하는 경우에는 명의신탁주식 실제소유자 확인신청에 대한 객관적이고 공정한 처리를 위해 "명의신탁주식 실명전환 자문위원회[37])의 자문을 받아 실제소유자 인정여부를 결정하여야 한다.

① 실명전환주식가액이 20억 원 이상인 경우

② 신청서 및 제출 서류만으로 실제소유자 여부가 불분명한 경우

※ 실명전환주식가액은 다음 각호에 따라 평가한 1주당 가액에 실명전환 주식수를 곱하

37) 세무서 과장, 팀장 중 세무경력이 10년 이상이거나 재산세 분야 세무경력 2년 이상인 자 7~10명으로 구성

여 계산한 금액으로 한다.

① 해당 법인이 주권상장법인인 경우에는 실명전환일 이전 · 이후 각 2개월 동안 공표된 매일의 거래소 최종시세가액(거래실적 유무를 따지지 아니 한다)의 평균액. 다만, 실명전환일부터 신청접수일까지의 기간이 2개월을 경과하지 않은 경우에는 실명전환일 이전 2개월부터 신청접수일까지 기간의 평균액으로 한다.

② 위 외의 법인은 「상속세 및 증여세법 시행령」 제54조의 비상장주식 등의 평가 방법에 따라 평가한 가액

다. 사실관계 현장확인 등: 명의신탁주식 실제소유자 확인 처리과정이나 실제소유자 여부를 판정한 이후 다음 각호에 해당하는 경우에는 해명자료요구, 현장확인, 세무조사 등을 통해 사실관계를 확인하여 처리하여야 한다.

① 신청요건 중 어느 하나를 충족하지 못하는 것으로 확인되는 경우

② 같은 법인이 발행한 주식에 대하여 동일인이 새로운 명의신탁주식에 대하여 추가로 확인신청을 하는 등 2회 이상 신청서를 제출한 것으로 확인되는 경우

③ 주주명부 등에 명의수탁자 명의로 등재된 주식 중에서 일부만 실제소유자 명의로 환원하고 확인을 신청하는 경우

④ 자문위원회 자문을 받았음에도 불구하고 실제소유자 여부가 불분명한 경우

⑤ 명의신탁주식 실제소유자 확인 신청서를 제출한 후에 그 신청을 취하하거나 반려를 요청하는 경우로 과세여부 검토가 필요한 경우

(4) 실제소유자 확인방법

가. 금융거래내역 확인

① 주식 취득자금 출처 확인: 주식 취득자금과 동일 또는 유사한 금액이 납입일 직전에 실제소유자 계좌에서 법인계좌로 바로 이체되었는지, 직접 이체된 내역이 없더라도 실제소유자 계좌에서 현금이 출금된 경우도 간접입증 가능하다. 또한 주식 취득대금이 명의자 계좌에서 인출되었더라도 실제소유자 계좌에서 명의자 계좌로 대금이 이체되었다가 인출되었는지 확인한다. 만약,

명의자 계좌를 실제소유자가 차명으로 관리했었다면 정황증거를 입증해야 한다(명의자 계좌 개설 시 서명, 계좌비밀번호 등으로 개설자가 실제소유자라는 사실, 명의자 계좌의 전반적인 금융거래내용이 실제소유자와 관련있다는 사실 등). 아울러, 기간이 오래되어 법인설립 시 납입자금 출처 확인이 어렵다면 이후 유상증자 시 납입자금 출처를 동일한 방법으로 확인한다.

② 배당금의 실질 귀속자 확인: 배당금이 명의자 계좌로 입금되었다가 실제소유자 계좌로 이체된 사실이 있거나 배당금이 현금으로 출금되었다가 실제소유자 또는 관련인 계좌에 입금된 사실 등을 확인한다.

③ 종합소득세 납부 자금 출처 확인: 배당금에 대해 종합소득세 신고를 하였다면 종합소득세 납부자금이 명의자 또는 실제소유자 계좌에서 출금되었는지를 확인한다.

④ 양도대금 입금계좌 및 양도소득세 등 세 납부 자금 출처 확인: 명의자 주식 일부를 타인에게 양도한 사실이 있는 경우 해당 양도대금이 어느 계좌로 입금되었는지와 양도소득세 및 증권거래세 납부자금 인출 계좌를 확인한다.

나. 명의신탁약정서 및 법인설립 및 운영관련 서류 등 확인

① 실제소유자와 명의인과 작성한 명의신탁약정서

② 실제소유자 및 명의인의 명의신탁시점 당시의 연령, 사업경력, 자금능력 등

③ 회사의 내부 결재서류, 이사회회의록 등 경영권행사 관련 서류

다. 당사자 및 관련인 진술 등

① 명의신탁 당사자 및 회사근무 경력이 오래된 직원 등 관련인의 진술

② 명의자와 실제소유자 간 주식 소유권 분쟁이 있으면 관련 서류

(5) 실제소유자 확인결과에 따른 증여세 등 과세

명의신탁주식의 실제소유자 확인제도를 통해 실제소유자가 확인되었다고 하더라도 증여세 등 관련 세금이 면제되지는 않는다. 세무서장은 신청인에 대하여 명의신탁일부터 실명전환일까지 기간에 대한 조세탈루 여부를 검토하고, 허위서류 제출 등으로 국세를 포탈하려는 행위가 있다고 인정되는 때에는 증여세 신고기한이 도래하지 않은 경우에도 과세표준과 세액을 결정

하여야 한다. 이 경우 명의수탁자(또는 양도자)의 주소지 관할 세무서장에게 그 사실을 해당 신청서 및 관련서류의 사본과 함께 통보한다.

02 명의신탁 해지 시 고려해야 할 세금

(1) 명의를 환원하려는 자가 실제소유자인 경우

가. 명의신탁환원에 대한 증여세 과세: 타인명의로 명의신탁한 주식을 그 주식의 실제소유자인 위탁자 명의로 환원하는 경우 그 환원하는 것에 대해서는 증여세가 과세되지 않는다. 일반적인 증여의 경우에는 신고기한 내에 반환하거나 늦어도 신고기한 경과 후 3개월 이내에 증여자에게 반환하거나 재증여하는 경우에 반환 또는 재증여에 대해 증여세가 과세되지 않으나, 명의신탁을 해지하는 경우에는 기간에 관계없이 증여세가 과세되지 않는다.

나. 당초 명의신탁에 대한 증여세 과세: 당초 명의신탁한 것에 대해 증여세가 과세되려면 부과제척기간 경과 여부, 명의신탁 당시 조세회피 목적이 있었는지 여부 등에 따라 과세 여부를 판단하게 된다. 2019.1.1. 이후 증여 의제분부터는 실제소유자(명의신탁자)가 증여세를 납부할 의무가 있다.

다. 배당소득에 대한 종합소득세 과세: 당초 명의신탁일부터 실명으로 전환할 때까지 기간 중에 명의자에게 배당을 실시한 사실이 있는 경우 실제소유자의 종합소득세를 재계산한다. 이때, 명의수탁자가 배당소득에 대해 납부한 종합소득세는 환급하지 않고 명의자에게 부과되는 종합소득세 계산 시 기납부세액으로 공제한다.

(2) 명의를 환원하려는 자가 실제소유자가 아닌 경우

명의신탁을 해지하여 명의를 환원하려는 자가 실제소유자가 아닌 것으로 확인되는 경우가 있다. 이 경우에는 명의자가 실제소유자이거나 또 다른 실제소유자가 있을 수도 있다. 이런 가능성을 모두 고려하여 과세관청에서는 우선 진정한 실제소유자가 누구인지를 확인하고, 만약 확인이 되지 않을 경우 명의자가 실제소유자인 것으로 보아 과세 여부를 검토한다.

가. 명의자가 실소유자인 경우

① 신청인에게 양도: 명의자에게 양도소득세 과세

② 명의자가 신청인에게 증여: 신청인에게 증여세 과세

③ 명의자가 신청인에게 명의신탁: 명의자에게 증여세 과세

나. 진정한 실소유자가 있는 경우: 진정한 실소유자가 명의자에게 명의신탁한 행위에 대한 증여세 과세 여부와 함께 아래 사항을 검토한다.

① 진정한 실소유자가 신청인에게 양도: 진정한 실소유자에게 양도소득세 과세

② 진정한 실소유자가 신청인에게 증여: 신청인에게 증여세 과세

③ 진정한 실소유자가 신청인에게 재 명의신탁: 증여세 과세

세법해석 사례 및 판례 등

- 청구인이 명의신탁주식 실제소유자 확인제도에 따라 실제소유자 확인신청을 하였고, 자발적으로 명의수탁자들에 대한 배당금을 청구인의 배당금으로 합산하여 수정신고·납부한 점 등에 비추어 쟁점주식 명의신탁에 조세회피의 목적이 있었다고 보아 증여세를 과세하고 청구인에게 연대납세의무 지정·통지를 한 처분은 잘못이 있는 것으로 판단됨(조심-2017-중-3631, 2017. 11.13.).
- 타인명의로 등기되어 있는 부동산을 신탁해지하여 그 부동산의 실질상 소유자인 위탁자 명의로 환원하는 경우 증여세 과세문제는 발생하지 아니하는 것이나, 이는 사실판단할 사항임(상속증여세과-245, 2019.3.20.).
- 주식의 명의신탁 및 신탁해지에 따른 주식환원에 해당하는지는 명의신탁약정서, 배당금 수령내역, 주금납입사실 증명 및 증자대금의 출처 등 객관적인 증빙자료에 의하여 구체적으로 사실확인하여 판단함(재산세과-164, 2012. 4.30.).
- 명의신탁증여의제에 따라 증여받은 재산을 처분하여 그 대금을 명의신탁자에게 반환하는 것은 조세회피 목적의 명의신탁에서 당연히 예정된 행위인데, 명의수탁자가 명의신탁재산의 처분대가 또는 가액 상당의 금전을 명의신탁자에게 반환하는 것을 증여받은 재산의 반환으로 보아 증여세를 부과할 수 없다고 해석한다면 명의신탁행위를 증여로 의제하여 과세함으로써 조세회피 목적의 명의신탁을 억제하고자 하는 법의 취지가 몰각되게 되므로 이

사건 명의신탁 주식 매도대금의 반환을 증여받은 재산의 반환으로는 볼 수 없음(대법원 2005두10200, 2007.2.8.).

- 명의신탁 주식에 대해 수탁자 명의로 주식 등 변동상황명세서를 제출한 후 해당 주식의 명의신탁을 해지하여 실제소유자 명의로 환원하는 경우 그 명의신탁일이 속하는 사업연도의 주식 등 변동상황명세서를 수정하여 제출하는 것이고, 명의신탁 사업연도에 주식변동상황명세서 제출 불성실가산세 적용함(법령해석과-604, 2016.2.29.).
- 명의수탁자가 납부한 종합소득세를 결정취소하고 명의신탁자에게 과세하는 경우 결정취소된 세액을 명의수탁자에게 환급하지 아니하고 명의신탁자가 납부할 세액에서 기납부세액으로 공제함(국심2000서0028, 2000.8.26.).

3장 가업승계에 대한 증여세 과세특례

가업승계를 세금 측면에서 지원하는 대표적인 제도는 「상속세 및 증여세법」에 규정하고 있는 가업상속공제제도인데 이는 대표님 사후에만 적용된다. 대표님이 생전에 가업을 승계하려면 위에서 설명한 것과 같이 생전에 자녀에 주식을 양도하거나 증여하는 방법이 있는데 이와 함께 중소기업 또는 중견기업이 가업의 요건을 갖춘 경우 대표님이 생전에 주식 증여를 통해 가업승계를 보다 원할히 할 수 있도록 '가업승계에 대한 증여세 과세특례 제도'가 시행되고 있다. 이 과세특례제도는 해당 기업의 주식 증여 시 100억 원까지는 10%라는 낮은 세율을 적용하도록 하는 것이다. 해당 한도금액 범위 내에서 여러 번에 나누어 할 수도 있고 2인 이상에게도 증여할 수 있다. 다만, 법인의 주식을 증여하는 경우 적용되므로 개인기업은 적용되지 않는다. 한편, 가업승계에 대한 증여세 과세특례규정과 후술하는 창업자금에 대한 증여세 과세특례 규정은 동시에 적용할 수 없다는 점에 유의해야 한다.

1절 가업승계 증여세 과세특례 적용요건

01 수증자 및 증여자 요건

가. 수증자: 증여일 현재 18세 이상의 거주자인 자녀이어야 한다. 그리고 해당 자녀 또는 자녀의 배우자가 가업을 승계해야 한다. 구체적으로, 자녀 등이 증여세 과세표준 신고기한(증여일이 속하는 달의 말일부터 3개월 내)까지 가업에 종사하고 증여일로부터 5년 이내에 대표이사에 취임해야 한다. 2020.1.1. 이후 증여부터는 2인 이상이 가업을 승계한 경우에도 가업승계자에게 과세특례를 적용할 수 있다. 일단 가업의 승계가 이루어진 후에는 그 가업의 승계 당시에 최대주주 등에 해당되었던 자로부터 증여받는 경우 과세특례가 적용되지 않으며, 다만 가업승계 당시 해당 주식 등의 증여자 및 해당 주식 등을 증여받은 자로부터 증여받는 경우는 다시 요건을 판단하여 과세특례를 적용받을 수 있다.

나. 증여자: 증여일 현재 가업을 10년 이상 계속하여 경영한 60세 이상의 부모를 말한다. 증여 당시에 부 또는 모가 사망한 경우에는 사망한 부 또는 모의 부모를 포함한다. 이때 경영이란 단순 지분소유를 넘어 가업의 효과적이고 효율적인 관리 및 운영을 위하여 실제 가업운영에 참여한 경우를 의미한다.

02 적용대상 가업의 범위 등

가. 승계대상 가업: 「상속세 및 증여세법」 제18조 제2항 제1호에 규정하고 있는 가업상속공제 대상이 되는 가업[38]을 말하며, 다만 개인기업은 이 특례 규정이 적용되지 않는다.

나. 특례적용 대상 자산: 수증자가 해당 가업의 승계를 목적으로 증여받은 주식 또는 출자지분(주식 등)이며, 그 주식 등의 가액 중 가업자산상당액에 대해 적용된다.

38) "PART 3 1장 가업상속공제 제도" 참조

가업자산상당액은 「상속세 및 증여세법 시행령」 제15조 제5항 제2호를 준용하여 다음과 같이 계산한 가업에 해당하는 법인의 주식 등의 가액을 말하는데 100억 원을 한도로 한다. 이때 자산가액은 「상속세 및 증여세법」 제4장에 따라 평가한 가액을 말한다.

$$\text{가업자산상당액} = \text{증여받은 법인주식가액} \times \frac{\text{법인의 총자산가액} - \text{사업무관자산가액}^{39)}}{\text{법인의 총자산가액}}$$

2절 가업승계 증여세 과세특례 내용 및 적용신청

01 과세특례의 내용

(1) 과세특례 적용한도 금액

가업승계 증여세 과세특례가 적용되는 가업자산상당액은 100억 원을 한도로 한다.

(2) 증여재산 공제

가업자산상당액에 대한 증여세 과세가액에서 5억 원을 공제한다.

(3) 세율

10% 세율을 적용한다. 다만, 증여세 과세표준이 30억 원을 초과하는 금액에 대해서는 세율 20%를 적용한다.

(4) 증여세신고세액공제

가업승계 증여세 과세특례 적용분에 대해서는 신고세액공제를 적용하지 않는다.

39) 사업무관자산의 범위에 대해서는 "PART 3 1장 가업상속공제 제도" 참조

(5) 10년 내 합산대상 증여재산이 있는 경우

동일인(배우자 포함)으로부터 증여받은 가업승계 증여세 과세특례 적용대상 주식 등 외의 증여재산가액은 가업승계주식 등에 대한 증여세 과세가액에 가산하지 않는다.

(6) 2인 이상이 가업을 승계한 경우

가업을 승계한 거주자가 2인 이상인 경우에는 각 거주자가 증여받은 주식 등을 1인이 모두 증여받은 것으로 보아 증여세를 부과한다. 이 경우 각 거주자가 납부할 증여세액은 다음과 같이 계산한 금액으로 한다.

가. 2인 이상의 거주자가 같은 날 증여받은 경우: 1인이 모두 증여받은 것으로 보아 부과되는 증여세액을 각 거주자가 증여받은 주식 등의 가액에 비례하여 안분한 금액

나. 해당 주식 등 증여일 전에 1인이 먼저 증여를 받은 경우: 해당 주식 등의 증여일 전에 다른 거주자가 해당 가업의 주식 등을 증여받고 가업승계 특례규정에 따라 증여세를 부과받은 경우에는 후순위 수증자의 경우 선순위 수증자의 증여재산가액을 과세가액에 합산하여 증여세를 계산하고 선순위 수증자가 납부한 증여세를 공제한 금액

(7) 증여자가 사망할 경우 상속세 계산 특례

가. 상속재산가산액: 증여받은 주식 등은 증여받은 날부터 상속개시일까지의 기간과 관계없이[40] 상속세 과세가액에 가산한다. 다만, 상속공제한도금액을 계산할 때에는 상속세 과세가액에 가산한 증여재산가액으로 보지 아니한다. 이로 인해, 상속공제한도액이 늘어나는 효과가 있게 되는데 증여세 과세특례의 혜택을 감소시키지 않으려는 취지이다.

---

40) 자녀가 부모로부터 증여받은 경우 일반적인 증여재산은 상속개시일부터 10년 내 것만 가산한다.

- 상속공제액: 기초공제, 가업상속공제, 영농상속공제, 그 밖의 인적공제, 일괄공제, 배우자공제, 금융재산상속공제, 재해손실공제, 동거주택상속공제
- 상속공제한도금액 = ① − (② + ③ + ④)

① 상속세 과세가액

② 상속인이 아닌 자에게 유증 · 사인증여한 재산

③ 상속인의 상속포기로 후순위 상속인이 받은 상속재산

④ 상속세 과세가액에 가산한 증여재산가액

나. 상속세 산출세액에서 공제하는 증여세: 증여받은 주식 등에 대한 증여세액을 그대로 공제한다.[41] 즉, 증여세액공제 한도액 적용을 배제한다. 다만, 공제할 증여세액이 상속세 산출세액보다 많은 경우에도 환급하지는 않는다.

다. 가업상속공제 요건을 갖춘 경우: 증여세 과세특례적용대상 주식 등을 증여받은 후 상속이 개시된 경우 상속개시일 현재 다음 요건을 모두 갖춘 경우에는 가업상속으로 보아 가업상속공제 규정을 적용한다.

① 「상속세 및 증여세법 시행령」 제15조 제3항에 규정하고 있는 가업에 해당해야 한다. 가업승계에 대한 증여세 과세특례 규정에 따라 피상속인이 보유한 가업의 주식 등을 전부 증여하여 상속개시일 현재 최대주주 등의 요건을 충족하지 못한 경우에는 상속인이 보유한 주식 등을 상속개시일 현재까지 피상속인이 보유한 것으로 보며,[42] 피상속인이 가업영위기간 중 대표이사 재직기간 규정은 적용하지 않는다.

② 수증자가 증여받은 주식 등을 처분하거나 지분율이 낮아지지 아니한 경우로서 가업에 종사하거나 대표이사로 재직하고 있을 것

(8) 증여받은 주식의 상장 등으로 이익 발생 시 증여세 및 상속세 과세

가업승계 증여세 과세특례대상 주식을 증여받은 후 그 주식이 5년 내 상장되거나 상장법인과 합병함으로 인해 이익이 발생한 경우, 증여세 과세특례

41) 일반적으로는 상속세 산출세액에서 상속세 과세표준 중 증여세 과세표준이 차지하는 비율만큼 공제한다.

42) 2020.2.11. 이후 상속분부터 적용한다. 이전에는 자가 부의 주식 전부를 증여받아 가업승계에 대한 증여세 과세특례를 적용받은 후, 부가 사망하여 상속이 개시되는 경우 사망일 현재 최대주주가 아니기 때문에 가업상속공제가 적용되지 않았다(법령해석과-2340,2016.6.23.).

대상 주식 등의 과세가액과 상장 등으로 인한 증여이익을 합하여 100억 원까지는 납세자가 선택하는 경우 가업승계증여세 과세특례 적용이 가능하다. 이 경우, 증여자가 사망 시 증여세 과세특례 적용을 받은 증여이익은 합산배제 규정[43]에 불구하고 상속세 과세가액에 산입한다.

02 과세특례 적용 신청

가업승계에 대한 증여세 과세특례를 적용받으려면 증여세 신고기한까지 증여세 과세표준신고와 함께 특례신청서를 관할 세무서장에게 제출해야 한다. 신고기한까지 과세특례 적용신청을 하지 아니한 경우에는 이 특례규정을 적용하지 않는다.

3절 증여세 과세특례 적용세액의 추징

01 추징사유

주식 등을 증여받은 자가 가업을 승계하지 않거나 가업을 승계한 후 주식 등을 증여받은 날부터 7년 이내에 가업에 종사하지 않는 등 추징사유에 해당되는 경우에는 이자상당액을 가산하여 증여세를 추징한다.

(1) 가업을 승계하지 아니한 경우

주식 등을 증여받은 자 또는 그 배우자가 증여세 과세표준 신고기한까지 가업에 종사하지 않거나 증여일부터 5년 이내에 대표이사에 취임하지 않는 경우를 말한다.

43) 「상속세 및 증여세법」 제13조 제3항, 주식 등의 상장 등에 따른 이익의 증여, 합병에 따른 상장 등의 이익의 증여규정에 따른 증여이익은 원칙적으로는 합산배제 증여재산이다.

(2) 가업을 승계한 후 7년 내 아래 사유에 해당되는 경우

가업을 승계한 후 증여받은 날부터 7년 이내 아래 '가' 내지 '나'호 사유 중 하나에 해당되는 경우. 단, '다'호의 정당한 사유가 있는 경우에는 제외된다.

가. 가업에 종사하지 아니하거나 가업을 휴업하거나 폐업하는 경우로 아래의 경우를 포함한다.

① 수증자 또는 수증자의 배우자가 주식 등을 증여받은 날부터 7년까지 대표이사직을 유지하지 않는 경우

② 가업의 주된 업종을 변경하는 경우. 다만, 다음 어느 하나에 해당하는 경우는 제외한다. 2020.2.11. 이후 업종을 변경하는 경우부터 적용하되 종전에 과세특례를 적용받은 경우도 적용한다.

ㄱ. 한국표준산업분류에 따른 중분류 내에서 업종을 변경하는 경우[44]

ㄴ. 그 외에 평가심의위원회의 심의를 거쳐 업종의 변경을 승인하는 경우

③ 가업을 1년 이상 휴업(실적이 없는 경우 포함)하거나 폐업하는 경우

나. 증여받은 주식 등의 지분이 줄어드는 경우로 아래의 경우를 포함한다.

① 수증자가 증여받은 주식 등을 처분하는 경우. 다만, 다음의 경우는 제외한다.

ㄱ. 합병 · 분할 등 조직변경에 따른 처분으로서 수증자가 「상속세 및 증여세법」 규정상 최대주주 등에 해당하는 경우

ㄴ. 「자본시장과 금융투자업에 관한 법률」 제390조 제1항에 따른 상장규정의 상장요건을 갖추기 위하여 지분을 감소시킨 경우

② 증여받은 주식 등을 발행한 법인이 유상증자 등을 하는 과정에서 실권 등으로 수증자의 지분율이 낮아지는 경우. 다만, 다음 어느 하나에 해당하는 경우는 제외한다.

ㄱ. 시설투자 · 사업규모의 확장 등에 따른 유상증자 시 수증자의 특수관계인 외의 자에게 신주배정을 위해 실권하는 경우로서 수증자가 최대주주 등에 해당하는 경우

ㄴ. 해당 법인의 채무가 출자전환됨에 따라 수증자의 지분율이 낮아지는 경우로서 수증자가 최대주주 등에 해당하는 경우

44) "PART 3 1장 가업상속공제 제도" 참조

③ 수증자와 특수관계에 있는 자의 주식처분 또는 유상증자 시 실권 등으로 지분율이 낮아져 수증자가 최대주주 등에 해당되지 아니하는 경우

다. 추징하지 않는 정당한 사유

① 수증자가 사망한 경우로서 수증자의 상속인이 상속세 과세표준신고기한까지 당초 수증자의 지위를 승계하여 가업에 종사하는 경우

② 수증자가 증여받은 주식 등을 국가 또는 지방자치단체에 증여하는 경우

③ 수증자가 법률에 따른 병역의무의 이행, 질병의 요양, 취학상 형편 등으로 가업에 직접 종사할 수 없는 사유에 해당하는 경우. 다만, 증여받은 주식 등을 처분하거나 그 부득이한 사유가 종료된 후 가업에 종사하지 아니하는 경우는 제외한다.

02 추징세액의 계산 및 신고 · 납부

(1) 추징세액 계산

일반세율로 계산한 증여세결정세액에 추징사유가 발생한 날까지 일수에 대해 1일 10만분의 25를 곱하여 계산한 이자상당액을 가산하여 추징한다. 이자율은 2019.2.12. 이후 납부 또는 부과분부터 적용되며, 이전까지의 기간에 대해서는 종전이자율인 1만분의 3을 적용하여 계산한다.

(2) 신고 · 납부

추징사유가 발생한 날이 속하는 달의 말일부터 3개월 이내에 가업승계 증여세 과세특례 추징사유 신고 및 자진납부계산서를 관할 세무서장에게 제출하고 해당 증여세와 이자상당액을 납부해야 한다. 다만, 이미 증여세와 이자상당액이 부과되어 납부된 경우는 제외한다.

세법해석 사례 및 판례 등

- 가업승계에 대한 증여세 과세특례는 증여자인 60세 이상의 부 또는 모가 각각 10년 이상 계속하여 가업을 경영한 경우에 적용되는 것으로, 경영이란

단순히 지분을 소유하는 것을 넘어 가업의 효과적이고 효율적인 관리 및 운영을 위하여 실제 가업운영에 참여한 경우를 의미하는 것이고, 가업의 실제 경영여부는 사실판단 사항임(기재부재산-825, 2011.9.30.).

- 가업승계 특례규정에 의하면 가업승계의 주체는 '자녀' 외에 '자녀의 배우자'도 될 수 있으나 주식의 수증자는 '자녀'여야 함이 문언상 분명함(서울행정법원2018구합-88159, 2019.6.21.).
- 가업승계에 대한 증여세 과세특례는 가업을 승계한 후 가업의 승계 당시 「상속세 및 증여세법」 제22조 제2항에 따른 최대주주 또는 최대출자자에 해당하는 자(가업의 승계 당시 해당 주식 등의 증여자 및 해당 주식 등을 증여받은 자는 제외)로부터 증여받는 경우에는 적용되지 않는 것임(상속증여세과-414, 2020.6.3.).
- 「조세특례제한법」 제30조의6 제1항의 규정에 따른 증여세 과세특례는 수증자가 가업의 승계를 목적으로 주식 등을 증여받기 전에 해당 기업의 대표이사로 취임한 경우에도 적용되며, 주식 등을 증여받고 가업을 승계한 수증자가 가업을 승계받기 전에 보유한 주식을 처분한 경우로서 당해 주식을 처분한 후에도 최대주주 등에 해당하는 경우에는 그러하지 아니함(서면2019상속증여-1646, 2019.8.8.).
- 가업승계 증여세 과세특례 적용대상 비상장법인 가업은 최대주주인 증여자와 그의 특수관계인의 주식 등을 합하여 해당 기업의 발행주식총수 등의 50% 이상을 계속하여 보유하는 경우에 한정하는 것임(상속증여세과-222, 2019.3.11.).
- 타인에게 임대하는 부동산은 가업상속 및 가업승계 증여세 특례규정의 가업재산가액 계산 시의 사업무관자산가액에 해당함(서면2017상속증여-2172, 2018.11.12.).
- 부친의 소유주식을 한 자녀가 분할 증여받거나 수증자의 남편이 대표이사로 재직 중일 경우에도 대표이사에 취임하지 않은 수증자는 가업승계에 대한 증여세 과세특례 적용이 가능함(상속증여세과-168, 2018.2.13.).
- 법인의 영업활동과 직접 관련이 없이 보유하고 있는 주식은 영업활동과 직접 관련이 있는지 여부만으로 판단하여야 하는 점, 청구외법인의 해외 현지법인은 청구외법인이 100% 출자하여 설립된 자회사로서 실질적으로 청구외법인의 해외 생산공장으로 운영되고 있는 점 등에 비추어 처분청 처분에는 잘못이 있다고 판단됨(조심2018서-4162, 2020.6.19.).

창업자금에 대한 증여세 과세특례

대표님이 운영하는 사업을 직접적으로 승계하는 방법은 아니다. 다만, 자녀에게 현금을 증여하여 창업을 지원함으로써 간접적인 가업승계의 방법으로 활용해 볼 수 있는 유용한 제도이다. 자녀에게 창업자금을 증여하는 경우 일반적으로는 30억 원, 10명 이상 신규 고용할 경우 50억 원까지는 10%의 낮은 증여세율을 적용하도록 하는 것이다. 한편, 창업자금에 대한 증여세 과세특례 규정은 전술한 가업승계에 대한 증여세 과세특례 규정과 동시에 적용할 수 없다.

1절 창업자금 증여세 과세특례 적용요건

01 수증자 및 증여자 요건

가. 수증자: 18세 이상인 거주자인 자녀를 말한다. 창업자금을 증여받은 자녀는 증여받은 날부터 2년 이내에 중소기업을 창업하여야 한다. 또한 증여받은 날부터 4년[45]이 되는 날까지 창업자금을 모두 해당 목적에 사용해야 한다.

나. 증여자: 60세 이상의 부모를 말한다. 증여 당시 부 또는 모가 사망한 경우에는 사망한 부 또는 모의 부모를 포함한다.

02 창업대상 기업 및 업종

중소기업으로서 개인 또는 법인 모두 해당된다. 다만, 업종에 제한을 두고 있어 제조, 건설, 음식점업 등은 적용되나 부동산임대업, 유흥주점업 등은

45) 2020.1.1. 전에 창업자금을 증여받고 증여세를 부과받은 경우 종전규정 3년을 적용한다.

적용되지 않는다. 세부 업종은 「조세특례제한법」 제6조 제3항 규정을 참조 바란다.

03 창업 및 창업자금 등의 범위

(1) 창업의 범위

새로이 사업을 시작하는 경우만이 아니라 기존 사업의 확장을 위해 사업용 자산을 취득하는 경우도 포함된다.

가. 신규 사업: 소득세법 제168조 제1항에 따른 사업자등록 및 고유번호의 부여, 「법인세법」 제111조 제1항에 따른 사업자등록, 부가가치세법 제8조 제1항 및 제5항에 따른 사업자등록 규정에 따라 납세지 관할 세무서장에게 등록하는 것을 말한다.

나. 기존사업 확장: 사업을 확장하는 경우로서 사업용 자산을 취득하거나 확장한 사업장의 임차보증금 및 임차료를 지급하는 경우를 말한다.

(2) 창업으로 보지 않는 경우

① 합병, 분할, 현물출자 또는 사업의 양수를 통하여 종전의 가업을 승계하거나 종전의 사업에 사용되던 자산을 인수 또는 매입하여 동종의 사업을 영위하는 경우

② 거주자가 영위하던 사업을 법인으로 전환하여 새로운 법인을 설립하는 경우

③ 폐업 후 사업을 다시 개시하여 폐업 전의 사업과 동종의 사업을 영위하는 경우

④ 다른 업종을 추가하는 등 새로운 사업을 최초로 개시하는 것으로 보기 곤란한 경우

⑤ 창업자금을 증여받기 이전부터 영위한 사업의 운용자금과 대체설비자금 등으로 사용하는 경우

(3) 창업자금의 범위

창업자금에 대한 증여세 과세특례를 적용받기 위해서는 해당 자금의 종류 및 그 자금의 사용용도 등 아래의 두 가지 요건에 모두 해당되어야 한다.

가. 창업자금의 종류: 토지 · 건물 등 양도소득세 과세대상 재산은 창업 목적으로 증여를 하더라도 증여세 과세특례대상인 창업자금으로 보지 않는다. 토지 또는 건물을 직접 증여하는 경우 양도소득세가 회피되어 현금으로 증여하는 것에 비해 과다한 혜택이 되기 때문인 것으로 보여진다.

나. 창업자금의 사용처: 창업자금은 사업용 자산의 취득자금이나 사업장임차보증금 등에만 사용되어야 한다.

① 사업용 자산의 취득자금. 이때, 사업용 자산이란 토지와 「법인세법 시행령」 제24조의 규정에 의한 건물, 기계장치 등 감가상각자산을 말한다.

② 사업장의 임차보증금(전세금을 포함한다) 및 임차료 지급액

2절 창업자금 증여세 과세특례의 내용 및 신청

01 과세특례의 내용

(1) 과세특례 적용 한도금액

창업자금 증여세 과세특례가 적용되는 창업자금은 30억 원을 한도로 하며, 창업을 통하여 10명 이상을 신규 고용한 경우에는 50억 원을 한도로 한다. 창업자금을 2회 이상 증여받거나 부모로부터 각각 증여받는 경우에는 각각의 증여세 과세가액을 합산하여 적용한다.

(2) 증여재산 공제

창업자금에 대한 증여세 과세가액에서 5억 원을 공제한다.

(3) 세율

증여세율은 10~50%이나 특례적용 창업자금에 대해서는 10%를 적용한다.

(4) 증여세 신고세액공제

일반적으로 증여세 신고세액공제는 산출세액의 3%를 적용하나, 특례적용 창업자금에 대해서는 증여세 신고세액공제를 적용하지 않는다.

(5) 10년 내 합산대상 증여재산이 있는 경우

동일인(배우자 포함)으로부터 증여받은 창업자금 외의 다른 증여재산가액은 창업자금에 대한 증여세 과세가액에 가산하지 않는다.

(6) 증여자가 사망할 경우 상속세 계산 특례

가. 상속재산가산액: 증여받은 창업자금은 증여받은 날부터 상속개시일까지의 기간과 관계없이[46] 상속세 과세가액에 가산하되, 상속공제한도금액을 계산할 때에는 상속세 과세가액에 가산한 증여재산가액으로 보지 아니한다. 이로 인해 상속공제한도액이 늘어나는 효과가 있게 되는데, 창업자금에 과세특례의 혜택을 감소시키지 않으려는 취지이다.

나. 상속세 산출세액에서 공제하는 증여세: 증여받은 창업자금에 대한 증여세액을 그대로 공제한다.[47] 즉, 증여세액공제 한도액 적용을 배제한다. 다만, 공제할 증여세액이 상속세 산출세액보다 많은 경우에도 환급하지는 않는다.

02 과세특례 신청 및 창업자금 사용명세 제출의무

(1) 과세특례 신청

증여세 과세특례를 적용받으려는 자는 증여세 신고기한까지 증여세 과세표준신고와 함께 창업자금 특례신청서 및 사용내역서를 관할 세무서장에게

46) 자녀가 부모로부터 증여받은 경우 일반적인 증여재산은 상속개시일부터 10년 내 것만 가산한다.
47) 일반적으로는 상속세 산출세액에서 상속세 과세표준 중 증여세 과세표준이 차지하는 비율만큼 공제한다.

제출해야 한다. 신고기한까지 특례신청을 하지 아니한 경우에는 이 특례규정을 적용하지 않는다.

(2) 창업자금 사용명세 제출의무

창업자금을 증여받은 자가 창업하는 경우에는 창업자금 사용명세(창업자금이 30억 원을 초과하는 경우 고용명세를 포함)를 관할 세무서장에게 제출해야 한다.

가. 창업자금 사용명세 제출기한

① 창업일이 속하는 달의 다음 달 말일

② 창업일이 속하는 과세연도부터 4년 이내의 과세연도까지 매 과세연도의 과세표준 신고기한

③ 창업자금을 모두 사용한 경우에는 그 날이 속하는 과세연도까지의 매 과세연도 과세표준 신고기한

나. 창업자금 사용명세에 포함될 내용

① 증여받은 창업자금의 내역

② 증여받은 창업자금의 사용내역 및 이를 확인할 수 있는 사항

③ 증여받은 창업자금이 30억 원을 초과하는 경우에는 고용내역을 확인할 수 있는 사항

(3) 창업자금 명세 미제출 및 내용 불분명 시 가산세 부과

창업자금 사용명세를 제출하지 아니하거나 제출된 창업자금 사용명세가 분명하지 아니한 경우에는 그 미제출분 또는 불분명한 부분의 금액에 1천분의 3을 곱하여 산출한 금액을 창업자금 사용명세서 미제출 가산세로 부과한다.

3절 창업자금 증여세 과세특례 적용세액의 추징

01 추징사유 및 대상금액

창업자금에 대한 증여세 과세특례를 적용받은 후 2년 내 창업하지 않는 등 아래의 어느 하나에 해당하는 경우 해당 금액에 대해 증여세 및 이자상당액을 가산하여 추징한다.

가. 2년 내 창업하지 않은 경우: 증여받은 날부터 2년 내에 창업을 하지 않은 경우 해당 창업자금

나. 적용대상 업종이 아닌 업종을 영위하는 경우: 과세특례 적용대상 업종 외의 업종을 영위하는 경우 업종 외의 업종에 사용된 창업자금

다. 새로 증여받은 창업자금을 목적 외 사용한 경우: 창업자금을 증여받아 목적에 따라 사용하지 아니한 경우 해당 목적에 사용되지 아니한 창업자금

라. 4년 내 모두 목적에 사용하지 않은 경우: 창업자금을 증여받은 날부터 4년이 되는 날까지 모두 해당 목적에 사용하지 아니한 경우 해당 목적에 사용되지 아니한 창업자금

마. 10년 내 해당 사업용도 외로 사용한 경우: 증여받은 후 10년 이내에 창업자금을 해당 사업용도 외 용도로 사용한 경우 해당 사업용도 외의 용도로 사용된 창업자금 등. 창업자금 등에는 창업으로 인한 가치증가분을 포함한다. 다만, 가치증가분에 대한 계산방법이 규정되어 있지는 않다.

바. 10년 내 폐업 등 아래 사유에 해당하는 경우: 창업 후 10년 이내에 해당 사업을 폐업하는 등 아래의 경우 해당 창업자금 등

① 수증자가 사망한 경우. 다만, 다음의 경우는 제외한다.

ㄱ. 수증자가 창업자금을 증여받고 창업하기 전에 사망한 경우로서 수증자의 상속인이 당초 수증자의 지위를 승계하여 창업하는 경우

ㄴ. 수증자가 창업자금을 증여받고 창업한 후 창업목적에 사용하기 전에 사망한 경우로서 상속인이 당초 수증자의 지위를 승계하여 창업하는 경우

ㄷ. 수증자가 창업자금을 증여받고 창업을 완료한 후 사망한 경우로서 상속인이 당초 수증자의 지위를 승계하여 창업하는 경우

② 당해 사업을 폐업하거나 휴업(실질적 휴업을 포함)한 경우. 다만, 다음의 경우는 제외한다.

ㄱ. 부채가 자산을 초과하여 폐업하는 경우

ㄴ. 최초 창업 이후 영업상 필요 또는 사업전환을 위하여 1회에 한하여 2년(폐업의 경우에는 폐업 후 다시 개업할 때까지 2년) 이내의 기간 동안 휴업하거나 폐업하는 경우. 이 경우 휴업 또는 폐업 중 어느 하나에 한한다.

사. 창업 후 근로자 수가 감소한 경우: 증여받은 창업자금이 30억 원을 초과하는 경우로서 창업한 날이 속하는 과세연도의 종료일부터 5년 이내에 각 과세연도의 근로자 수가 다음 계산식에 따라 계산한 수보다 적은 경우 30억 원을 초과하는 창업자금

창업한 날의 근로자 수 - (창업을 통하여 신규 고용한 인원수 - 10명)

이 경우 근로자는 「조세특례제한법 시행령」 제27조의3 제4항에 따른 상시 근로자를 말하며, 근로자 수는 해당 과세연도의 매월 말일 현재의 인원을 합하여 해당 월수로 나눈 인원을 기준으로 계산한다.

02 추징세액의 계산

창업하지 않은 경우에는 해당 창업자금 등 추징사유에 해당되는 금액에 대해 일반세율로 계산한 증여세 결정세액에 추징사유가 발생한 날까지 일수에 대해 1일 10만분의 25를 곱하여 계산한 이자상당액을 가산하여 추징한다. 이자율은 가업승계 증여세 과세특례 규정과 동일하다.

세법해석 사례 및 판례 등

• 창업자금 증여세 과세특례를 적용할 때 창업이란 수증자인 거주자가 해당 중소기업을 새로 설립, 사업을 개시하는 것으로 실제로 독립적인 경영을 하

는 것을 말함(재산세과-369, 2012.10.9.).

- 증여자금으로 건설업 법인을 영위하기 위한 재고자산인 토지를 매입하는 경우는 창업자금 과세특례 적용대상 창업자금에 해당하지 아니하는 것임(법령해석과-3367, 2020.10.21.).
- 창업자금을 증여받아 창업을 한 자가 새로 창업자금을 증여받아 2년 이내에 당초 창업한 사업과 관련하여 사용하는 경우에도 모두 합하여 30억 원(창업을 통하여 10명 이상을 신규 고용한 경우에는 50억 원)까지는 해당 특례규정이 적용되는 것이나, 창업 후 대출금 상환목적으로 증여받은 자금은 이에 해당하지 않음(상속증여세과-191, 2020.3.30.).
- 한국표준산업분류표상 주점 및 비알콜음료점업에 해당하는 커피전문점은 창업자금에 대한 증여세 과세특례 대상 중소기업에 해당하지 않음(상속증여세과-139, 2017.2.14.).
- 창업자금을 증여받아 개인사업을 창업하여 증여세 과세특례를 적용받은 거주자가 창업 후 10년 이내에 같은 법 제32조 제1항의 사업 양도 · 양수의 방법에 따라 법인으로 전환하는 경우 같은 법 시행령 제27조의5 제8항 제2호 나목의 영업상 필요 또는 사업전환을 위하여 폐업하는 경우에 해당되는 것임(서면2015상속증여-0009, 2015.2.26.).
- 부모로부터 【창업자금에 대한 증여세 과세특례】의 요건을 충족한 "창업자금"과 창업자금 외 "현금"을 동시에 증여받는 경우, 창업자금에 대해서는 증여세 과세가액에서 5억 원을 공제하며, 창업자금 외 현금에 대해서는 증여재산공제를 적용함(상속증여세과-372, 2014.9.25.).
- 창업 후 해당 사업을 폐업하여 창업자금중소기업에 해당하지 않는 업종인 부동산 임대업을 영위하는 경우에는 증여받은 창업자금(창업으로 인한 가치증가분을 포함한다)에 대하여 증여세를 부과하는 것임(상속증여세과-576, 2013.10.14.).
- 창업자금을 증여받아 창업자금에 대한 증여세를 창업자금으로 납부하는 경우 증여세 납부액 "해당 사업용도 외의 용도로 사용된 창업자금"에 해당하는 것임(재산세과-361, 2011.7.28.).
- 수증자별로 각각 창업자금 증여세특례규정을 적용받을 수 있는 것이며, 공동으로 창업하는 경우에도 수증자별로 동 규정을 적용받을 수 있음(재산세과-4457, 2008.12.30.).
- 창업자금 증여세 과세특례를 적용받은 후 증여자가 사망하여 창업자금에 대하여 상속세를 신고한 경우에도 창업자금 사후관리 적용됨(기획재정부 재산세제과-678, 2011.8.22.).

Part 3

마지막은 상속이다

대표님이 가업승계를 하는 마지막 방법은 상속이다. 가업승계는 위에서 알아본 바와 같이 생전에 주식을 양도하거나 증여하는 방법을 활용할 수도 있고, 대표님 사후에 주식 등을 상속하는 방법에 의할 수도 있다. 현행 세법에서는 가업상속공제라는 제도를 통해 가업의 승계를 지원하고 있는데 오랜기간 운영한 중소기업의 주식 등[1]을 상속인이 승계한 경우 상속세 과세가액에서 공제하여 상속세 부담을 경감시켜주는 제도이다. 그런데, 가업상속공제제도를 적용받기 위해서는 요건이 까다롭고 또 상속을 한 후에도 지켜야 할 사항이 많아 기업에서는 적용요건을 완화시켜 줄 것을 지속적으로 요청하고 있다. 매년 점진적으로 그 요건이 완화되고는 있으나 가업승계를 고려하고 있는 대표님들 입장에서는 아직도 활용하기가 어려워 더 획기적인 제도 개편을 요구하고 있는 상황이다. 그럼에도 불구하고 가업상속공제 제도는 현행 제도상 가업승계를 지원하는 가장 유용한 제도임에는 틀림이 없고, 이 제도를 적용받을 수 있는지에 따라 가업의 원활한 승계에 결정적 영향을 미치게 된다. 이하에서는 대표님 사후에 가업승계를 지원하는 대표적인 제도인 가업상속공제제도를 중심으로 자세히 알아본다.

1) 개인기업도 사업에 직접 사용되는 토지, 건축물, 기계장치 등 사업용 자산에 대해 가업승계제도가 적용된다.

가업상속공제 제도

대표님이 10년 이상 운영한 중소기업 또는 일정 규모 이하의 중견기업의 주식 등을 자녀에게 승계하는 경우 가업 운영기간에 따라 200억 원에서 최대 500억 원까지 상속세 과세가액에서 공제하여 상속세 부담을 경감시켜 주는 제도이다. 가업상속공제는 중소기업이나 일정한 요건에 맞는 중견기업 또는 개인기업에게 적용된다. 피상속인이 10년 이상 경영하면서 일정기간 대표이사로 재직해야 하고 상속인도 상속일 전부터 2년 이상 가업에 종사해야 하는 등 여러 가지 사전요건을 갖추어야 한다. 아울러, 상속인이 가업을 상속받고 나서 7년간은 고용인원 또는 총급여액을 일정비율 유지해야 하는 등 다양한 의무도 이행해야 한다. 이러한 의무가 이행되지 않을 때에는 당초에 공제받은 금액에 대해 상속세를 납부해야 한다.

1절 가업으로 보는 요건

가업상속공제를 적용받기 위해서는 먼저 대표님이 운영하는 기업의 규모나 업종, 경영한 기간 등이 세법에 규정한 가업의 요건에 해당되어야 하는데 이와 같이 일정요건에 해당되는 중소기업 및 중견기업으로서 피상속인이 10년 이상 계속하여 경영한 기업을 말한다. 중소기업 등에는 법인사업자뿐만 아니라 개인사업자도 포함된다.

01 가업으로 인정되는 중소기업

상속개시일이 속하는 소득세 과세기간 또는 법인세 사업연도의 직전 과세기간 또는 사업연도 말 현재 아래의 요건을 모두 갖춘 중소기업인 경우에만 가업으로 인정된다.

(1) 업종기준

가업으로 인정되려면 주된 업종이 「상속세 및 증여세법 시행령」 별표[2]에 정한 업종에 해당되어야 한다. 건설업, 제조업, 광업, 도소매업 등은 모두가 해당되나 다른 업종은 가업 해당 업종으로 분류된 업종만 가업으로 인정된다. 예를 들어 부동산임대업이나 주점, 골프장 등은 가업에 해당되지 않는다.

(2) 업종별 매출액 및 실질적인 독립성 기준

업종별 매출액이 「중소기업기본법 시행령」 별표1에 따른 규모기준 이내이어야 하며 실질적인 독립성이 「중소기업기본법 시행령」 제3조 제1항 제2호에 적합해야 한다. 이 내용은 비상장주식평가 시 최대주주할증평가에서 제외되는 중소기업 기준[3]을 참조한다.

(3) 자산총액 기준

자산총액이 5천억 원 미만이어야 한다.

2 가업으로 인정되는 중견기업

상속개시일이 속하는 소득세 과세기간 또는 법인세 사업연도의 직전 과세기간 또는 사업연도 말 현재 아래의 요건을 모두 갖춘 중견기업만 가업으로 인정한다.

(1) 업종기준

가업으로 인정되는 업종은 중소기업과 같다.

(2) 소유와 경영의 독립성 등 기준

중소기업이 아닌 자로서 소유와 경영의 독립성이 「중견기업 성장촉진 및 경쟁력 강화에 관한 특별법 시행령」 제2조 제2항 제1호[4]에 적합해야 한다.

---

2) 가업상속공제를 적용받는 중소 · 중견기업의 해당 업종(제15조 제1항 및 제2항 관련)

3) "PART 1 3장 5절"을 참조한다.

4) 중견기업 및 중견기업 후보기업의 범위

(3) 매출액 기준

상속개시일 직전 3개 소득세 과세기간 또는 법인세 사업연도의 매출액의 평균금액이 3천억 원 미만이어야 한다. 3년간 평균매출액이 3천억 원 이상에 해당하는지 여부를 판단할 때 연결재무제표 대상이 되는 종속법인 매출액은 포함하지 않는다. 이때, 매출액은 기업회계기준에 따라 작성한 손익계산서상 매출액이며, 과세기간 또는 사업연도가 1년 미만 연도의 매출액은 1년으로 환산한 매출액을 말한다.

03 피상속인이 10년 이상 계속하여 경영한 기업

(1) 기산일

"가업의 영위기간"을 계산할 때 그 기산일을 언제부터 기산할 것인지 여부에 대한 규정은 없으나 법인기업의 경우 피상속인이 특수관계인의 주식수와 합하여 50%(거래소에 상장된 법인인 경우 30%) 초과하는 최대주주인 상태를 유지하면서 실제 가업의 경영에 참가한 때부터 기산한다고 해석하고 있다.

(2) 주 업종 변경 시

피상속인이 가업을 영위하다 주된 업종을 변경한 경우 가업영위기간이 10년인지 여부는 업종 변경 후 최초로 재화 또는 용역을 개시한 날부터 10년의 요건을 판단한다.

(3) 사업장 이전 시

피상속인이 사업장을 이전하여 같은 업종의 사업을 영위하는 경우에는 종전 사업장에서의 사업 영위기간을 포함하여 계산한다.

(4) 개인사업자가 법인전환 시

개인사업자로서 영위하던 가업을 동일 업종의 법인으로 전환하여 피상속인이 법인 설립일 이후 계속하여 그 법인의 최대주주 등에 해당하는 경우에는 개인사업자로서 가업을 영위한 기간을 포함하여 계산한다.

2절 피상속인 및 상속인이 갖추어야 할 요건

피상속인이 10년 이상 계속해서 운영한 중소기업 등으로서 가업의 요건에 해당된다고 하더라도 피상속인과 상속인이 아래의 요건을 모두 갖추어야 가업상속공제를 받을 수 있다. 가업상속공제를 받기 위해서는 이러한 요건을 갖추기 위해 장기적으로 미리미리 준비해야 한다.

01 피상속인의 요건

(1) 거주자[5]이어야 한다

피상속인, 즉 대표님이 거주자이어야 한다. 거주자란 국내에 주소를 두거나 183일 이상의 거소를 둔 개인을 말한다. 따라서 대한민국 국민이더라도 비거주자면 가업상속공제가 적용되지 않으며 외국인이라도 거주자면 적용된다.

(2) 주식보유 비율이 50% 이상

피상속인이 상속개시일 현재 해당 기업의 최대주주 등인 경우로서 그와 특수관계인의 주식을 합하여 발행주식총수의 100분의 50 이상(상장법인은 100분의 30 이상)을 10년 이상 계속 보유해야 한다. 이때 발행주식총수에는 법인이 보유하고 있는 자기주식은 포함되지 않는다.

(3) 대표이사로 재직

피상속인이 가업의 영위기간 중에 다음 하나에 해당하는 기간을 대표이사(개인사업자인 경우에는 대표자)로 재직해야 한다. 대표이사로 재직한 경우란 피상속인이 대표이사로 선임되어 법인등기부에 등재되고 대표이사직을 수행한 경우를 말한다.

---

5) 거주자 및 비거주자 판정은 애매한 경우가 많으므로, 만약 대표님 및 가족이 해외에 오랜기간 거주하고 있었다면 거주자 해당 여부를 면밀하게 검토해야 한다.

① 100분의 50 이상의 기간

② 10년 이상의 기간, 피상속인이 상속개시일부터 소급하여 10년 이상 계속하여 경영해야 한다는 의미는 아니다. 다만, 이 경우는 상속인이 피상속인의 대표이사 등의 직을 승계하여 승계한 날로부터 상속개시일까지 계속 재직한 경우로 한정한다. 고령화 사회, 질병 등으로 피상속인이 상속 개시일 현재 시점에 가업에 종사하지 않은 경우에도 예외를 인정한 것이다.

③ 상속개시일부터 소급하여 10년 중 5년 이상의 기간

(4) 가업상속공제 대상 피상속인은 최대주주 중 1명만 적용

대표님 사망으로 가업상속이 이루어진 후에 그 가업상속 당시에 최대주주에 해당되었던 다른 자가 사망으로 상속이 개시되는 경우에는 가업상속공제 요건이 해당되더라도 가업상속공제를 재차 적용하지 않는다. 다만, 당초 가업상속을 받은 상속인이 사망하는 경우는 다시 요건을 판단하여 가업상속공제를 적용받을 수 있다.

02 상속인의 요건

상속인이 다음의 요건을 모두 갖춘 경우에 적용하며 상속인의 배우자가 요건을 모두 갖춘 경우에도 상속인이 그 요건을 갖춘 것으로 본다.

(1) 상속인의 연령

상속개시일 현재 18세 이상이어야 한다.

(2) 가업종사 기간

상속개시일 전에 2년 이상 직접 가업에 종사해야 한다. 다만, 아래와 같은 예외사유를 두고 있다.

① 피상속인이 65세 이전에 사망하거나 천재지변 및 인재 등 부득이한 사유로 사망한 경우에는 예외로 한다.

② 상속개시일 2년 전부터 가업에 종사한 경우로서 상속개시일로부터 소급하여 2년에 해당하는 날부터 상속개시일까지 기간 중 병역의무이행, 질병의 요양, 취학상 형편 등 사유로 가업에 직접 종사하지 못한 기간이 있는 경우 그 기간은 가업에 종사한 것으로 본다.

③ 상속인이 직접 가업에 종사하다가 중도에 퇴사한 후 다시 입사한 경우 재입사 전 가업에 종사한 기간은 포함하여 계산한다.

(3) 임원 및 대표이사 취임

상속세 과세표준 신고기한까지 임원으로 취임하고 상속세 신고기한부터 2년 내에 대표이사(대표자)로 취임해야 한다.

03 상속세 납부능력 요건

중견기업의 경우 가업상속재산 외에 다른 상속재산으로도 상속세를 납부할 능력이 충분할 경우에는 가업상속공제를 배제한다.[6] 즉, 중견기업의 가업상속인이 아래와 같이 '가'호의 가액이 '나'호 가액의 100분의 200을 초과하면 해당 상속인이 받거나 받을 가업상속재산에 대해서는 가업상속공제를 적용하지 않는다.

가. 가업상속재산 외에 받거나 받을 상속재산가액(① - ② - ③)

① 가업상속인이 받거나 받을 상속재산(상속재산에 가산하는 증여재산 중 가업상속인이 받은 증여재산 포함)

② 해당 가업상속인이 부담하는 채무로서 객관적으로 증명되는 채무

③ 해당 가업상속인이 받거나 받을 가업상속 재산가액

나. 해당 가업상속인이 상속세로 납부할 금액: 가업상속공제를 받지 아니하였을 경우 해당 가업상속인이 납부할 의무가 있는 상속세액을 말한다.

6) 2020.1.1. 이후 가업을 상속받는 분부터 적용한다.

04 조세포탈 또는 회계부정 행위 시 공제배제[7]

피상속인 또는 상속인이 가업의 경영과 관련하여 상속개시일 전, 즉 피상속인 사망 전 10년 이내 또는 상속개시일부터 7년 이내의 기간 중에 조세포탈 또는 회계부정행위로 징역형 또는 벌금형을 선고받고 그 형이 확정된 경우 다음과 같이 공제를 적용하지 않거나 이미 공제받은 경우 공제받은 금액을 추징한다.

(1) 상속세 결정 전에 형이 확정된 경우

과세관청에서 상속세 과세표준과 세액을 결정하기 전에 피상속인 또는 상속인에 대한 형이 확정된 경우 가업상속공제를 배제한다.

(2) 가업상속공제 후 형이 확정된 경우

가업상속공제를 받은 후에 상속인에 대한 형이 확정된 경우 공제받은 금액을 상속개시 당시의 상속세 과세가액에 산입하여 상속세를 부과하며 상속세 부과세액에 이자상당액을 가산하여 징수한다.

이자상당액 = 상속세부과세액 × 상속세 신고기한 다음 날부터 사유 발생한 날까지의 기간 × 1.2%[8]/365

(3) 벌금형의 범위

가. 조세포탈의 경우: 「조세범처벌법」 제3조 제1항 각호의 어느 하나에 해당하여 받은 벌금형을 말한다.

1. 포탈세액 등이 3억 원 이상이고 그 포탈세액 등이 납부해야할 세액의 100분의 30 이상 2. 포탈세액 등이 5억 원 이상

나. 회계부정의 경우: 재무제표 허위 작성 및 공시 등 주식회사 등의 외부감사에 관한 법률 제39조 제1항에 따른 죄를 범하여 받은 벌금형으로

7) 2020.1.1. 이후 조세포탈 등 행위를 한 경우로서 2020.1.1. 이후 상속이 개시된 분부터 적용한다.
8) 이자율은 수시로 변동하며 현행 이자율은 2021.4.1.부터 적용된다(직전까지는 1.8%이었다).

재무제표상 변경된 금액이 자산총액의 100분의 5 이상인 경우를 말한다.

3절 가업상속재산의 범위

가업을 상속받는다고 하더라도 운영하던 사업과 관련된 모든 재산이 가업상속공제 대상이 되는 것은 아니다. 가업상속공제를 받을 수 있는 자격을 갖춘 가업상속인이 받거나 받을 재산으로서 아래와 같이 개인기업과 법인기업으로 나누어 판단한다.

01 개인기업의 경우

가업에 직접 사용되는 토지, 건축물, 기계장치 등 사업용 자산의 가액에서 해당 자산에 담보된 채무액을 뺀 가액을 말한다. 사업용 자산에는 재고자산은 해당되지 않으며, 사업용 고정자산으로서 「기업회계기준」 제18조 및 제20조의 유형자산 및 무형자산을 말한다.

02 법인기업의 경우

(1) 가업에 해당하는 법인의 주식가액

가업에 해당하는 법인의 주식 등의 가액을 말하는데, 다음과 같이 계산한다. 이때 자산가액은 「상속세 및 증여세법」 제4장에 따라 평가한 가액이며, 시가가 없는 경우 보충적 평가방법으로 평가한 가액을 말하고 사업무관자산은 포함하지 않는다.

$$\text{가업해당 주식가액} = \text{법인주식가액} \times \frac{\text{법인의 총자산가액} - \text{사업무관자산가액}}{\text{법인의 총자산가액}}$$

(2) 가업해당 주식가액 산정 시 제외되는 사업무관자산의 범위

① 지정지역[9]에 있는 별장이나 지정지역 내에 있는 업무와 직접 관련없이 소유한 농지 · 임야 등 비사업용토지 등(「법인세법」 §55의2)

② 법인의 업무에 직접 사용하지 아니하는 부동산, 서화 및 골동품, 자동차, 선박, 항공기 등(「법인세법 시행령」 §49)

③ 금전소비대차계약에 의하여 타인에게 대여한 금액 등(「법인세법 시행령」 §61①2호)

④ 과다보유 현금, 즉 상속개시일 직전 5개 사업연도 말 평균 현금 보유액의 100분의 150을 초과하는 것. 이 경우 현금에는 요구불예금 및 취득일부터 만기가 3개월 이내인 금융상품을 포함한다.

⑤ 법인의 영업활동과 직접 관련이 없이 보유하고 있는 주식, 채권 및 금융상품(④호에 해당하는 것은 제외), 법인이 보유하고 있는 금융상품은 법인의 영업활동과 직접 관련이 없이 보유하고 있는 금융상품(취득일부터 만기가 3개월 이내인 금융상품은 제외함)에 해당하는 것이며, 이때 취득일부터 만기가 3개월 이내인 금융상품은 과다보유현금을 판단하는 경우 현금에 포함된다. 또한, 가업에 해당하는 법인이 보유 중인 자회사가 발행한 주식은 가업상속재산이 아닌 사업무관자산에 해당한다.

03 가업승계 증여세 특례 적용 주식의 가업상속공제

가업승계 증여세 특례대상인 주식을 증여받은 후 상속이 개시되는 경우 상속개시일 현재 다음 요건을 모두 갖춘 경우 가업상속으로 본다. 이 경우 가업상속재산가액은 증여세 과세특례를 적용받은 주식의 가액에 그 법인의 총자산가액 중 상속개시일 현재 사업무관자산을 제외한 자산가액이 그 법인의 총자산가액에 차지하는 비율을 곱하여 계산한 금액으로 한다.

9) 국토부장관이 전국의 부동산가격동향 및 해당 지역특성 등을 고려하여 해당 지역의 부동산가격 상승이 지속될 가능성이 있거나 다른 지역으로 확산될 우려가 있다고 판단되어 지정요청하는 경우로서, 기획재정부장관이 「소득세법 시행령」 제168조의4의 규정에 따른 부동산가격안정심의위원회의 심의를 거쳐 지정하는 지역을 말한다.

(1) 피상속인 및 상속인이 가업상속공제 요건에 해당

피상속인 및 상속인이 가업상속공제를 받는 요건에 맞아야 한다. 다만, 피상속인의 대표이사 재직기간 요건은 적용하지 않는다. 또한, 피상속인이 보유한 주식의 전부를 증여하여 피상속인이 최대주주 등의 요건을 충족하지 못하는 경우에는 상속인이 증여받은 주식을 상속개시일 현재까지 피상속인이 보유한 것으로 본다(2020.2.11. 이후 상속받는 분부터 적용한다). 종전에는 자녀가 부의 주식을 전부 증여받아 가업승계에 대한 증여세 과세특례를 적용받은 후 부가 사망하여 상속이 개시되는 경우 가업승계가 적용되지 않았다.

(2) 증여받은 후 지분율 요건 등

주식 수증자가 증여받은 주식 등을 처분하거나 지분율이 낮아지지 아니한 경우로서 가업에 종사하거나 대표이사로 재직하고 있어야 한다.

4절 가업상속공제금액 및 신고서 제출

01 가업상속공제금액

(1) 가업상속공제금액의 한도

피상속인이 가업을 계속하여 경영한 기간에 따라 다음 금액을 한도로 공제한다.

계속 경영한 기간	공제한도금액
10년 이상 20년 미만	200억 원
20년 이상 30년 미만	300억 원
30년 이상	500억 원

(2) 1개의 가업을 공동상속 시 공제금액

1개 가업을 공동으로 상속한 경우 대표자 승계지분에 대해 가업상속공제를 적용한다. 만약, 상속인들이 1개의 가업을 공동상속받고 공동(각자)대표이사로 취임한 경우 또는 가업재산을 상속받기 전에 해당 기업의 대표이사로 취임한 경우에도 적용된다. 종전에는 상속인 1인이 전부 상속하는 경우에만 가업상속공제가 가능하였으나 2016.2.5. 상속 개시분부터는 공동상속의 경우에도 공제가 가능하게 되었다.

(3) 2개 이상의 가업 상속 시 공제금액

피상속인이 2개 이상의 독립된 기업을 가업으로 영위한 경우에는 해당 기업 중 계속하여 경영한 기간이 긴 기업의 계속 경영기간에 대한 공제한도를 적용하며, 상속세 과세가액에서 피상속인이 계속하여 경영한 기간이 긴 기업의 가업상속 재산가액부터 순차적으로 공제한다. 즉, 가업상속공제 대상이 되는 2개 이상의 기업을 상속인 1인이 전부 상속받은 경우 가업상속공제금액은 피상속인이 계속하여 경영한 기간이 가장 긴 기업을 기준으로 적용한 금액을 공제한도로 하여 피상속인이 계속하여 경영한 기간이 긴 기업부터 순차적으로 공제하되, 각 기업별 공제금액은 해당 기업의 경영기간별 공제한도 내에서 공제한다.

1기업: 경영기간 40년, 가업상속재산 100억 원
2기업: 경영기간 15년, 가업상속재산 400억 원일 경우 가업상속공제 금액은

→ 가업상속공제금액 300억 원(1기업 100억 원 + 2기업 200억 원)

*1기업의 경영기간으로 볼 때 공제한도금액은 500억 원이나 각 기업별 경영기간별 공제 한도 내에서 공제하는 것이므로 2기업의 경우 200억 원을 한도로 공제 가능

(4) 2개 이상의 가업을 각각 다른 상속인에게 상속하는 경우 공제금액

가업이 2개 이상인 경우 기업별 상속이 허용된다. 2016.2.5. 이후 상속이 개시되는 분부터 적용되며, 종전에는 상속인 1인이 전부 상속하는 경우에만 가업상속공제가 가능하였다. 상속인이 3개의 독립된 기업을 영위하다가 사망하여 기업별로 상속인이 피상속인의 주식 등을 공동상속 또는 단독상속하고 해당 상속인이 (공동)대표이사로 취임하여 가업상속공제의 요건을 모두 갖춘 경우에는 3개 기업의 가업상속재산에 대하여 가업상속공제를 적용받을 수

있으며, 계속하여 경영한 기간이 긴 기업의 계속 경영기간에 대한 공제한도를 적용하며 상속세 과세가액에서 피상속인이 계속하여 경영한 기간이 긴 기업의 가업상속 재산가액부터 순차적으로 공제한다. 따라서 여러 개의 기업을 다수의 상속인이 상속을 하더라도 공제금액은 피상속인을 기준으로 최대 500억 원을 넘을 수 없다.

02 가업상속공제 신고서 제출

가업상속공제를 받으려면 가업상속공제신고서, 가업상속재산명세서 및 아래와 같이 가업상속 사실을 입증할 수 있는 서류를 상속세 과세표준 신고와 함께 제출하여야 한다.

① 최대주주 등에 해당하는 자임을 입증하는 서류

② 기타 상속인이 당해 가업에 직접 종사한 사실을 입증할 수 있는 서류

5절 상속세 추징사유 및 추징세액 계산

가업상속공제를 받았다고 해서 그것으로 가업상속과 관련된 세금문제가 모두 종료되는 것이 아니다. 세법에서는 가업상속공제를 받은 후에 그 가업이 일정기간 유지되지 않는 경우 공제받은 금액에 대해 상속세를 추징하도록 하고 있다.

01 상속세 추징 사유

가업상속공제를 적용받아 상속세를 감면받고 나서 해당 가업을 유지하지 않는 경우에는 가업상속공제제도의 실효성이 없어지게 되므로 세법에서는 가업상속공제를 받은 후 일정기간 동안 지켜야 할 의무를 부여하고 있고 지키지 않을 경우 상속세를 추징하고 있다. 가업상속공제를 받은 후 7년 내에 다음의 어느 하나에 해당하는 경우에는 공제받은 금액 중 일정금액을

상속세 과세가액에 산입하여 상속세를 추징한다. 다만, 각 항목별로 규정하고 있는 정당한 사유에 해당되면 상속세를 추징하지 않는다. 7년 내 기간 요건은 2020.1.1. 이후 상속이 개시되는 분부터 적용되며, 2019.12.31. 이전 상속분은 10년 내이다.

(1) 가업용 자산을 처분할 경우

해당 가업용 자산의 100분의 20 이상을 처분한 경우. 단, 상속개시일부터 5년 이내에는 100분의 10 이상을 처분한 경우 추징대상이 된다. 다만, '다'호 정당한 사유에 해당되면 추징하지 않는다.

가. 가업용 자산의 범위

① 개인가업: 가업에 직접 사용되는 토지, 건축물, 기계장치 등 사업용 자산

② 법인가업: 가업에 해당하는 법인의 사업에 직접 사용되는 사업용 고정자산(사업무관자산은 제외)

나. 가업용 자산의 처분비율

$$\frac{\text{가업용 자산 중 처분하거나 사업에 사용하지 않고 임대한 자산의 상속개시일 현재 가액}}{\text{상속개시일 현재 가업용 자산의 가액}} \times 100$$

다. 상속세를 추징하지 않는 정당한 사유

① 가업용 자산이 「공익사업을 위한 토지 등의 취득 및 보상에 관한 법률」 등의 법률에 따라 수용 또는 협의매수되거나 국가 또는 지방자치단체에 양도되거나 시설의 개체, 사업장 이전 등으로 처분되는 경우. 다만, 처분자산과 같은 종류의 자산을 대체취득하여 가업에 계속 사용하는 경우에 한정한다.

② 가업용 자산을 국가 또는 지방자치단체에 증여하는 경우

③ 가업상속받은 상속인이 사망한 경우

④ 합병 · 분할, 통합, 개인사업의 법인전환 등 조직변경으로 인하여 자산의 소유권이 이전되는 경우. 다만, 조직변경 이전의 업종과 같은 업종을 영위하는 경우로서 이전된 가업용 자산을 그 사업에 계속 사용하는 경우에 한한다.

⑤ 내용연수가 지난 가업용 자산을 처분하는 경우

⑥ 가업의 주된 업종변경과 관련하여 자산을 처분하는 경우로서 변경된 업종을 가업으로 영위하기 위하여 자산을 대체취득하여 가업에 계속 사용하는 경우

⑦ 가업용 자산의 처분금액을 「조세특례제한법」 제10조에 따른 연구 · 인력개발로 사용하는 경우

(2) 상속인이 가업에 종사하지 않는 경우

가업상속을 받은 상속인이 가업에 종사하지 아니하게 된 다음의 경우 추징대상이 된다. 다만, '라'호 정당한 사유에 해당되면 추징하지 않는다.

가. 상속인 또는 가업상속인의 요건을 갖춘 상속인의 배우자가 대표이사로 종사하지 아니하는 경우

나. 가업의 주된 업종을 변경하는 경우. 다만, 다음의 경우는 예외로 한다.

① 한국표준산업분류[10]에 따른 중분류 내에서 업종을 변경하는 경우

※ 종전에는 소분류 내에서 업종을 변경하는 경우만 예외로 하였으나, 2020.2.11. 법을 개정하면서 중분류 내에서 업종을 변경하는 경우도 예외로 하였고, 개정 전에 가업상속공제를 받아 사후관리 중인 경우에도 개정된 규정이 적용되도록 부칙규정을 두었다.

한국표준산업분류(10차), 일부 발췌

대분류		중분류		소분류		세분류		세세분류	
코드	항목명	코드	항목명	코드	항목명	코드	항목명	코드	항목명
A	농업, 임업 및 어업	01	농업	011	작물 재배업	0111	곡물 및 기타 식량작물 재배업	01110	곡물 및 기타 식량작물 재배업
				012	축산업	0121	소 사육업	01211	젖소 사육업
C	제조업	10	식료품 제조업	102	수산물 가공 및 저장 처리업	1022	수산식물 가공 및 저장 처리업	10220	수산식물 가공 및 저장 처리업
				103	과실, 채소 가공 및 저장 처리업	1030	과실, 채소 가공 및 저장 처리업	10301	김치류 제조업

10) 통계법 제22조에 따라 통계청장이 작성 · 고시한다.

예 작물재배업자가 축산업으로 업종을 변경하거나, 수산물가공업자가 채소가공업으로 업종을 변경해도 같은 중분류 범위 내이므로 가업의 주된 업종을 변경한 것으로 보지 아니함.

② 평가심의위원회[11]의 심의를 거쳐 업종 변경을 승인하는 경우에는 중분류 외에서 변경하는 경우도 예외로 인정하였다. 이 경우도 마찬가지로 이 규정의 개정 이전에 가업상속공제를 받은 경우에도 적용된다.

다. 해당 가업을 1년 이상 휴업(실적이 없는 경우를 포함한다)하거나 폐업하는 경우

라. 상속세를 추징하지 않는 정당한 사유

① 가업상속받은 상속인이 사망한 경우

② 가업상속받은 재산을 국가 또는 지방자치단체에 증여하는 경우

③ 상속인이 법률에 따른 병역의무의 이행, 질병의 요양, 취학상 형편 등으로 가업에 종사할 수 없는 사유가 있는 경우. 다만, 그 부득이한 사유가 종료된 후 가업에 종사하지 아니하거나 가업상속재산을 처분하는 경우를 제외한다.

(3) 상속받은 주식 지분이 감소된 경우

주식 등을 상속받은 상속인의 지분이 감소된 경우로서 다음의 경우를 포함한다. 다만, '라'호 정당한 사유에 해당되면 상속세를 추징하지 않는다.

가. 상속인이 상속받은 주식 등을 처분하는 경우

나. 해당 법인이 유상증자할 때 상속인의 실권 등으로 지분율이 감소한 경우

다. 상속인의 특수관계인이 주식 등을 처분하거나 유상증자할 때 실권 등으로 상속인이 최대주주 등에 해당되지 아니하게 되는 경우

라. 상속세를 추징하지 않는 정당한 사유

① 상속인이 상속받은 주식 등을 물납하여 지분이 감소된 경우. 다만, 이 경우에도 최대주주에 해당하여야 한다.

② 합병 · 분할 등 조직변경에 따라 주식 등을 처분하는 경우. 다만, 처분

11) 평가심의위원회운영규정은 국세청장 훈령으로 고시한다.

후에도 상속인이 합병법인 또는 분할신설법인 등 조직변경에 따른 법인의 최대주주 등에 해당하는 경우에 한한다.

③ 해당 법인의 사업확장 등에 따라 유상증자할 때 상속인의 특수관계인 외의 자에게 주식 등을 배정함에 따라 상속인의 지분율이 낮아지는 경우. 다만, 상속인이 최대주주 등에 해당하는 경우에 한한다.

④ 상속인이 사망한 경우. 다만, 사망한 자의 상속인이 원래 상속인의 지위를 승계하여 가업에 종사하는 경우에 한한다.

⑤ 주식 등을 국가 또는 지방자치단체에 증여하는 경우

⑥ 「자본시장과 금융투자업에 관한 법률」 제390조 제1항에 따른 상장규정의 상장요건을 갖추기 위하여 지분을 감소시킨 경우. 다만, 상속인이 최대주주 등에 해당하는 경우에 한정한다.

⑦ 주주 또는 출자자의 주식 및 출자지분 비율에 따라서 무상으로 균등하게 감자하는 경우

⑧ 「채무자 회생 및 파산에 관한 법률」에 따른 법원의 결정에 따라 무상으로 감자하거나 채무를 출자전환하는 경우

(4) 고용인원 및 총급여액이 모두 기준에 미달하는 경우

2020.1.1. 법 개정으로 총급여액 기준이 추가되었는데, 고용인원과 총급여액이 기준에 모두 미달하는 경우에만 가업을 유지하지 않은 것으로 보게 되었다. 바꾸어 말하면 두 가지 중에서 하나라도 기준에 맞는 경우에는 가업을 유지하는 것으로 보는 것이므로 납세자가 두 가지 기준 중에서 선택적으로 적용할 수 있게 되었다. 기준에 미달하는지 여부는 매 사업연도마다 판단하며, 사후관리기간이 종료된 7년 후에는 전체 기간을 평균해서 최종적으로 가업유지 여부를 재차 판단한다. 아울러, 종전에 가업상속공제를 받아 사후관리기간이 경과되지 않은 경우에는 대부분 개정규정을 적용할 수 있도록 하였다.

가. 매 사업연도별 고용인원 및 총급여액이 모두 기준에 미달하는 경우

① 고용인원: 매 사업연도별로 정규직 근로자[12] 수 평균이 기준고용인원의

12) 「상속세 및 증여세법 시행령」 제15조 제13항 참조

100분의 80에 미달하는 경우

ㄱ. 기준고용인원은 상속일 직전 2개 사업연도의 정규직 근로자 수 평균을 말한다.

ㄴ. 정규직 근로자 수 평균은 해당 기업에 계속하여 고용되어 있는 근로자로서, 해당 사업연도의 매월 말일 현재의 정규직 근로자 수를 합하여 해당 사업연도의 월수로 나눈 인원을 말한다.

② 총급여액: 매 사업연도의 총급여액[13]이 기준총급여액의 100분의 80에 미달하는 경우, 기준총급여액은 상속일 직전 2개 사업연도 총급여액의 평균액을 말한다.

나. 7년 평균 고용인원 및 총급여액이 모두 기준에 미달하는 경우

① 7년간 평균 고용인원: 상속이 개시된 사업연도 말부터 7년간 정규직 근로자 수의 전체 평균이 기준고용인원의 100분의 100[14]에 미달하는 경우

② 7년간 평균 총급여액: 상속이 개시된 사업연도 말부터 7년간 총급여액의 전체 평균이 기준총급여액의 100분의 100에 미달하는 경우

02 상속세 추징세액의 계산

가업상속공제를 받은 상속인이 상속개시일(또는 상속이 개시된 사업연도의 말일)부터 7년 이내에 가업유지 의무를 위반한 경우 공제받은 금액에 해당 가업용 자산의 처분비율과 해당일까지의 기간을 고려하여 정해진 기간별 추징률을 곱하여 계산한 금액을 상속개시 당시의 상속세 과세가액에 산입하여 상속세를 부과한다. 가업을 유지한 기간이 짧을수록 높은 추징률이 적용되며, 이자상당액을 그 부과하는 상속세에 가산한다.

이자상당액=상속세 부과세액 ×상속세 신고기한의 다음 날부터 상속세 추징사유 발생한 날까지의 기간×1.2%/365

13) 「상속세 및 증여세법 시행령」 제15조 제14항 참조

14) 2019.12.31. 이전에 가업상속공제를 받은 중견기업은 기준 비율이 120%이었으나 2020.1.1.부터 중소기업과 동일하게 적용된다. 2020.1.1.부터 신설된 총급여액 기준과 중견기업의 기준고용인원 기준에 대해서는 2019.12.31. 이전 공제를 받아 사후관리 중인 상속인에 대해서도 2020.1.1. 이후 개시하는 사업연도부터 적용한다.

(1) 상속세 과세가액 산입액

가. 자산처분으로 추징할 경우: 가업용 자산을 처분하는 등의 사유로 추징하는 경우에는 경과 기간별 추징률에 자산처분비율을 추가 적용하며, 만약 수회에 걸쳐 가업용 자산을 처분하는 경우에는 종전에 처분한 자산의 가액은 제외하고 비율을 산정한다.

가업상속공제금액 × 기간별 추징률 × 자산처분비율

나. 자산처분 외 사유로 추징할 경우: 고용인원이나 총급여액이 기준에 미달하게 되는 때에는 경과 기간별 추징률을 곱하여 산정한다.

가업상속공제금액 × 기간별 추징률

다. 조세포탈 등으로 추징할 경우: 7년 내에 조세포탈 또는 회계부정행위로 징역형 또는 벌금형을 선고받고 그 형이 확정된 경우에는 기간별 추징률이 적용되지 않고 공제받은 금액 전액에 대해 상속세를 추징한다.

(2) 상속세 추징 시 적용할 경과기간의 계산

가. 가업용 자산 처분 시: 상속개시일부터 해당일까지의 기간

나. 상속인이 가업에 종사하지 않게 된 경우: 상속개시일부터 해당일까지의 기간

다. 주식 등 상속인 지분이 감소한 경우: 상속개시일부터 해당일까지의 기간

라. 사업연도별 고용인원 및 총급여액이 기준에 모두 미달하는 경우: 매 사업연도마다 정규직 근로자 수 평균인원 및 총급여액이 기준에 미달하는지를 판단하여 두 가지 기준에 모두 미달되는 사업연도가 있는 경우 상속이 개시된 사업연도의 말일부터 그 미달되기 전 사업연도까지의 기간을 말한다.

마. 7년간 평균 고용인원 및 총급여액이 기준에 모두 미달하는 경우(7년간 평균으로 판단): 7년 동안의 정규직 근로자 수 전체 평균 및 총급여액이 기준에 미달하는 경우에 경과기간, 즉 정상적으로 가업을 유지한 기간은 상속이

개시된 사업연도의 말일부터 각 사업연도의 말일까지 매년마다 각각 누적하여 계산한 정규직 근로자 수의 전체 평균 또는 같은 방식으로 계산한 총급여액의 전체 평균이 기준고용인원 또는 기준총급여액 이상을 충족한 기간 중 가장 긴 기간을 말한다.

기준고용인원은 100명, 기준총급여액은 50억 원으로 가정하고, 매년 고용인원 및 총급여액이 아래와 같을 때 적용할 경과기간은

〈기준고용인원 100명 가정〉

구분	1년	2년	3년	4년	5년	6년	7년
당해연도	90	90	95	110	120	100	90
누적인원	90	180	275	385	505	605	695
누적평균	90.0	90.0	91.7	96.3	**101.0**	**100.8**	99.3

〈기준총급여액 50억 원 가정〉

구분	1년	2년	3년	4년	5년	6년	7년
당해연도	50	60	45	40	45	50	45
누적급여	50	110	155	195	240	290	335
누적평균	**50.0**	**55.0**	**51.7**	48.8	48.0	48.3	47.9

- 매 사업연도별 요건 검토: 사업연도마다 기준고용인원 100명 및 기준총급여액 50억 원의 100분의 80 이상이므로 기준에 미달하지 않음.
- 7년간 평균 요건 검토: 기준고용인원 및 기준총급여액의 100분의 100에 모두 미달하므로 추징대상임.
  ⇒ 매 사업연도마다 누적평균한 기준고용인원은 5년 차 및 6년 차에 충족되었고, 누적평균한 기준총급여액은 1년 차부터 3년 차까지 충족됨. 따라서, 이 중 가장 긴 기간인 6년을 경과기간으로 적용

(3) 경과기간별 적용 추징률

2020.1.1. 이후	
경과기간	추징률
5년 미만	100%
5년 이상 7년 미만	80%

2019.12.31. 이전	
경과기간	추징률
7년 미만	100%
7년 이상 8년 미만	90%
8년 이상 9년 미만	80%
9년 이상 10년 미만	70%

위 사례의 경우 경과기간이 6년이므로 추징률은 80%가 적용된다.

03 양도소득세가 과세된 경우 상속세 추징액 계산

가업상속공제 후 상속세 추징사유가 발생하여 상속세를 추징할 때 가업상속재산을 이미 양도하여 양도소득세를 납부하였거나 납부해야할 양도소득세가 있는 경우 아래와 같이 계산한 양도소득세 상당액을 상속세 산출세액에서 공제한다. 다만, 공제한 해당 금액이 음수인 경우에는 '영'으로 본다. 가업상속재산을 양도할 경우에는 일반적인 상속재산과는 달리 취득가액을 상속개시일 현재가액이 아닌 피상속인의 취득시점가액을 감안하여 양도소득세를 과세하는데, 이는 가업상속공제를 받은 만큼은 상속세가 과세되지 않으므로 이를 보완하기 위해 마련한 제도이다. 따라서 가업상속공제를 받은 것을 전제로 하여 양도소득세 계산 특례규정을 적용하는 것이므로 만약 가업상속공제받은 상속세를 추징하게 되면 일반적인 상속재산으로 보아 계산한 양도소득세를 초과하여 납부한 양도소득세는 공제해야 하는 것이 합리적이다. 가업상속공제가 적용된 재산의 양도소득세 계산방법에 대해서는 다음 절에서 설명한다.

[① - ②] × 기간별 추징률
① 가업상속재산에 대해서 「소득세법」 제97조의2 제4항을 적용하여 계산한 양도소득세액
② 「소득세법」 제97조를 적용하여 계산한 양도소득세액

6절 가업상속재산에 대한 양도소득세 과세특례

상속재산을 양도하는 경우 양도소득세 계산 시 취득가액은 일반적으로 상속개시일 현재의 시가 등으로 적용한다. 그런데 가업상속공제를 적용받아 상속세가 과세되지 않은 재산을 양도하는 경우에도 취득가액을 상속개시일 현재의 시가 등으로 하게 되면 피상속인이 재산을 보유한 기간 동안 발생한 재산가치 상승분, 즉 자본이득에 대해서도 양도소득세가 과세되지 않는다. 따라서, 다른 상속재산과의 과세 형평성을 고려하고 세대 간 부의 이전에

대해 최소한의 과세 장치를 마련하기 위해 가업상속공제받은 재산을 양도할 때 취득가액에 대한 과세특례 규정이 2014.1.1. 신설[15]되었다.

01 적용대상

가업상속공제를 적용받은 자산으로서 부동산 등 양도소득세 과세대상인 자산이다.

02 취득가액의 계산

가업상속공제가 적용된 재산을 양도할 경우 양도가액은 일반적인 양도의 경우와 동일하나 그 양도재산의 취득가액은 일반 상속재산의 경우와는 다르게 다음과 같이 ①의 금액과 ②의 금액을 합한 금액으로 산정한다. 즉, 가업상속공제를 적용받은 피상속인의 재산분에 대해서는 피상속인의 취득가액을 기준으로, 가업상속공제를 적용받지 않은 상속 이후 재산분에 대해서는 상속개시일 현재의 시가 등을 취득가액으로 하여 양도차익을 계산하도록 한 것이다.

① 피상속인의 취득가액×가업상속공제 적용률*

② 상속개시일 현재 해당 자산가액×(1－가업상속공제 적용률)

* 가업상속공제 적용률=가업상속공제금액÷가업상속재산가액

예 가업상속공제 적용률 80%를 가정할 경우 취득가액 및 양도차익

피상속인의 취득가액 (20억 원)	상속개시일 현재 시가 (100억 원)	상속인의 양도가액 (150억 원)
←피상속인 보유기간 양도차익→ 80억 원(100－20)	←상속인 보유기간 양도차익→ 50억 원(150－100)	

• 취득가액: ① + ② = 36억 원
① 16억 원 = 20억 원 × 0.8, ② 20억 원 = 100억 원 × (1－0.8)

• 양도차익: 114억 원 = 150억 원 － 36억 원

15) 「소득세법」 제97조의2 제4항

⇒ 결과적으로 피상속인 보유기간의 양도차익에 대해서는 가업상속공제를 받은 비율만큼 과세가 되고, 상속인 보유기간의 양도차익에 대해서는 모두 과세되는 결과가 된다.

• 양도차익: 114억 원=64억 원+50억 원
  - 피상속인 보유기간 양도차익: 64억 원=80억 원×0.8
  - 상속인 보유기간 양도차익: 50억 원

세법해석 사례 및 판례 등

- 중견기업의 상속개시일 전 3년간의 평균매출액이 3천억 원 이상 해당 여부를 판단할 때 연결재무제표 대상이 되는 종속법인의 매출액은 포함하지 않음(서면-0561, 2017.6.30.).
- 법인가업의 영위기간은 피상속인이 특수관계인의 주식수와 합하여 50% 초과하는 최대주주인 상태를 유지하면서 실제 가업의 경영에 참가한 때부터 기산함(법규재산2013-432, 2014.1.22.).
- 피상속인이 가업을 영위하다 주된 업종을 변경한 경우 가업 영위기간이 10년인지 여부는 업종 변경 후 최초로 재화 또는 용역을 개시한 날부터 10년의 요건을 판단함(기준법령재산-227, 2015.10.28.).
- 피상속인이 같은 업종인 개인기업과 법인기업을 영위하다가 개인사업을 폐업하고 상속개시일 현재 상속인이 법인기업을 상속받는 경우 피상속인이 법인기업을 10년 이상 계속하여 경영하였는지 여부는 법인기업만으로 판단함(법령해석재산-0600, 2016.12.30.).
- 법인전환 후에 동일한 업종을 영위하는 등 가업의 영속성이 유지되는 경우에는 피상속인이 개인사업자로서 가업을 영위한 기간을 포함하여 가업 경영기간을 계산하는 것이며, 이에 해당하는지는 사실판단할 사항임(기획재정부 재산세제과-725, 2019.10.28.).
- 피상속인이 경영하는 기업이 제조 및 도매업을 중단하고 물류창고 운영업으로 주된 업종을 변경한 경우 "피상속인이 10년 이상 계속하여 경영한 기업"은 해당 기업이 주된 업종을 변경한 후 처음으로 재화 또는 용역의 공급을 개시한 때부터 기산하여 피상속인이 10년 이상 계속하여 같은 업종으로 경영한 기업을 말하는 것임(법령해석과-2808, 2015.10.28.).
- 대표이사로 재직한 경우란 피상속인이 대표이사로 선임되어 법인등기부에 등재되고 대표이사직을 수행한 경우를 말함(재산-172, 2011.4.1.).
- 피상속인의 대표이사 재직기간에는 피상속인이 상속인과 공동대표이사(또는 각자 대표이사)로 재직한 기간을 포함함(상속증여-77, 2013.4.26.).

- 「법인세법」을 적용받는 가업의 가업상속재산을 계산하는 경우 법인이 보유하고 있는 금융상품은 법인의 영업활동과 직접 관련이 없이 보유하고 있는 금융상품(취득일부터 만기가 3개월 이내인 금융상품은 제외함)에 해당하는 것이며, 취득일부터 만기가 3개월 이내인 금융상품은 과다보유현금을 판단하는 경우 현금에 포함됨(법령해석과-2534, 2015.10.1.).
- 가업에 해당하는 법인이 보유 중인 자회사가 발행한 주식은 가업상속재산이 아닌 사업무관자산에 해당하는 것임(서면법규과-842, 2014.8.11.)
- 가업상속공제 적용대상 주식 판단 시 영업활동과 직접 관련이 없이 보유하고 있는 주식은 문언 그대로 영업활동과 직접 관련이 있는지 여부만으로 판단해야 하며, 이 사건 쟁점지분은 영업활동과 직접 관련이 있다고 봄이 타당함(대법원 2018두-39713, 2018.7.13.).
- "처분자산과 같은 종류의 자산을 대체 취득하여 가업에 계속 사용하는 경우"는 처분 즉시 처분자산 양도가액 이상의 금액에 상당하는 같은 종류의 자산을 취득하여 가업에 계속 사용하는 경우를 말함(상속증여세과-277, 2020.4.21.).
- 특수관계인에게 해당 법인의 업무와 관련 없이 지급한 가지급금은 「상속세 및 증여세법 시행령」 제15조 제5항 제2호에 따른 사업무관자산에 해당하는 것임(법령해석과-3308, 2020.10.15.).
- 법인이 보유하고 있는 만기가 3개월 이내인 금융상품은 현금에 포함하여 과다보유현금 해당 여부를 판단하는 것이며, 만기가 3개월 초과하는 금융상품은 사업무관자산에 해당하는 것임(서면2018상속증여-2569, 2018.10.31.).
- 「소득세법」을 적용받는 가업의 사업용 자산은 가업에 직접 사용되는 토지, 건축물, 기계장치 등 사업용 비유동자산으로 유형자산 및 무형자산을 말하는 것임(법령해석과-264, 2019.2.7.).
- 가업상속재산과 처분제한재산이 동일한데, 1년 이내 단기간 보유하거나 사업의 필요에 따라 언제든지 처분할 수 있는 자산인 유동자산은 가업상속공제 대상인 사업용 자산에 포함되지 아니한다고 해석함이 타당함(조심2019중-2136, 2019.9.9.).
- 가업상속공제를 적용함에 있어 상속인은 상속개시일 현재 18세 이상이어야 하고, 상속개시일 전에 2년 이상 직접 가업에 종사하여야 하며, 상속세 과세표준 신고기한까지 임원으로 취임하고 상속세 신고기한부터 2년 이내에 대표자로 취임해야 함. 이 경우 1개 가업을 공동상속한 경우 대표자 승계지분에 대해 가업상속공제를 적용함(법령해석과-2473, 2016.7.29.).

- 가업상속공제 대상이 되는 2개 이상의 기업을 상속인 1인이 전부 상속받은 경우 가업상속공제금액은 피상속인이 계속하여 경영한 기간이 가장 긴 기업을 기준으로 적용한 같은 법 제18조 제2항 제1호 가목의 금액을 공제한도로 하여 피상속인이 계속하여 경영한 기간이 긴 기업부터 순차적으로 공제하되, 각 기업별 공제금액은 같은 법 제18조 제2항 제1호 가목에 따른 해당 기업의 경영기간별 공제한도 내에서 공제하는 것임(기획재정부 재산세제과-255, 2014.3.11.).
- 상속인이 상속개시일 전 보유한 기존주식을 처분하는 경우로서 처분 후에도 「상속세 및 증여세법 시행령」 제15조 제3항에 따른 최대주주 등에 해당하는 경우에는 가업상속공제 사후관리 위배에 해당하지 않음(법령해석재산-0930, 2020.11.30.).
- 가업상속공제 사후관리 위반에 따라 상속세를 부과할 때 「소득세법」 제97조의2 제4항에 따라 납부하였거나 납부할 양도소득세가 있는 경우에는 대통령령으로 정하는 바에 따라 계산한 양도소득세 상당액을 상속세 산출세액에서 공제하는 것이나, 고용유지 요건을 충족하지 못해 사후관리를 위반한 이후 상속재산을 양도한 경우에는 「상속세 및 증여세법」 제18조 제11항이 적용되지 않는 것이며, 사후관리 위반 시 상속세에 가산하는 이자상당액은 상속세 과세표준 신고기한의 다음 날부터 사후관리 위반 사유가 발생한 날까지의 기간으로 계산하는 것임(상속증여세과-646, 2020.9.1.).
- 피상속인이 생전에 가업 주식을 '전부' 증여하여 가업승계를 마친 경우에는 오히려 가업승계 과세특례가 적용되지 않아 입법취지에 맞지 않는 불합리한 결과가 초래되는 점 등에 비추어 처분청에서 청구인들이 상속세 신고 시 적용한 가업상속공제를 배제하고 청구인들에게 상속세를 과세한 이 건 처분은 잘못임(조심2020구-1674, 2020.11.23.).
- 쟁점외국인근로자들은 1년 단위의 근로계약을 체결한 한시적 근로자로서 비정규직 근로자로 보이며, 비정규직 근로자로 구분하여 기준고용인원을 산정하면 청구인이 가업상속공제 사후관리 요건을 충족하므로 상속세를 부과한 처분은 잘못임(조심2017중-0872, 2017.8.10.).

2장 상속세의 납부

상속세 납부세액은 상속받은 총 재산가액에서 가업상속공제 등 각종 공제액을 차감한 과세표준에 10~50%의 세율을 적용하여 산출된다. 이렇게 산출된 상속세는 상속세 과세표준신고와 함께 납부하여야 한다. 그런데, 상속재산이 부동산이나 주식 등 단기간 내에 현금화하기 곤란한 경우 고액의 상속세를 일시에 납부하기 어려울 수가 있다. 이에 따라 세금을 원활하게 납부할 수 있도록 분납, 연부연납, 물납 등 다양한 제도를 시행하고 있다. 한편, 상속인 또는 수유자 에게는 상속세를 연대하여 납부하도록 의무를 부여하고 있다.

1절 상속세의 연대납세의무 및 분납과 연부연납

01 상속세 연대납세의무

상속인 또는 수유자는 총 상속세액 중에서 상속재산 중 각자가 받았거나 받을 재산 비율 만큼에 대한 상속세를 납부할 의무를 지는데, 이와 함께 각자가 받았거나 받을 재산을 한도로 연대하여 납부할 의무도 지게 된다.

가. 연대납세의무자: 상속인이나 수유자에게는 상속세를 연대하여 납부할 의무가 있다. 이때, 수유자란 유증[16]을 받은 자 또는 사인증여[17]에 의해 재산을 취득한 자를 말한다.

나. 연대납세의무 한도가액: 납세의무자별로 각자가 받았거나 받을 상속재산을 한도로 하여 상속세를 연대하여 납부할 의무가 있다. 이때, 각자가 받았거나 받을 상속재산이란 상속으로 인하여 얻은 자산에 상속재산에 가산한 사전증여재산의 총액에서 부채총액과 그 상속으로 인하여 부과되거나 납부할

16) 유언자가 유언에 의해 재산을 무상양도하는 단독행위로서 수유자가 유증을 포기할 수 있다.
17) 증여자가 사망하는 경우 증여의 효력이 발생하며 생전에 증여자와 수증자 간에 계약이 있어야 한다.

상속세액 및 상속재산에 가산한 증여재산에 대한 증여세를 공제한 가액을 말한다.

상속재산 + 사전증여재산 - 부채총액 - 상속세액 - 사전증여재산관련 증여세액

다. 연대납세의무 성립요건: 연대납세의무 범위 내에서는 공동상속인 누구에게나 상속세를 징수할 수 있다. 다른 공동상속인이 각자가 납부할 상속세를 납부하지 아니하거나 납세 자력을 상실하는 경우에만 연대납세의무가 성립되는 것은 아니다.

라. 다른 상속인 상속세를 대납할 경우 증여세: 연대납세의무자로서 각자가 받았거나 받을 상속재산 한도 내에서 다른 상속인이 납부해야할 상속세를 대신 납부한 경우 증여세가 과세되지 않는다. 그렇지만, 각자가 받았거나 받을 상속재산을 초과하여 대신 납부한 상속세액에 대하여는 다른 상속인에게 증여한 것으로 보아 증여세가 과세된다.

02 상속세의 분납

상속세 납부금액이 1천만 원을 초과하는 경우에는 아래와 같이 납부할 금액의 일부를 납부기한이 지난 후 2개월 이내에 분할 납부할 수 있다. 다만, 연부연납을 허가받은 경우에는 분납할 수 없다.

① 납부할 세액이 2천만 원 이하: 1천만 원을 초과하는 금액

② 납부할 세액이 2천만 원 초과: 납부할 세액의 50% 이하의 금액

03 상속세의 연부연납[18]

세법해석 사례 및 판례 등

• 연대납세의무는 다른 공동상속인이 각자가 납부할 상속세를 납부하지 아니하거나 납세자력의 상실을 요건으로 성립되는 것이 아니므로 연대납세의무 범위

18) "PART 2 1장 2절 2. 증여세 신고 및 납부" 참조

내에서는 공동상속인 누구에게나 상속세를 징수할 수 있음(재삼46014-435, 1999.3.2.).

- 상속세 연대납세의무자로서 각자가 받았거나 받을 상속재산 한도 내에서 다른 상속인이 납부해야할 상속세를 대신 납부한 경우 증여세가 부과되지 아니하나 각자가 받았거나 받을 상속재산을 초과하여 대신 납부한 상속세액에 대하여는 다른 상속인에게 증여한 것으로 보아 증여세가 과세됨(서면4팀-1543, 2007.5.9.).
- 청구인은 민법 규정에 의하여 상속 포기한 사실이 없으므로 「상속세 및 증여세법」 제3조 제3항의 규정에 의하여 상속세 연대납세의무가 있음(심사상속2013-0007, 2013.7.10.).
- 추정상속재산은 법정상속지분대로 상속받은 것으로 보는 것이고, 상속으로 인해 재산적 권리가 있는 청구권을 취득하였으므로 상속세 연대납세의무가 있음(심사상속2012-0006, 2012.6.1.).
- 상속개시 전 5년 이내에 증여받은 재산의 가액을 포함한 상속재산가액을 한도로 망인의 상속인들에게 부과한 총 상속세를 증여받은 재산을 포함한 총 상속재산가액 중 자신의 상속재산가액이 점유하는 비율에 따라 연대납부해야 함(대법원 2007다1111, 2007.4.26.).
- 납세고지서에 납부할 총세액 등을 기재함과 아울러 공동상속인 각자의 상속재산 점유비율과 그 비율에 따라 산정한 각자가 납부할 상속세액 등을 기재한 연대납세의무자별 고지세액명세서를 첨부하여 공동상속인들 각자에게 고지하였다면 이러한 납세고지는 공동상속인들 각자에게 연대납세의무자별 고지세액명세서에 기재된 각 해당 상속세액을 부과고지함과 아울러 공동상속인들 각자의 고유의 납부의무세액과 다른 공동상속인들과의 연대납부의무세액의 합계액(납세고지서에 기재된 총세액)을 징수고지한 것이 됨(대법원 98두9530, 2001.11.27.).

2절 상속세의 물납

물납이란 세금을 금전이 아닌 부동산 등 다른 재산으로 납부하는 것을 말한다. 종전에는 상속세, 증여세, 종합부동산세, 양도소득세 및 법인세 등에 대해 제한적으로 물납이 허용되었으나 현재는 상속세에 한하여 허용되고 있다. 증여세는 2016.1.1. 이후부터 물납을 할 수 없다.

01 물납 신청의 기본 요건

상속세 물납을 신청하려면 아래의 부동산과 유가증권가액 비율 및 상속세 납부세액요건을 모두 충족해야 한다.

가. 부동산 및 유가증권 가액의 비율 요건: 상속재산 중 물납에 충당할 수 있는 부동산과 유가증권의 가액이 해당 상속재산가액의 2분의 1을 초과해야 한다. 이 경우, 상속재산에는 상속재산에 가산하는 증여재산을 포함하되 상속인 및 수유자가 아닌 자가 받은 증여재산은 제외한다. 아울러, 상속개시일 전 처분재산 등의 증여추정 금액은 포함하지 않는다.

나. 상속세 납부세액 요건

① 2천만 원 초과: 상속세 납부세액이 2천만 원을 초과하여야 한다.

② 금융재산가액 초과: 상속세 납부세액이 상속재산가액 중 금융재산가액을 초과해야 한다. 상속재산가액에는 상속일로부터 10년(상속인) 또는 5년 내(상속인 외의 자)에 증여한 재산가액은 포함하지 않는다. 금융재산가액이란 금전과 금융회사 등이 취급하는 예금 · 적금 · 부금 · 계금 · 출자금 · 특정금전신탁 · 보험금 · 공제금 및 어음을 말한다.

02 물납에 충당할 수 있는 재산의 범위 및 충당 순서

가. 물납에 충당할 수 있는 재산의 범위: 물납에 충당할 수 있는 재산은 아래 ①호 내지 ③호의 요건에 해당하는 부동산 및 유가증권으로 한정된다. 예를 들어, 상속받은 골프회원권은 물납에 충당할 수 없다.

① 부동산: 국내에 소재하는 부동산만 물납이 가능하다.

② 유가증권: 국채 · 공채 · 주권 및 내국법인이 발행한 채권 또는 증권, 신탁업자가 발행하는 수익증권 및 집합투자증권, 종합금융회사가 발행하는 수익증권

③ 물납이 불가능한 유가증권

ㄱ. 한국거래소에 상장된 것. 다만, 최초로 한국거래소에 상장되어 물납허가 통지서 발송일 전일 현재 「자본시장과 금융투자업에 관한 법률」에 따라

처분이 제한된 것은 가능

ㄴ. 비상장주식. 다만, 그 밖의 다른 상속재산이 없거나 선순위[19] 물납충당 가능재산으로 물납에 충당하더라도 부족하면 물납이 가능

나. 물납의 충당 순서: 위의 물납에 충당하는 재산은 세무서장이 인정하는 정당한 사유가 없는 한, 다음 순서에 따라 신청 및 허가해야 한다.

① 국채 및 공채

② 처분이 제한된 상장 유가증권

③ 국내에 소재하는 부동산(다만, ⑥호의 재산은 제외)

④ 내국법인이 발행한 채권 또는 증권(다만, ①호, ②호, ⑤호 재산은 제외)

⑤ 그 밖의 다른 상속재산이 없는 등의 사유로 물납충당이 가능한 비상장주식

⑥ 상속개시일 현재 상속인이 거주하는 주택 및 그 부수토지

03 물납세액의 범위

상속세 납부세액이 물납을 신청할 수 있는 요건에 해당되더라도 최대한 현금납부를 유도하기 위해 실제 물납할 수 있는 세액은 일정한 범위 내로 한정하고 있다.

(1) 물납할 수 있는 상속세액의 한도

물납 신청 세액은 다음 ①호 또는 ②호의 금액 중 적은 금액을 초과할 수 없다. 다만, 상속재산인 부동산 및 유가증권 중 납부세액을 납부하는데 적합한 가액의 물건이 없을 때[20]에는 해당 세액을 초과하는 세액에 대해서도 물납을 허가할 수 있다.

① 상속재산 중 물납에 충당할 수 있는 부동산 및 유가증권의 가액에 대한 상속세액

19) 물납 충당 순서 ①~③호에 따른 재산을 말한다.

20) 예를 들어, 물납한도 납부세액이 10억 원인데 평가액이 10억 원인 부동산이 없을 경우

② 상속세 납부세액에서 상속재산 중 금융재산의 가액(금융회사 등에 대한 채무를 차감한 금액)과 거래소에 상장된 유가증권(처분이 제한된 것은 제외)의 가액을 차감한 금액

〈물납 신청 가능한 세액의 한도: MIN(①, ②)〉

① 상속세 납부세액 × $\frac{\text{물납에 충당할 수 있는 부동산 및 유가증권의 가액}}{\text{상속재산}}$

② 상속세 납부세액 - 금융재산가액-상장유가증권가액(처분제한된 것은 제외)

(2) 관리 · 처분 부적당한 재산관련 납부세액 제외

상속개시일 이후 물납 신청 이전까지의 기간 중에 당해 상속재산이 정당한 사유없이 관리 · 처분이 부적당한 재산으로 변경되는 경우에는 당해 관리 · 처분이 부적당한 가액에 상당하는 상속세 납부세액은 물납을 청구할 수 있는 납부세액에서 제외한다.

(3) 비상장주식 등의 물납가능 범위

비상장주식은 다른 상속재산이 없거나 선순위 재산으로 물납에 충당하더라도 부족한 경우에 물납이 가능하다. 그러나 그 경우에도 상속세 납부세액에서 상속세 과세가액을 차감한 금액 한도 내에서만 비상장주식으로 물납할 수 있다. 이때 상속세 과세가액은 비상장주식 등과 상속개시일 현재 상속인이 거주하는 주택 및 그 부수토지의 가액(해당 자산에 담보된 채무를 차감한 가액)을 차감한 금액을 말한다. 이렇게 하는 이유는 비상장주식을 제외한 다른 재산으로도 상속세 납부가 가능하다고 보기 때문이다.

상속세 납부세액이 50억 원이고 상속재산이 아래와 같은 경우 비상장주식의 물납가능 범위액은,

상속재산 200억 원: 토지 40억 원(근저당 설정 1억 원), 비상장주식 140억 원, 물납대상 아닌 기타상속재산 20억 원

⇨ 0원 = 상속세 납부세액 50억 원-59억 원(토지+기타상속재산)

04 물납의 신청 및 허가

(1) 물납 신청

가. 물납 신청기한

① 법정신고기한 내 자진신고 시: 상속세 과세표준 법정신고기한, 즉 상속개시일이 속하는 달의 말일부터 6개월 이내

② 수정신고 시: 수정신고서를 제출하는 때

③ 기한 후 신고 시: 기한 후 신고서를 제출하는 때

④ 과세표준과세액결정통지 시: 결정통지에 따른 해당 납세고지서상 납부기한

나. 연부연납세액의 물납 신청

① 신청기한: 연부연납 시 분납세액에 대해 물납하려는 경우에는 분납세액의 납부기한 30일 전까지 신청할 수 있다.

② 물납 신청세액의 범위: 원칙적으로, 첫 회분의 분납세액에 대해서만 물납이 가능하나 소비성서비스업[21]을 제외한 사업을 영위하는 중소기업자는 예외적으로 5회분의 분납세액까지 물납이 가능하다. 다만, 연부연납가산금에 대해서는 물납을 신청할 수 없다. 종전에는 모든 회차의 분납세액에 대해 물납 신청이 가능했으나, 이미 장기간의 분납편의를 제공하고 있음을 감안하여 물납 신청은 최소화하도록 2013년 2월 15일 개정되었다.

다. 물납 신청의 철회: 물납을 신청한 납세자는 물납이 허가되기 전에 신청한 물납재산이 관리 · 처분이 부적당한 재산에 해당하는 경우에는 물납 신청 철회신청서를 납세지 관할 세무서장에게 제출하여야 한다.

(2) 물납허가

가. 물납허가 기한: 다음의 기한 이내에 신청인에게 허가 여부를 서면으로 통지해야 하며, 해당 기한까지 서면을 발송하지 않은 경우에는 허가를 한

21) 호텔업 및 여관업(관광진흥법에 따른 관광숙박업은 제외), 주점업(일반유흥, 무도유흥, 단란주점업만 해당하되 관광진흥법에 따른 외국인전용유흥음식점 및 관광유흥음식점은 제외), 그 밖에 오락 · 유흥을 목적으로 하는 사업

것으로 본다.

① 법정신고기한 내 신고 시: 상속세 신고기한부터 9개월

② 수정 · 기한 후 신고 시: 신고일이 속하는 달의 말일부터 9개월

③ 과세표준과세액결정통지 시: 납부기한 경과일부터 14일

④ 연부연납 분납세액: 물납 신청일로부터 14일

나. 물납허가 기한의 연장: 물납 신청한 재산의 평가 등에 소요되는 시일을 감안하여 그 기간을 연장하고자 하는 때에는 그 기간 연장에 관한 서면을 발송하고 1회 30일의 범위내에서 연장할 수 있다. 이 경우 해당 기간까지 그 허가 여부에 대한 서면을 발송하지 아니한 때에는 허가를 한 것으로 본다. 다만, 물납을 신청한 재산이 「국유재산법」에서 제한하고 있는 사권이 설정되어 국유재산으로 취득할 수 없는 재산인 경우에는 자동허가 규정을 적용하지 않는다.

다. 물납재산의 수납: 물납을 허가하는 때에는 그 허가를 한 날부터 30일 이내의 범위에서 물납재산의 수납일을 지정하여야 한다. 이 경우 물납재산의 분할 등의 사유로 해당 기간 내에 물납재산의 수납이 어렵다고 인정되는 경우에는 1회에 한하여 20일 이내의 범위에서 물납재산의 수납일을 다시 지정할 수 있다. 그러나 물납재산의 수납일까지 물납재산의 수납이 이루어지지 아니하는 때에는 해당 물납허가는 그 효력을 상실한다.

라. 재산을 분할하여 물납하는 경우: 재산을 분할하거나 재산의 분할을 전제로 하여 물납 신청을 하는 경우에는 물납을 신청한 재산의 가액이 분할 전보다 감소되지 아니하는 경우에만 물납을 허가할 수 있다.

05 관리 · 처분이 부적당한 재산의 물납 및 물납변경

세무서장은 물납 신청을 받은 재산이 다음과 같이 저당권이 설정되는 등 관리 · 처분상 부적당하다고 인정하는 경우에는 그 재산에 대한 물납을 허가하지 않거나 관리 · 처분이 가능한 다른 물납대상 재산으로 변경을 명할 수 있다. 이 경우 그 사유를 납세의무자에게 통보해야 한다. 유가증권의 경우

매각이 곤란하여 국고손실 가능성이 높은 경우 물납을 허가하지 않도록 2020.2.11. 신청분부터 불허요건이 보완 시행되었다.

가. 국내에 소재하는 부동산의 경우

① 지상권 · 지역권 · 전세권 · 저당권 등 재산권이 설정된 경우

② 물납 신청한 토지와 그 지상건물의 소유자가 다른 경우

③ 토지의 일부에 묘지가 있는 경우

④ 건축허가를 받지 아니하고 건축된 건축물 및 그 부수토지

⑤ 소유권이 공유로 되어 있는 재산

⑥ ④ 또는 ⑤와 유사한 것으로 국세청장이 인정하는 것

만약, 물납 신청 토지 위에 물납대상이 아닌 건물이 있는 경우에는 건물을 국가에 기부채납하거나 철거하여 그 토지의 관리 · 처분이 용이하다고 인정되는 경우에 물납을 허가할 수 있다.

나. 국채 · 공채 · 주권 및 내국법인이 발행한 채권 등 유가증권의 경우

① 유가증권을 발행한 회사의 폐업 등으로 사업자등록을 말소한 경우

② 유가증권을 발행한 회사가 파산사유가 발생하거나 회생절차 중에 있는 경우

③ 유가증권을 발행한 회사의 물납 신청일 전 2년 이내 또는 물납 신청일부터 허가일까지의 기간이 속하는 사업연도에 결손금이 발생한 경우. 다만, 관할 세무서장이 한국자산관리공사와 공동으로 물납재산의 적정성을 조사하여 물납을 허용하는 경우는 제외한다.

④ 유가증권을 발행한 회사가 물납 신청일 전 2년 이내 또는 물납 신청일부터 허가일까지의 기간이 속하는 사업연도에 「주식회사 등의 외부감사에 관한 법률」에 따른 회계감사 대상임에도 불구하고 감사인의 감사보고서가 작성되지 않은 경우

⑤ 「자본시장과 금융투자업에 관한 법률」에 따라 상장이 폐지된 주식

⑥ ⑤호와 유사한 것으로 국세청장이 인정하는 것

다. 물납재산의 변경: 물납 신청 재산이 관리 · 처분이 부적당하다고 인정되어 물납재산의 변경명령을 받은 자는 그 통보를 받은 날부터 20일 이내(납세 의무자가 국외에 주소를 둔 때에는 3월)에 상속재산 중 물납에 충당하고자 하는 다른 재산의 명세서를 첨부하여 관할 세무서장에게 신청하여야 한다. 물납재산 변경신청 기간 내에 신청을 하지 않는 경우 당해 물납 신청은 효력을 상실한다. 한편, 물납을 허가하고 나서 물납재산의 수납일까지의 기간 중에 관리 · 처분이 부적당하다고 인정되는 사유가 발견되는 때에는 다른 재산으로의 변경을 명할 수 있다.

06 물납재산의 수납가액 결정

가. 원칙: 물납에 충당할 부동산 및 유가증권의 수납가액은 아래의 경우 외에는 「상속세 및 증여세법」에 따라 평가한 상속재산 가액으로 한다.

나. 상속개시일 이후 신주 발행의 경우 등: 상속개시일부터 수납할 때까지의 기간 중에 해당 주식을 발행한 법인이 신주를 발행하거나 주식을 감소시킨 때에는 희석효과를 감안하여 기획재정부령[22]이 정하는 산식으로 평가한 가액으로 한다. 다만, 공모증자를 하거나 특별법에 따라 증자하는 경우 신주를 발행할 때는 「상속세 및 증여세법」상 평가액으로 수납한다.

예 유상으로 주식을 발행한 경우

$$\text{구주식 1주당 수납가액} = \frac{\text{구주식 1주당 과세가액} + (\text{신주 1주당 주금납입액} \times \text{구주식 1주당 신주배정수})}{1 + \text{구주식 1주당 신주배정수}}$$

다. 연부연납세액을 물납하는 경우: 연부연납기간 중 분납세액에 대하여 물납에 충당하는 부동산 및 유가증권의 수납가액은 상속세 과세표준과 세액의 결정 시 해당 부동산 및 유가증권에 대하여 적용한 평가방법에 따라 다음 어느 하나에 해당하는 가액으로 한다.

22) 「상속세 및 증여세법」 시행규칙 제20조의2(물납에 충당한 재산의 수납가액의 결정)

①「상속세 및 증여세법」 제60조 제2항에 따라 시가로 상속세 과세가액을 산정한 경우에는 물납허가통지서 발송일의 전일 현재 같은 항에 따라 평가한 가액

②「상속세 및 증여세법」 제60조 제3항에 따라 보충적 평가방법으로 상속세 과세가액을 산정한 경우에는 물납허가통지서 발송일의 전일 현재 같은 항에 따라 평가한 가액

라. 유가증권의 가액이 30% 이상 하락한 경우: 물납에 충당할 유가증권의 가액이 평가기준일부터 물납허가통지서 발송일 전일까지의 기간(물납기간이라 함) 중에 정당한 사유없이 다음 하나에 해당하는 사유로 해당 유가증권의 가액이 평가기준일 현재의 상속재산의 가액에 비하여 100분의 30 이상 하락한 경우에는 위 다.항 ①, ②의 가액을 수납가액으로 한다. 이 경우 물납 신청한 유가증권(물납 신청한 것과 동일한 종목의 유가증권을 말함)의 전체 평가액이 물납 신청세액에 미달하는 경우로서 물납 신청한 유가증권 외의 상속받은 다른 재산의 가액을 합산하더라도 해당 물납 신청세액에 미달하는 경우에는 해당 미달하는 세액을 물납 신청한 유가증권의 전체 평가액에 가산한다.

① 물납기간 중 유가증권을 발행한 회사가 합병 또는 분할하는 경우

② 물납기간 중 유가증권을 발행한 회사가 주요재산을 처분하는 경우

③ 물납기간 중 유가증권을 발행한 회사의 배당금이 물납을 신청하기 직전 사업연도의 배당금에 비하여 증가한 경우 등

④ 위 ①부터 ③까지의 사유와 유사한 사유로서 유가증권의 수납가액을 재평가할 필요가 있다고 기획재정부령으로 정하는 경우(현재 규정은 없음). 물납을 신청한 납세자가 위의 사유가 발생하는 경우에는 물납재산 수납가액 재평가를 신청해야 한다.

마. 상속재산에 가산하는 증여재산의 수납가액: 상속재산에 가산하는 증여재산은 증여시점의 가액이 아닌 상속개시일 현재를 기준으로 「상속세 및 증여세법」에 따라 평가한 가액(시가 또는 보충적 평가액)으로 한다.

07 물납재산의 환급

가. 상속세 부과를 취소한 경우: 상속세를 물납한 후 그 부과의 전부 또는 일부를 취소하거나 감액하는 경정결정에 따라 환급하는 경우에는 원칙적으로 해당 물납재산으로 환급해야 한다.

① 환급순서: 물납재산의 환급은 납세자가 신청한 순서에 따라 환급하되, 신청이 없는 경우에는 물납에 충당하는 재산에 대한 허가 순서의 역순으로 환급한다.

② 환급가산금: 물납재산 환급 시에는 국세환급가산금은 지급하지 아니한다.

나. 물납재산이 이미 매각된 경우 등: 물납재산이 매각되었거나 다른 용도로 사용되는 경우 등 다음의 하나에 해당되는 경우에는 금전으로 환급하여야 한다.

① 해당 물납재산의 성질상 분할하여 환급하는 것이 곤란한 경우

② 해당 물납재산이 임대 중이거나 다른 행정용도로 사용되고 있는 경우

③ 사용계획이 수립되어 해당 물납재산으로 환급하는 것이 곤란하다고 인정되는 경우 등 국세청장이 정하는 경우

다. 물납재산에서 발생한 과실 등: 물납재산을 환급하는 경우 물납재산이 수납된 이후 발생한 법정과실 및 천연과실은 환급하지 아니하고 국가에 귀속된다.

세법해석 사례 및 판례 등

• 상속세 물납 신청 요건 중 「상속세 및 증여세법」 제73조 제1항 제3호의 상속세 납부세액이 상속재산가액 중 금융재산의 가액을 초과하여야 하는 규정 적용 시 상속재산가액에 사전증여재산가액을 포함하지 않는 것임(기획재정부 재산세제과-248, 2017.3.27.).

• 물납에 충당할 수 있는 비상장주식에 해당하는지 여부를 판단하기 위한 「상속세 및 증여세법 시행령」 제74조 제1항 제2호 나목의 "상속재산"에는 사전증여재산이 포함됨(법령해석과-3529, 2017.12.6.).

- 비상장주식 외에 예금, 부동산, 전환사채를 상속받았고 부과된 상속세는 상속받은 예금으로 모두 납부할 수 있는 경우, 「상속세 및 증여세법」 제73조에 따른 물납을 신청할 수 있는 유가증권에는 비상장주식이 포함되지 않는 것임(법령해석과-946, 2016.3.25.).
- 골프회원권은 물납에 충당할 수 있는 재산에 포함되지 않음(재삼46014-165, 1998.2.2.).
- 물납대상재산이 토지인 경우 그 토지의 가액이 세액을 초과하는 때에는 필지를 분할하여 물납을 신청할 수 있음(재삼46330-1728, 1996.7.22.).
- 증여받은 부동산이 수용되어 보상받은 채권은 증여받은 부동산에 해당하지 않으므로 물납대상 재산이 아님(재경원 재산46014-333, 1997.9.26.).
- 상속세 물납 신청할 수 있는 세액의 한도를 계산할 때 상속재산에는 피상속인이 상속개시일 전 10년 이내에 상속인에게 증여하여 같은 법 제13조 제1항에 따라 상속재산에 가산하는 사전증여재산가액을 포함함(서면2018상속증여-2983, 2019.6.19.).
- 비상장주식으로 물납할 수 있는 납부세액은 상속세 납부세액에서 상속세 과세가액을 차감한 금액을 초과할 수 없으며 이때 상속세 과세가액은 비상장주식 등과 상속개시일 현재 상속인이 거주하는 주택 및 그 부수토지의 가액을 말함. 이 경우 상속세 과세가액에서 차감하는 비상장주식 등에는 피상속인이 상속개시일 전 10년 이내에 상속인에게 증여하여 같은 법 제13조 제1항에 따라 상속재산에 가산하는 사전증여재산가액이 포함됨(법령해석과-1688, 2019.6.28.).
- 물납 신청을 받은 세무서장은 상속재산이 물납 신청 토지 위에 물납대상이 아닌 건물이 있는 경우 건물을 국가에 기부채납하거나 철거하여 그 토지의 관리·처분이 용이하다고 인정되는 경우 물납을 허가할 수 있음(재삼460174-2367, 1996.10.18.).
- 소유권이 공유로 되어 있는 사실만으로 관리·처분이 부적당하다고 단정할 수 없으나, 해당 재산이 이와 같은 경우 관리·처분이 부적당하여 물납이 거부되는지는 관할 세무서장이 사실관계 등을 확인하여 판단할 사항임(법령해석과-1646, 2017.6.14.).
- 납세의무자가 국외에 주소를 둔 때라 함은 물납에 대한 변경명령을 받은 후 새로이 물납에 충당하고자 하는 물건의 소유주가 국외에 주소를 둔 때를 말함(재삼46014-1898, 1997.8.4.).

Part 4

개인사업의 승계

법인사업을 승계할 때는 대표님이 소유한 주식을 양도하거나 증여 또는 상속을 하면 되는데, 개인사업은 어떤 방법으로 승계를 해야 할까. 엄밀히 말하면 개인사업을 완벽하게 승계하는 것은 어렵다. 법인사업은 법인이라는 실체는 유지되면서 주주가 바뀜으로써 승계가 된다고 보는 것이지만, 개인사업은 사업을 운영하던 개인이라는 실체는 사라지고 새로운 대표님이 새로운 사업을 하는 것이기 때문이다. 즉, 대표님이 자녀에게 가업을 승계하려면 대표님은 폐업을 하고 자녀는 다시 개업을 하거나, 대표님이 사망하였을 경우에는 명의 변경 절차를 거쳐야 한다. 따라서, 법인사업은 대표님이 주식을 자녀에게 이전하는 절차를 통해 가업을 승계하는 것과는 달리 개인사업의 경우에는 사업자가 기존에 사업용으로 사용하던 유형 · 무형의 자산을 자녀에게 일일이 양도, 증여, 상속의 방법으로 이전함으로써 개인사업자의 가업승계가 이루어지게 된다. 또한, 위 가업상속공제 편에서 알아본 바와 같이 개인사업자의 경우에도 정해진 요건에 맞으면 가업상속공제 적용이 가능하다. 한편, 개인사업자의 사업용 자산이나 매출규모가 적은 경우에는 양도, 증여 등의 절차 없이 기존 개인사업자가 폐업하고 자녀가 그 자리에서 사업자등록을 함으로써 손쉽게 가업승계가 가능하다. 이하에서는 단순 개업과 폐업으로는 승계가 어려운 상황일 때를 중심으로 어떤 방법으로 가업을 승계할지에 대해 알아본다.

양도를 통한 승계

대표님이 운영하는 개인사업을 폐업하면서 운영하던 사업장이 소재한 사업용 부동산과 그 사업장에서 사업용으로 사용하고 있는 기계장치 등 고정자산과 재고자산, 그리고 영업권 등 무형자산을 자녀에게 양도하는 방법을 생각해 볼 수 있다. 만약, 사업장을 임차하여 사용하고 있다면 임차권을 양도하는 것도 포함하여 세금문제를 고려해야 한다. 사업용 자산을 양도하면 양도소득세뿐만 아니라 부가가치세나 종합소득세도 내야 한다. 다만, 사업에 관한 모든 권리와 의무를 포괄적을 양도하는 경우 부가가치세를 내지 않는다.

1절 사업용 자산 양도 시 납부하는 세금

사업용 자산을 양도하는 경우 양도자는 부가가치세, 양도소득세, 종합소득세와 양도소득 또는 종합소득에 대해 지방소득세를 내야 한다. 지방소득세는 종합소득세 또는 양도소득세의 10%로 보면 된다.

01 부가가치세

가. 과세대상: 사업용으로 사용하던 건물, 기계장치, 재고자산 등 재화 및 영업권 등은 부가가치세 과세대상이므로 이를 양도할 경우 부가가치세를 납부해야 한다. 토지를 양도하는 것에 대해서는 부가가치세가 과세되지 않는다. 다만, 부가가치세가 과세되는 경우라고 하더라도 사업장별로 그 사업에 관한 모든 권리와 의무를 포괄적으로 승계시키는 '사업의 양도'에 해당되는 경우에는 재화의 공급으로 보지 않아 부가가치세가 과세되지 않는다. 이에 대해서는 뒤에서 자세히 설명한다.

나. 부가가치세 공급가액 산정: 자녀에게 사업을 양도할 때 양도자산인 재화의 공급가액을 얼마로 산정할 것인가가 문제가 된다. 부가가치세법에서는

공급가액은 기본적으로 금전으로 대가를 받는 경우 그 대가를 공급가액으로 하나, 특수관계인에게 재화를 공급하면서 부당하게 낮은 대가를 받거나 아무런 대가를 받지 아니함으로써 조세의 부담을 부당하게 감소시킬 것으로 인정되는 경우에는 그 자산의 시가를 공급가액으로 보아 부가가치세가 과세된다. 이때 부당하게 낮은 대가가 시가에 비해 얼마나 낮은 가액인지 규정하고 있지는 않으나.[1] 이와 관련하여 헌재에서는 과세요건 명확주의 원칙에는 반하지 않는다고 판시[2]하고 있다. 시가는 사업자가 특수관계인이 아닌 불특정 다수인과 계속적으로 거래한 가격 또는 특수관계인이 아닌 제3자 간에 일반적으로 거래된 가격이며, 시가가 불분명한 경우에는 감정평가업자가 감정한 가액과 「상속세 및 증여세법」상 보충적 평가액을 공급가액으로 적용한다.

다. 사업양도자의 부가가치세 신고: 사업을 양도하고 폐업한 사업자는 폐업일이 속하는 과세기간의 개시일로부터 폐업일까지의 과세기간분에 대해 폐업일이 속하는 달의 다음 달 25일 이내에 부가가치세 확정신고를 해야 한다.

02 양도소득세

가. 과세대상: 양도소득세 과세대상은 주로 토지, 건물 등이 해당되며 기계장치나 상품은 양도소득세 과세대상이 아니다. 사업에 사용하는 토지나 건물 등과 함께 양도하는 영업권도 양도소득세가 과세된다. 이 경우 영업권에는 영업권을 별도로 평가하지 아니하였으나 사회통념상 영업권이 포함되어 양도된 것으로 인정되는 것과 행정관청으로부터 인가·허가·면허 등을 받음으로써 얻는 경제적 이익을 포함한다. 다만, 영업권을 단독으로 양도하는 경우에는 기타소득세가 과세된다.

나. 양도자산가액 산정: 부가가치세 측면에서 사업용 자산, 즉 재화의 공급가액을 얼마로 할 것인가를 검토했던 것과 마찬가지로 자녀에게 사업을

1) 「소득세법」은 시가와 거래가액의 차액이 3억 원 이상이거나 시가의 100분의 5 이상인 경우로 규정하고 있다.

2) 2000헌바81, 2002.5.30.

양도할 때는 양도소득세 측면에서 사업용 자산의 양도가액을 얼마로 산정할 것인가가 문제가 된다. 소득세법에서는 양도소득이 있는 거주자의 행위 또는 계산이 그 거주자의 특수관계인과의 거래로 인하여 그 소득에 대한 조세의 부담을 부당하게 감소시킨 것으로 인정되는 경우 시가에 의해 양도차익을 계산하도록 하고 있다. 조세의 부담을 부당하게 감소시킨 것으로 인정되는 경우라 함은 특수관계인으로부터 시가보다 높은 가격으로 자산을 매입하거나 특수관계인에게 시가보다 낮은 가격으로 자산을 양도하는 때 등을 말하는데, 다만 시가와 거래가액의 차액이 3억 원 이상이거나 시가의 5%에 상당하는 금액 이상인 경우로 한정한다. 시가는 「상속세 및 증여세법」을 준용하여 평가한 가액에 따른다. 부동산의 경우 매매사례가액이나 감정가액 등을 시가로 보고 시가가 없는 경우에는 보충적 평가액을 적용한다.

다. 양도소득세 신고: 양도소득세는 양도일이 속하는 달의 말일부터 2월 내에 신고하여야 한다. 즉, 7월 1일에 양도하였다면 9월 30일이 신고기한이 된다.

03 종합소득세

사업용 고정자산을 처분하면서 발생한 손익은 최근까지 종합소득세 과세대상이 아니었다가 2018.1.1. 이후부터 과세대상에 포함되었다. 복식부기 의무자가 사업용 유형고정자산을 양도하는 경우 양도가액을 총수입금액에 산입하고 양도 당시 장부가액을 필요경비에 산입한다. 다만, 토지 및 건물 등 양도소득세 과세대상인 유형자산은 종합소득세 과세대상이 아니다. 대상 유형자산은 다음과 같으며, 「건설기계관리법 시행령」 별표1에 따른 불도저, 굴착기 등 건설기계는 2018.1.1. 이후 취득한 경우로 한정한다.

- 차량 및 운반구, 공구, 기구 및 비품
- 선박 및 항공기, 기계 및 장치, 동물과 식물
- 위와 유사한 유형자산

세법해석 사례 및 판례 등

- "부당하게 낮은 대가"란 것은 "정당하지 않거나 이치에 맞지 않게 낮은 대가" 혹은 "현저하게 낮은 대가"라는 의미로 일상생활에서 사용되는 용어로서, 일반인의 관점에서 부가가치세 대상으로 예정하고 있는 행위의 범위를 예측할 수 있으며 과세관청의 자의적 적용가능성도 크지 않다고 보여진다. 즉 이는 통상의 상거래에서 있을 수 있는 시가와의 편차를 넘어서서 훨씬 더 낮은, 즉 거래관행에 비추어 객관적으로 조세회피의 의도가 인식될 정도의 것으로서, 합리적인 경제적 관점에서 볼 때 지나치게 낮은 것을 의미한다고 볼 수 있다. 한편 법원의 판례에 의하여 예측가능성이 더 확보될 수도 있으며, 입법기술적으로 보다 확정적인 문구의 선택도 쉽게 예상된다고 하기 어렵다. 따라서 이 사건 조항은 과세요건 명확주의 원칙에 반하지 아니한다. 한편, 이 사건 조항이 법인세, 소득세법 등의 다른 유사한 부인제도보다도 더 추상적으로 규정되어 있다 하더라도 「법인세법」과 「소득세법」상의 해당 규정과 「부가가치세법」의 해당 규정은 서로 성격이 다르므로 동일한 차원에서 평면적으로 비교하는 것은 적절치 않으므로, 평등권을 침해한다거나 조세평등주의에 반한다 할 수 없고 나아가 재산권을 침해하는 것이라고도 볼 수 없음(2000헌바81, 2002.5.30.).
- 사업용 고정자산과 함께 양도하는 영업권은 양도소득세 과세대상으로 규정하고 있는 것으로 지급받은 권리금은 부동산과 함께 양도한 보육권에 대한 대가라 할 것이므로 고정자산과 함께 양도한 권리금으로 보아 과세한 처분은 잘못이 없음(조심2011서3329, 2011.11.16.).

2절 '사업의 양도'에 해당되면 부가가치세를 내지 않는다

'사업의 양도'는 사업장별로 사업용 재산을 비롯한 물적 · 인적 시설 및 권리의무 등을 포괄적으로 양도하여 사업의 동일성을 유지하면서 경영 주체만을 교체시키는 것을 말한다. '사업의 양도'는 재화의 공급으로 보지 않으므로 부가가치세가 과세되지 않는다. '사업의 양도'에 대해 부가가치세를 과세하지 않는 것은 특정 재화의 개별적 공급을 과세요건으로 하는 부가 가치세의 본질적 성격에 맞지 않으며 일반적으로 그 거래금액과 그에 관한 부가가치세액이 크고 양수자는 거의 예외 없이 매입세액을 공제받을 것이 예상되는데 이와 같은 거래에 대하여도 매출세액을 징수하도록 하는 것은 사업양수자에게 불필요한 자금압박을 주게 된다는 점을 고려한 조세 및 경제정책상의 이유 때문이다.[3)]

01 사업양도로 보는 요건

사업의 양도는 사업장별로 모든 권리와 의무를 포괄적으로 승계시키는 것이라는 단순한 요건을 갖추면 되는 것으로 규정되어 있으나, 실제 사례가 사업의 양도에 해당되는지에 대해서는 다양한 해석과 판례가 존재하고 있어 면밀한 검토가 필요하다. 아울러, 사업의 양도에 해당되는 것으로 판단해서 세금계산서를 발행하지 않고 부가가치세를 신고하지 않았는데 나중에 사업의 양도에 해당되지 않는 것으로 확인되어 부가가치세가 추징되는 경우가 있으니 사업의 양도에 해당되는지 판단이 애매한 때에는 후술하는 부가가치세 대리납부제도를 활용하여 부가가치세를 납부하는 것이 안전하다.

(1) 사업장별로 승계

사업별 승계가 아니라 사업장별로 승계해야 하는 것이 원칙이다. 다만, 상법에 따라 분할하거나 분할합병 하는 경우에는 같은 사업장 안에서 사업부문별로 구분하는 경우도 포함한다. 사업의 양도는 사업장별로 사업의 양도인이 양수인에게 사업시설뿐만 아니라 그 사업에 관한 일체의 인적 · 물적 권리와 의무를 양도하여 양도인과 동일시되는 정도로 법률상의 지위를 그대로 승계시키는 것을 말한다.

3) 대법원 2007두2395, 2008.8.21.

- 재화의 공급으로 보지 아니하는 사업의 양도는 사업장별로 사업의 양도인이 양수인에게 모든 사업시설뿐만 아니라 그 사업에 관한 일체의 인적·물적 권리와 의무를 양도하여 양도인과 동일시되는 정도로 법률상의 지위를 그대로 승계시키는 것으로, 한 사업장에서 영위하던 둘 이상의 사업 중 일부 사업만을 양도하는 경우에는 사업의 양도에 해당하지 아니하는 것임(부가가치세과-2728, 2016.12.21.).
- 자신의 건물(사업장)에서 도매업과 부동산임대업을 영위하는 개인사업자가 토지와 건물을 제외하고 도매업 사업부문에 관한 모든 권리(영업권 포함)와 의무를 법인에게 포괄적으로 승계하는 경우 사업의 양도에 해당하지 아니하는 것임(법령해석과-2691, 2018.10.11.).
- 사업자가 각 호별로 구분등기된 아파트형 공장 건물 22층 1~10호를 하나의 사업자번호로 등록하여 임대하면서 10호 전체를 하나의 임차인에게 임대하던 중에 1~4호에 대한 임대차계약 및 임대보증금 등 임대사업에 관한 모든 권리와 의무는 (주)ㅇㅇ에 포괄적으로 승계시키고, 5호~10호에 대한 임대차계약 및 임대보증금 등 임대사업에 관한 모든 권리와 의무는 ▽▽(주)에 포괄적으로 승계시키는 경우 해당 사업의 양도는 각각 사업양도에 해당하는 것임(법령해석과-3942, 2016.12.2.).
- 사업자가 제조업과 임대업에 사용하던 부동산을 양도하여 기존 임차인과의 임대차계약과 용역업체와의 건물관리계약을 모두 승계시키고, 제조업은 양수인과 임대차계약을 체결하여 임차인의 지위에서 계속 영위하는 경우 해당 부동산의 양도는 사업양도에 해당하지 아니하는 것임(법규부가 2012-217, 2012.7.18.).

(2) 사업에 관한 모든 권리와 의무를 포괄적으로 승계

사업에 관한 모든 권리와 의무를 포괄적으로 승계시켜야 한다. 다만, 승계받은 사업 외에 양수자가 새로운 사업의 종류를 추가하거나 사업의 종류를 변경한 경우를 포함하며, 다음 각호의 것을 포함하지 않고 승계한 경우도 사업을 승계한 것으로 본다.

가. 미수금 및 미지급금 등: 미수금 또는 미지급금은 그 명칭에 관계없이 사업의 일반적인 거래 외에서 발생한 미수채권, 미지급채무를 말하는 것이며,

외상매출금 및 외상매입금을 제외하여도 사업의 양도로 본다는 해석 사례가 다수 있다.

나. 해당 사업과 직접 관련이 없는 토지와 건물: 사업장용 토지와 건물은 일반적으로 사업의 가장 중요한 구성요소이나, 사업과의 직접 관련성 여부를 따져 관련이 없는 토지 건물은 제외하여도 사업의 포괄양도로 보고 있다.

① 사업양도자가 법인인 경우: 업무에 직접 사용하지 않는 부동산 등[4)]

② 사업자가 법인이 아닌 사업자인 경우: 위에 준하는 자산

세법해석 사례 및 판례 등

- 사업장별로 사업용 자산을 비롯한 물적·인적설비 및 권리, 의무 등을 포괄적으로 양도하여 사업의 동일성을 유지하면서 경영주체가 교체된 것이라면 일부 자산과 부채가 제외되었다 하더라도 「부가가치세법」 제6조 제6항 제2호의 사업의 양도에 해당되는 것임(부가가치세과-2726, 2016.12.21.).
- 사업자 단위 과세 사업자로 등록을 하고 2 이상의 사업장에서 도·소매업과 부동산임대업을 영위하던 법인사업자가 부동산임대 사업장을 양도하면서 금융기관 차입금 및 도·소매업과 부동산임대업에 공통으로 종사하던 경리 직원 1인을 제외하고 그 사업에 관한 주요 권리와 의무를 포괄적으로 승계시켜 사업의 동일성이 유지되는 경우에는 사업의 양도에 해당하는 것임(법령해석과-1857, 2020.6.17.).
- 전력생산업을 영위하는 법인이 소수력발전소를 양도하면서 미수금, 미지급금, 금융기관 차입금 일부, 종업원 일부 및 화재보험 등을 제외하고 사업용 토지 및 건물, 유·무형자산, 재고자산, 전기발전사업허가권 등의 권리, 거래처 정보 등 그 사업에 관한 주요 권리와 의무를 포괄적으로 승계시켜 사업의 동일성이 유지되는 경우에는 「부가가치세법」 제10조 제9항 제2호 및 같은 법 시행령 제23조에 따라 재화의 공급으로 보지 아니하는 사업의 양도에 해당하는 것임(법령해석과-2795, 2019.10.24.).

(3) 사업의 동일성 유지

사업양수자가 승계받은 사업 외에 새로운 사업의 종류를 추가하거나 사업의 종류를 변경한 경우도 사업의 양도에 포함된다. 그러나 사업양도 시점에는

4) 「법인세법 시행령」 제49조에 규정하고 있는 업무와 관련이 없는 자산

양도인과 양수인의 사업 간에 동일성이 유지되어야 하는 것으로 해석되고 있음에 유의해야 한다.

세법해석 사례 및 판례 등

- 사업의 양도라 함은 사업장별로 그 사업에 관련된 모든 권리와 의무 및 인적·물적 시설을 포괄적으로 양도하여 사업의 동일성을 유지하면서 경영주체만을 교체시키는 것을 의미하는 것인바, 이때 양수자가 승계받은 사업 외에 새로운 사업의 종류를 추가하거나 사업종류를 변경하는 경우에도 이를 사업의 양도에 해당하는 것으로 볼 수 있으나, 그렇다 하여도 사업의 양도에 해당하려면 최소한 사업의 양도시점에는 양도인과 양수인의 사업 간에 동일성이 유지되어야 할 것임(조심2010중1105, 2010.6.24.).
- 2006.2.9. 「부가가치세법 시행령」 일부 개정으로 '양수자가 승계받은 사업 외에 새로운 사업의 종류를 추가하거나 사업의 종류를 변경한 경우를 포함한다'는 규정이 추가되었다고 하더라도, 이는 사업양도 당시에 '사업양수인'이 이미 사업양도자의 사업과 다른 사업을 영위하는 경우에도 사업 양도인이 그 사업에 관한 일체의 인적·물적 권리와 의무를 양도하여 양도인과 동일시 되는 정도로 법률상의 지위를 그대로 승계시킨다면 사업양도 당시에 양도인과 양수인의 업종이 다르다고 하더라도 사업양도로 보는 것으로 해석될 소지가 있는 내용이고, 이 사건과 같이 원고를 부동산임대사업자로 볼 수 없어 그 임대사업을 양수인에게 그대로 승계시켰다고 볼 수 없는 경우에도 적용되는 규정은 아니라고 보이므로, 이에 관한 원고 주장은 받아들일 수 없음(대법원 2011두18717, 2011.11.10. 심리불속행).

(4) 기타 요건

가. 사업자 과세유형: 종전에는 양도자 및 양수자의 과세유형이 다른 경우에는 사업의 양도로 보지 않았으나 2006.2.9.부터는 양도자 및 양수자가 모두 부가가치세 과세대상 사업자이면 되고, 일반과세자 또는 간이과세자인지 여부를 불문한다. 다만, 일반과세자로부터 사업을 포괄양수받은 사업자는 간이과세자로 사업자등록을 할 수 없도록 하고 있다(이 경우에도 업종, 규모, 지역 등을 고려하여 간이과세가 배제되는 업종 등이 아닌 경우로 공급대가가 간이과세 기준에 해당되면 간이과세 적용이 가능하다).

나. 사업양수자가 미등록사업자인 경우: 부가가치세 과세사업이 사업장별로

포괄적으로 승계된 경우라면 양도자 또는 양수자가 미등록 사업자인 경우에도 사업양도에 해당하여 재화의 공급으로 보지 않는다.

02 사업양도의 범위

(1) 사업양도의 사례[5)]

① 개인인 사업자가 법인설립을 위하여 사업장별로 그 사업에 관한 모든 권리와 의무를 포괄적으로 현물출자하는 경우

② 과세사업과 면세사업을 겸영하는 사업자가 사업장별로 과세사업에 관한 모든 권리와 의무를 포괄적으로 양도하는 경우

③ 과세사업에 사용·소비할 목적으로 건설 중인 독립된 제조장으로서 등록되지 아니한 사업장에 관한 모든 권리와 의무를 포괄적으로 양도하는 경우

④ 사업과 관련없는 특정 권리와 의무, 사업의 일반적인 거래 외에서 발생한 미수채권·미지급 채무를 제외하고 사업에 관한 모든 권리와 의무를 승계시키는 경우

⑤ 사업의 포괄적 승계 이후 사업양수자가 사업자등록만을 지연하거나 사업자등록을 하지 아니한 경우

⑥ 사업을 포괄적으로 승계받은 자가 승계받은 사업 외에 새로운 사업의 종류를 추가하거나 사업의 종류를 변경한 경우(2006. 2. 9. 이후 사업양도분부터 적용한다)

⑦ 주사업장 외에 종사업장을 가지고 있는 사업자단위과세사업자가 종사업장에 대한 모든 권리와 의무를 포괄적으로 승계시키는 경우

⑧ 2 이상의 사업장이 있는 사업자가 그중 한 사업장에 관한 모든 권리와 의무를 포괄적으로 양도하는 경우

⑨ 「상법」에 따라 분할하거나 분할합병하는 경우 같은 사업장 안에서 사업부문별로 구분하는 경우

5) 국세청 세법 집행기준 10-23-1

⑩ 「법인세법」 제46조 제2항 또는 제47조 제1항의 요건을 갖춘 분할의 경우

(2) 사업양도에 해당되지 않는 사례[6)]

① 사업과 직접 관련이 있는 토지와 건물을 제외하고 양도하는 경우

② 부동산매매업자 또는 건설업자가 일부 부동산 또는 일부 사업장의 부동산을 매각하는 경우

③ 종업원 전부, 기계설비 등을 제외하고 양도하는 경우

④ 부동산임대업자가 임차인에게 부동산임대업에 관한 일체의 권리와 의무를 포괄적으로 승계시키는 경우

03 사업양도에 대한 부가가치세 대리납부 및 매입세액 공제

사업양도는 재화의 공급으로 보지 않으므로 부가가치세가 과세되지 않으나 해당 거래가 사업양도에 해당되는지 여부가 불분명한 경우가 많아 부가가치세를 신고하지 않았다가 나중에 세금이 부과되거나, 신고하였더라도 사업양도에 해당되는 것으로 확인되는 경우 사업양수자가 매입세액을 불공제 받는 사례가 빈번하게 발생하였다. 이에 따라 사업을 양도하는 경우 사업양수자가 세금을 대리하여 납부할 수 있도록 하고, 대리납부한 금액은 매입세액으로 공제하도록 하는 제도를 두고 있다.

(1) 부가가치세 대리납부

사업의 양도에 따라 사업을 양수받는 자는 그 대가를 지급하는 때에 대가를 받은 자로부터 부가가치세를 징수하여 납부할 수 있다. 또한, 사업양도에 해당하는지 여부가 분명하지 않은 경우도 대리납부할 수 있다.[7)] 사업을 양수받은 자는 부가가치세를 징수하여 그 대가를 지급한 날이 속하는 달의 다음 달 25일[8)]까지 사업장 관할 세무서장에게 납부해야 한다.

---

6) 국세청 세법 집행기준 10-23-2
7) 2018.1.1. 이후 사업을 양도하는 분부터 적용한다.
8) 2018.12.31. 이전 사업양도분은 10일이다.

(2) 세금계산서 발행 및 매입세액공제

사업양수자가 대리납부하는 경우에도 사업양도자는 사업양수자에게 세금계산서를 발급해야 하며, 사업양수자는 자기의 사업을 위하여 사용하였거나 사용할 목적으로 부담한 매입세액인 경우 자기의 매출세액에서 공제받을 수 있다. 그런데, 「부가가치세법」 제10조 제9항에 따른 포괄적 사업양도에 해당함에도 불구하고 같은 법 제52조에 따라 대리납부하지 아니하고 단순히 사업양도자로부터 세금계산서를 발급받은 경우 관련 매입세액은 공제되지 않음에 유의해야 한다.

세법해석 사례 및 판례 등

- 「부가가치세법」 제10조 제9항 제2호 본문에 따른 사업의 양도에 있어서 그 사업을 양수받는 자가 대가를 분할하여 지급하는 경우로서 대가의 일부를 지급하는 때 지급한 대가에 해당하는 부가가치세를 같은 법 제52조에 따라 대리납부한 경우 지급한 대가 상당액은 같은 법 제10조 제9항 제2호 단서에 따라 재화의 공급으로 보는 것이며, 이 경우 「부가가치세법」 제52조에 따라 대리납부하지 아니하고 발급하거나 발급받은 세금계산서에 대하여는 같은 법 제60조 제3항 제5호 및 제6호에 따른 가산세가 적용되는 것임(법령해석과-3119, 2020.9.28.).
- 「부가가치세법」 제10조 제8항에 따른 포괄적 사업양도에 해당함에도 불구하고 같은 법 제52조에 따라 대리납부하지 아니하고 세금계산서를 발급받은 경우 관련 매입세액은 공제되지 아니하는 것임.(부가가치세과-2258, 2017.9.28.).
- 사업의 양도에 따라 양도대가를 장기할부조건으로 지급받음에 있어서 사업을 양수받는 자는 그 대가를 지급하는 때에 양도자로부터 부가가치세를 징수하여 「부가가치세법」 제49조 제2항을 준용하여 납부하는 경우, 같은 법 제10조 제9항 제2호 단서에 따라 재화의 공급으로 보아 세금계산서를 발급하는 것임(법령해석과-3029, 2020.9.21.).

04 사업용 자산의 취득자금출처 확인

사업용 자산을 대표님으로부터 취득한 자녀는 그 취득자금을 어떻게 조달했는지 그 출처를 명확히 해놓아야 한다. 만약 자금을 누군가로부터 증여받은 것이 확실한 경우에는 증여받은 재산으로 증여세가 과세되고, 재산취득자금을 누군가로부터 증여받은 것이 특정되지는 않는 경우에도 자금출처를 소명한 결과 부족액이 있는 경우 증여받은 것으로 추정하여 과세한다. 이에 대해서는 "PART 1 5장 2절 재산취득자금 등의 증여추정"을 참조하기 바란다.

2장 증여를 통한 승계

사업용으로 사용하고 있는 부동산과 기계장치 등 고정자산과 재고자산, 그리고 영업권 등 무형자산을 자녀에게 증여하는 방법으로 승계하는 것을 고려해 볼 수 있다. 사업용 자산을 증여하는데 있어서 가장 신경 써야 할 부분은 자산의 가치를 얼마로 평가할 것인가이다. 증여자산은 시가에 의해 평가하는 것이 원칙이며, 시가가 불분명할 경우 보충적 평가방법에 의해 평가한 가액으로 한다. 개별자산의 평가방법에 대해서는 "PART 1 3장 주식 대금은 얼마를 받아야 하나"를 참조하기 바란다. 사업용 자산을 증여하는 경우 증여세만 내는 것이 아니라 재화의 공급에 해당되면 부가가치세도 내야 하는 경우가 있음에 주의해야 한다. 아울러, 사업용으로 사용하던 건물의 규모가 작으면 공시된 가격이 없기 때문에 일반적으로 건물은 기준시가, 토지는 개별공시지가 등 보충적 평가방법으로 평가하여 증여가액을 신고한다. 그런데, 최근 과세관청에서는 신고한 가액이 시가와 차이가 큰 것으로 분석되면 직접 감정평가를 의뢰하여 감정 평가액으로 과세하는 사례가 많이 있는데, 이에 대해서도 살펴본다.

1절 사업용 자산 증여 시 납부하는 세금

01 증여세

자녀에 대한 증여세는 증여재산 가액에서 10년간 누적하여 증여재산공제 5천만 원(미성년자인 경우 2천만 원)을 차감한 과세표준에 10~50%의 누진세율을 적용하여 산출한다. 즉, 10년 동안 총 증여한 재산가액이 5천만 원 이하인 경우에는 증여세가 과세되지 않는다.

〈 증여세의 계산구조 〉

구분	내용
① 증여재산가액	• 국내외의 모든 증여재산 – 재산가액은 시가로 평가, 시가가 없으면 보충적 평가방법으로 평가한 가액
② 비과세 증여재산 및 과세가액 불산입 재산	• 사회통념상 인정되는 피부양자 생활비, 교육비 등 • 장애인이 증여받아 신탁한 재산 등
③ 채무부담액	• 증여재산에 담보된 채무인수액(임대보증금 등 포함)
④ 증여재산 가산액	• 동일인으로부터 해당 증여일 전 10년 이내 증여받은 재산의 과세가액 합계액이 1천만 원 이상인 경우 그 과세가액을 합산 *동일인은 증여자가 직계존속인 경우 그 배우자를 포함
⑤ 증여세 과세가액	• ① – ② – ③ + ④
⑥ 증여공제	
ㄱ. 증여재산공제	증여자 / 공제한도액(10년간 누계): 배우자 6억 원, 직계존속 5천만 원*, 직계비속 5천만 원, 기타친족 1천만 원 *수증자가 미성년자인 경우 2천만 원
ㄴ. 재해손실공제	• 증여세 신고기한 이내에 증여재산이 재난으로 멸실·훼손된 경우 과세가액에서 공제
⑦ 감정평가수수료	• 증여재산 감정평가수수료 5백만 원 등
⑧ 증여세 과세표준	• 일반적인 경우: ⑤ – ⑥ – ⑦ • 합산배제(명의신탁): 명의신탁금액 – ⑦ • 합산배제(법45의3, 4): 증여의제이익 – ⑦ • 합산배제(기타): 증여재산가액 – 3천만 원 – ⑦

증여자	배우자	직계존속	직계비속	기타친족
공제한도액 (10년간 누계)	6억 원	5천만 원*	5천만 원	1천만 원

<table>
<tr><th>구분</th><th>내용</th></tr>
<tr><td>⑨ 세율</td><td><table>
<tr><td>과세
표준</td><td>1억 원
이하</td><td>5억 원
이하</td><td>10억 원
이하</td><td>30억 원
이하</td><td>30억 원
초과</td></tr>
<tr><td>세율</td><td>10%</td><td>20%</td><td>30%</td><td>40%</td><td>50%</td></tr>
<tr><td>누진
공제</td><td>-</td><td>1천만 원</td><td>6천만 원</td><td>1억
6천만 원</td><td>4억
6천만 원</td></tr>
</table></td></tr>
<tr><td>⑩ 산출세액</td><td>• ⑧ × ⑨</td></tr>
<tr><td>⑪ 세대생략할증세액</td><td>• 수증자가 자녀가 아닌 직계비속이면 산출세액의 30% 할증(이 경우 수증자가 미성년자로서 증여재산이 20억 원 초과 시 40% 할증)
• 다만, 증여자의 최근친 직계비속이 사망하여 그 사망자의 최근친인 직계비속이 증여받은 경우는 적용 제외</td></tr>
<tr><td>⑫ 세액공제 · 감면</td><td>• 신고세액공제: (산출세액 및 세대생략할증세액 - 납부세액공제 등 기타세액공제 및 감면세액) × 3%
• 기타 세액공제 등: 납부세액공제, 문화재자료징수유예세액, 외국납부세액공제 등등</td></tr>
<tr><td>⑬ 납부할 세액</td><td>• ⑩ + ⑪ - ⑫</td></tr>
</table>

02 부가가치세

사업용 자산을 양도할 때와 마찬가지로 사업용 자산을 증여하는 경우에도 부가가치세를 납부해야 한다. 다만, 이 경우에도 '사업의 양도'에 해당되면 재화의 공급으로 보지 않아 부가가치세가 과세되지 않는다. '사업의 양도'에 대해서는 위 "PART 4 1장 2절"을 참조한다.

세법해석 사례 및 판례 등

- 부동산임대업을 영위하는 사업자가 당해 사업에 공하던 부동산의 일부를 증여하는 경우에는 「부가가치세법」 제6조 제1항의 규정에 의하여 부가가치세가 과세되는 것으로 부가가치세 과세표준은 당해 증여하는 부동산의 시가로 하는 것임. 이 경우 수증자에게 세금계산서를 교부하여야 하는 것이며, 수증자가 교부받은 당해 세금계산서의 매입세액은 수증자의 매출세액에서 공제할 수 있는 것임(부가46015-3503, 2000.10.17.).
- 부동산임대업을 영위하는 사업자가 임대업에 사용하던 부동산을 포함하여 그 사업의 인적 · 물적 시설 및 권리와 의무 등을 자녀에게 증여하면서 해당

부동산임대업과 관련된 임대보증금을 제외하는 경우에는 「부가가치세법」 제10조 제9항 제2호에 따른 사업의 양도에 해당하지 아니하는 것임(법령해석과-3409, 2019.12.26.).

• 부동산임대업을 영위하는 사업자가 아들에게 임대사업에 사용하던 부동산을 증여하는 경우에는 부가가치세가 과세되는 것이며, 다만, 사업자가 부동산 임대업에 대하여 사업장별로 그 사업에 관한 모든 권리(미수금에 관한 것을 제외)와 의무(미지급금액 관한 것을 제외)를 포괄적으로 승계시키는 경우에는 재화의 공급으로 보지 아니하는 것이므로 부가가치세가 과세되지 아니하는 것임(부가46015-1510, 2000.6.29.).

2절 꼬마빌딩 등 비주거용 부동산 감정평가 과세

상속세나 증여세가 부과되는 재산의 가액은 매매사례가액 등 시가에 의해 평가하는 것이 원칙이고, 시가가 없는 경우 공시가격 등 보충적 평가방법으로 평가하고 있다. 그런데, 아파트나 오피스텔은 공시가격이 있고 또 거래가 많아 매매사례가액 등을 시가로 활용할 여지가 많은 반면, 속칭 꼬마빌딩 등 소규모 비주거용 부동산은 공시가격이 없는 것이 많다. 또한 개별적 특성이 강해 비교대상 물건이 거의 없고 거래도 빈번하지 않아 매매사례가액을 확인하여 과세하기 어려워 과세 형평성 논란이 많았다. 이런 점을 감안하여 최근에 세법이 개정되었고, 이를 바탕으로 과세관청에서는 적극적으로 감정평가를 실시하여 과세하고 있다. 따라서 오피스텔이나 아파트와는 달리 공시가격이 없는 비주거용 부동산, 즉 소규모 건물이나 토지를 증여할 경우에는 감정평가를 받아 증여세를 신고 · 납부하는 것이 안전하다.

01 과세근거

상속재산을 시가에 의해 평가할 때 일반적으로 상속개시일 전후 6개월(증여의 경우에는 증여일 전 6개월, 후 3개월) 내 매매사례가액이나 감정가액 등이 있는 경우 그 가액을 시가로 본다. 또한, 「상속세 및 증여세법 시행령」 제49조 제1항이 개정됨에 따라 2019.2.12. 이후에 상속이 개시되거나 증여받는 분부터는 상속세 또는 증여세의 법정결정기한까지 확인되는 매매 · 감정 · 수용가액 등에 대해서는 평가심의위원회를 통해 시가로 인정할 수 있게 되었다. 예를 들어, 공장건물과 토지를 보충적 평가방법(토지는 공시지가, 건물은 기준시가)에 따라 100억 원에 평가하여 2020.12.1. 증여하고 2021.3.31. 증여세 신고를 한 경우 증여세 법정결정기한인 2021.9.30.까지는 과세관청에서 감정평가를 해서 그 가액을 시가로 보아 증여세를 결정할 수 있다.

02 감정평가대상 부동산

「부동산 가격공시에 관한 법률」 제2조에 따른 비주거용부동산과 지목의 종류가 대지 등으로 지상에 건축물이 없는 토지(나대지)로서 2019.2.12. 이후 상속 및 증여받은 것 중 법정결정기한이 지나지 않은 물건이 대상이 된다. 비주거용 부동산 중 국세청장이 고시하는 오피스텔 및 일정규모 이상의 상업용 건물은 제외된다. 또한, 비주거용 부동산 전체가 감정평가대상이 되는 것은 아니며 시가와 신고한 평가액의 차이가 큰 경우 대상이 된다. 다만, 신고한 평가액과 시가의 차액이 얼마 이상이어야 되는지에 대한 기준은 외부에 공개되지 않고 있다.

03 감정평가 및 시가인정 절차

과세관청에서 감정평가를 실시할 때는 먼저 납세자에게 어떤 물건을 감정평가할 것인지에 대한 안내문을 발송한다. 그리고 공신력 있는 두 개 이상의 감정기관에 감정평가를 의뢰한다. 평가가 완료된 후에는 재산평가심의위원회에서 감정가액의 적정성, 가격변동의 특별한 사정유무 등을 감안하여 시가 인정여부를 심의하고 시가로 인정되면 감정가액으로 상속 · 재산가액을 평가하게 된다. 만약, 납세자가 감정평가결과에 이의가 있는 경우 재산평가심의위원회에서 의견을 표명할 수 있으며, 상속 · 증여세 결정과정에서는 과세전적부심사 및 이의 신청 · 심사 ·

심판청구 절차 등을 통해 이의를 제기할 수 있다.

04 감정평가액으로 추가 과세 시 가산세

과세관청에서 감정가액으로 평가함에 따라 납세자가 신고한 평가액보다 상속 또는 증여재산 가액이 높아져서 추가 납부세액이 발생하는 경우에도 신고불성실 및 납부지연가산세는 부과하지 않는다.

05 향후, 증여세 및 상속세 신고 시 고려할 사항

비거주용 부동산에 대한 과세관청의 감정평가는 지속적으로 강화될 것으로 예고되고 있다. 증여세 및 상속세 신고를 하고 나서 예기치 못한 세금을 추가로 부과받게 되는 경우 증여세 납부자금 마련, 또 상속의 경우에는 이미 재산이 배분되었는데 상속인 간에 납부자금에 대한 조정이나 신고오류에 대한 시시비비 등의 문제가 발생할 소지가 있으므로, 신고 전에 해당 재산의 적정시가를 탐문하여 보충적 평가액과 차이가 큰 경우 감정평가를 적극 고려할 필요가 있다. 아울러, 증여세 및 상속세를 신고기한 내 신고하는 경우 산출세액의 3%에 해당하는 금액에 대해 신고세액공제를 할 수 있으므로 이점도 고려해야 한다.

세법해석 사례 및 판례 등

- 비주거용 부동산에 대한 불공정한 평가관행을 개선하고 시가에 근접하게 평가함으로써 과세형평성을 제고하기 위해 감정평가사업을 시행하여 증여세 결정기한 내에 감정평가를 하고 재산평가심의위원회의 심의를 거쳐 그 평가액을 증여재산가액으로 함은 정당함(적부-국세청2020-0124, 2020.10.23.).
- 상속개시일을 가격산정기준일로 하고, 감정가액평가서 작성일을 평가기간이 경과한 후부터 법정결정기한 사이로 하여 2개 감정기관에서 감정평가받은 가액을 평가심의위원회에 회부하는 경우, 평가심의위원회의 심의대상에 해당함(기획재정부 재산세제과-92, 2021.1.27.).

- 납세자 또는 과세관청이 「상속세 및 증여세법 시행령」 제49조 제1항에 따른 평가기간 다음 날을 가격산정기준일로 하고 감정가액평가서 작성일을 동 시행령 제78조 제1항에 따른 법정결정기한 전까지로 하여 감정평가한 가액이 있는 경우 그 감정가액은 평가심의위원회의 심의대상에 해당되는 것임(기획재정부 재산세제과-480, 2020.6.29.)
- 개정된 「상속세 및 증여세법」 영에 따라 법정결정기한 이내에 거래사례비교법으로 감정평가하여 평가심의위원회의 심의를 거쳤고, 그 가액은 수익환원법으로 지지되는 것으로 나타나므로 감정가액을 시가로 볼 수 있음(적부-국세청2020-0071, 2020.11.6.).
- 「상속세 및 증여세법 시행령」 제49조 제1항에 따라 법정결정기한 이내 조사청이 직접 감정평가하여 평가심의위원회의 심의를 거쳤고, 청구인 스스로 별도로 감정평가하여 가액을 제시하고 있으므로 이들 감정가액의 평균액을 시가로 볼 수 있음(적부-국세청2020-0121, 2020.9.16.).

3장 법인전환을 통한 승계

개인사업자를 법인으로 전환하는 것이 직접적인 가업승계는 아니다. 세법에서는 일정한 요건에 해당하게 되면 법인전환을 할 때 세금혜택을 주고 있고 법인전환 후 가업을 승계할 때는 개인사업자의 경우보다 다양한 방법을 활용할 수 있다. 따라서 가업승계를 미리 준비하는 차원에서 법인전환을 선택해 볼 필요가 있다. 또한, 일정규모 이상의 개인사업자인 경우 법인전환하는 것이 세부담 측면 등 여러 면에서 유용하기도 하다. 실질적 법인전환은 개인사업자의 사업용 자산 모두를 신설하는 법인에 양도하거나 사업용 자산 모두를 현물로 출자하여 법인을 설립하는 것이라고 볼 수 있다. 다만, 소규모 개인사업자의 경우에는 개인사업자를 폐업하고 해당 장소에 단순히 법인을 신설하여 종전 사업을 계속하는 방법으로도 법인전환이 가능하다.

1절 개인사업자 폐업 후 법인설립

운영하고 있는 개인사업의 매출규모가 크지 않은 경우에는 지금 운영하고 있는 개인사업자를 폐업하고 같은 장소에 법인을 설립하는 방법을 이용할 수 있다. 법인을 설립하면서 자녀를 주주로 참여하도록 하여 가업을 승계할 준비를 시키고 나중에 사업을 인수할 자금도 마련하도록 할 수 있는 간편한 승계방법이라고 할 수 있다.

01 개인사업자 폐업 및 세금신고

가. 개인사업자 폐업신고: 사업자는 폐업을 할 경우 폐업연월일 및 사유 등을 적은 폐업신고서에 사업자등록증을 첨부하여 세무서장에게 신고해야 한다. 다만, 사업자가 부가가치세 확정신고서에 폐업연월일 및 사유를 적고 사업자등록증을 첨부하여 제출하는 경우 폐업신고서를 제출한 것으로 한다. 폐업일은 사업장별로 사업을 실질적으로 폐업한 날이며, 폐업일이 명백하지 않은 경우에는 폐업신고서 접수일을 폐업일로 본다.

나. 부가가치세 등 세금신고: 폐업일이 속하는 과세기간의 개시일부터 폐업일까지의 기간분에 대한 매출액에 대해서 폐업일이 속하는 달의 다음 달 25일 이내에 부가가치세 확정신고를 해야 한다. 아울러, 다음해 5월 31일까지 종합소득세 신고를 해야 한다.

02 법인설립 및 사업자등록

법인은 설립등기, 설립신고, 사업자등록절차를 거쳐 사업을 시작하게 된다. 그런데, 향후 가업을 승계하기 위해서는 승계할 자녀를 주주로 참여시키는 것이 중요하다. 자녀지분에 대한 배당금을 지급하여 향후 가업승계 시 필요한 자금을 마련할 수 있는 점도 감안하는 것이다. 이를 위해 법인 설립등기 전에 미리 일정금액의 현금을 증여할 필요가 있다. 아울러 추후 가업승계

시 세금혜택을 받기 위해서는 자녀가 일정한 연령이 되면 반드시 직접 사업에 참여시켜야 한다.

가. 법인설립 전 현금 증여: 설립하는 법인의 자본금 납입자금에 사용하도록 자녀에게 현금을 증여한다. 5천만 원(미성년자는 2천만 원)까지는 증여세가 과세되지 않으므로 이점을 감안하여 적정금액을 증여한다. 주식의 가치는 상승하는 것이 일반적이라고 본다면 법인설립 전후에 가능한 만큼 현금이나 주식을 최대한 증여하여 자녀의 지분율을 높여 놓는 것이 가업승계에 유리하다.

나. 법인설립등기: 법인설립은 법인 소재지 관할 등기소에 신청한다. 요즘에는 대법원인터넷등기소 사이트를 통해서도 회사설립등기신청이 가능하며, 익숙하지 않으면 법무사를 통해 신청하면 된다. 법인설립 시에는 대표님과 자녀가 주주로 참여하여 주금을 납입하도록 한다. 법인의 주주는 1인도 가능하며 자본금 액수에 제한은 없다.

다. 법인설립신고 및 사업자등록

① 법인설립신고: 설립등기일부터 2개월 이내에 아래 사항을 적은 법인설립 신고서에 주주 등의 명세서, 사업자등록 서류 등을 첨부하여 세무서장에게 신고해야 한다. 이와 같이 법인설립신고를 한 경우에는 사업자등록신청을 한 것으로 본다.

- 법인의 명칭과 대표자의 성명, 사업목적, 설립일
- 본점이나 주사무소 또는 사업의 실질적 관리장소의 소재지

② 사업자등록: 한편, 신규로 사업을 시작하는 법인은 사업의 개시일부터 20일 이내에 사업자등록신청서를 세무서장에게 제출하여야 한다. 이 경우 위의 법인설립신고 전에 사업자등록을 하는 때에는 주주 등의 명세서를 제출해야 하는데, 이와 같이 사업자등록을 한 때에는 법인설립신고를 한 것으로 본다.

2절 현물출자 또는 사업양도를 통한 법인전환

개인사업을 생전에 승계하는 방법은 사업용 자산을 양도하거나 증여하는 방법이 있다. 사업용 자산을 포괄적으로 양도하는 경우 부가가치세는 면제받을 수 있으나 양도소득세는 부담해야 하고, 증여할 경우에도 부가가치세는 면제받을 수 있으나 증여세는 부담해야 한다. 그런데, 개인사업자가 아닌 법인사업자였더라면 가업승계 증여세 과세특례제도 적용이 가능하여 생전에 100억 원까지는 10~20%의 낮은 증여세율로 가업승계가 가능하다. 법인전환이라는 절차를 거쳐야 하기 때문에 다소 복잡한 면이 있기는 하지만, 만약 개인사업 규모가 커져서 법인전환의 필요성이 있다면 적극 고려할 만하다. 아울러, 개인사업자의 법인전환 시에도 일정한 요건을 갖춘 경우 부가가치세가 면제될 뿐만 아니라 사업용 자산을 양도함에 따라 부담해야 할 양도소득세도 이월시킬 수 있어 세금부담도 크지 않다.

01 법인전환 방법

법인으로 전환하는 방법은 개인사업자가 사용하던 사업용 자산을 현물로 출자하여 법인을 설립하는 방법과 새로운 법인을 설립하여 개인사업자의 사업용 자산을 그 법인에게 양도하는 방법으로 크게 나누어 볼 수 있다. 둘 중에 선택해서 사용하면 되는데, 이중에서 가장 쉽게 많이 이용하는 방법은 사업용 자산을 양도하는 방법이다.

(1) 개인사업의 양도

법인을 설립하여 개인사업자의 자산 등을 모두 양도하는 것이다. 법인은 개인사업자의 자산을 인수할 수 있는 자본금을 갖추어야 한다. 절차가 매우 단순한 반면, 사업용 자산의 인수를 위한 자금이 필요하다.

(2) 개인사업의 현물출자

법인을 설립하면서 개인사업용 자산을 출자하는 것이다. 현물출자하는 자산의 가액평가를 위해 감정평가보고서 및 회계감사보고서가 필요하고 검사인의 검사도 받아야 하는 등 절차가 복잡하다. 출자현금이 필요하지 않는 대신에 감정비용 등 추가적인 비용이 소요된다.

02 양도소득세 이월과세

개인사업자가 사업에 사용하던 사업용 고정자산 등을 법인에게 사업양도나 현물출자를 통해 양도하는 경우 이를 양도하는 개인에 대해서는 양도소득세를 과세하지 않고, 그 대신 이를 양수한 법인이 그 사업용 고정자산 등을 양도하는 때에 법인세로 세금을 내도록 하는 제도이다. 양도소득세 이월과세 규정이므로 건물이나 토지 등에 적용되고, 사업용 자산이라 하더라도 기계장치 등 양도소득세 과세대상이 아닌 자산에는 적용되지 않는다.

(1) 이월과세 내용

가. 특례적용을 받는 자: 사업용 고정자산 등을 양도하는 개인

나. 특례적용 내용: 개인에게 양도소득세를 과세하지 않음.

다. 세금 납부시기: 고정자산을 양수한 법인이 해당 고정자산을 양도할 때

라. 납부하는 세금: 법인세[9]

마. 납부세액: 개인이 당초에 납부해야 했던 양도소득세 상당액

(2) 이월과세 적용요건

가. 거주자이어야 한다: 법인으로 전환하려는 개인사업자는 비거주자이어서는 안되며, 국내에 주소 또는 거소를 둔 거주자이어야 한다.

나. 현물출자 또는 사업양도 · 양수의 방법에 따라야 한다: 이때 사업양도 · 양수란 해당 사업을 영위하던 자가 발기인이 되어 법인을 설립하고, 설립일

9) 사업을 폐지하는 등 추징사유가 발생하는 경우에는 개인에게 양도소득세로 추징한다.

로부터 3개월 이내에 해당 법인에게 사업에 관한 모든 권리와 의무를 포괄적으로 양도하는 것을 말한다.

다. 대상자산은 사업용 고정자산이다: 사업용 고정자산이란 당해 사업에 직접 사용하는 유형자산 및 무형자산(1981년 1월 1일 이후에 취득한 부동산으로서 기획재정부령이 정하는 법인의 업무와 관련이 없는 부동산의 판정기준에 해당되는 자산을 제외한다)을 말한다. 주택은 원칙적으로 사업용 고정자산에서 제외된다.[10]

라. 설립법인의 자본금이 개인사업자의 순자산가액 이상이어야 한다: 순자산가액은 시가로 평가한 자산의 합계액에서 충당금을 포함한 부채의 합계액을 공제한 금액을 말한다. 영업권은 포함하지 않는다.

마. 설립법인의 업종이 아래의 소비성 서비스 업종에 해당되지 않아야 한다

① 호텔업 및 여관업(관광진흥법에 따른 관광숙박업은 제외)

② 주점업(일반유흥주점업, 무도유흥주점업 및 단란주점 영업만 해당하되, 관광진흥법에 따른 외국인전용유흥음식점업 및 관광유흥음식점은 제외)

③ 그 밖에 오락·유흥 등을 목적으로 하는 사업

(3) 이월과세적용 신청

양도소득세 이월과세 규정을 적용받으려는 자는 현물출자 또는 사업양수도를 한 날이 속하는 과세연도의 과세표준신고(예정신고 포함) 시 새로이 설립되는 법인과 함께 이월과세적용신청서를 세무서장에게 제출하여야 한다.

(4) 사후관리 및 양도소득세 추징

법인의 설립등기일부터 5년 이내에 다음 어느 하나에 해당하는 때에는 사유가 발생한 날이 속하는 달의 말일부터 2개월 이내에 이월된 과세액을 양도소득세로 납부해야 한다.

가. 승계받은 사업 폐지: 법인이 승계받은 사업을 폐지하는 경우, 현물출자 또는 사업양도·양수의 방법으로 취득한 사업용 고정자산의 2분의 1 이상을

---

10) '21.1.1. 이후 현물출자·법인전환하는 분부터 적용된다.

처분하거나, 사업에 사용하지 않는 경우 사업의 폐지로 본다. 다만, 법인이 파산하는 등 예외적인 사유[11]에 해당되는 경우에는 제외한다.

나. 주식의 50% 이상 처분: 법인전환으로 취득한 주식 또는 출자지분의 100분의 50 이상을 처분하는 경우 유상이전, 무상이전, 유상감자 및 무상감자(소유 비율에 따라 균등 소각하는 것은 제외)를 포함한다. 다만, 이월과세를 적용받은 거주자가 사망하거나 파산하는 등 예외적인 사유[12]에 해당되는 경우에는 제외한다.

세법해석 사례 및 판례 등

- 2인 이상의 거주자가 공동으로 소유하는 부동산을 법인에 현물출자하고 「조세특례제한법」 제32조에 따른 이월과세를 적용받은 경우, 같은 조 제5항에 따른 법인의 설립일부터 5년 이내에 법인전환으로 취득한 주식의 100분의 50 이상을 처분하였는지 여부는 거주자 각자를 기준으로 판단하는 것임(법령해석재산-1453, 2017.10.27.).
- 도매업을 영위하는 개인사업자가 사업양수도 방법에 의하여 법인전환하는 경우 양수도자산에 포함되어 있는 재고자산의 시가상당액은 당해 사업을 양도하는 때에 총수입금액에 산입하는 것이며, 당해 개인사업자가 특수관계있는 법인에게 재고자산을 시가보다 낮은 가액으로 양도하는 경우에는 「소득세법」 제41조 및 같은 법 시행령 제98조의 규정에 의하여 부당행위계산의 대상이 되는 것임(소득46011-1688, 1997.6.23.).
- 거주자가 사업용 고정자산을 사업양수도방법에 의하여 법인(소비성 서비스업을 영위하는 법인을 제외)으로 전환하는 경우로서 당해 사업을 영위하던 거주자가 발기인이 되어 소멸하는 사업장의 순자산가액 이상을 출자하여 법인을 설립하고 그 법인설립일로부터 3월 이내에 당해 법인에게 사업에 관한 모든 권리와 의무를 포괄적으로 양도하는 경우에는 양도소득세의 이월과세를 적용받을 수 있는 것임(서면4팀-2982, 2006.8.28.).
- 거주자가 사업용 고정자산을 현물출자하여 법인으로 전환함으로써 양도소득세를 감면받은 후 당해 법인이 제3자 배정방식의 유상증자에 의해 자본금을 증자하여 지분비율이 50% 이상 감소한 경우에는 주식 등의 처분으로 보지 않는 것임(부동산납세과-623, 2019.6.17.).

11) 「조세특례제한법 시행령」 제29조 제6항 참조
12) 「조세특례제한법 시행령」 제29조 제7항 참조

• 전환법인이 거주자로부터 현물출자받은 사업용 고정자산의 2분의 1 이상을 소비성 서비스업에 사용하는 것은 「조세특례제한법」 제32조 제5항 제1호에 따른 사업을 폐지하는 경우에 해당하는 것임(부동산납세과-841, 2018.8.30.).
• 건축물이 없는 토지를 임대한 임대사업자가 임대용으로 사용하던 해당 토지를 현물출자하여 법인전환하는 경우 해당 토지는 「조세특례제한법」 제32조 법인전환에 대한 양도소득세 이월과세 규정을 적용받을 수 없는 것임(부동산납세과-165, 2018.2.7.).

상속을 통한 승계

개인사업자가 가업을 승계하는 마지막 방법은 상속이다. 오랜기간 운영한 가업을 자녀에게 승계할 때 가업상속공제라는 제도를 통해 세금부담을 줄여줌으로써 승계를 지원하고 있다. 개인사업자에게도 가업상속공제는 동일하게 적용되며 이에 대해서는 "PART 3 1장"을 참조하기 바란다. 그런데, 가업상속공제 제도를 적용받지 못할 경우에는 일반적인 상속과 동일한 방법으로 사업용 자산을 승계해야 한다. 이하에서는 상속세의 계산구조에 대해 간략히 설명하고, 상속세를 신고할 때 오류가 없도록 반드시 검토해야 할 사항과 상속 후에도 승계가 원활하게 이루어지도록 하기 위한 몇 가지 고려사항을 설명한다. 상속세 및 증여세는 납세자의 신고로 납세의무가 확정되는 세목이 아니고 과세관청의 결정을 통해 비로소 납세의무가 확정되는 정부부과결정 세목이다. 납세자는 상속세 과세표준 및 세액을 신고할 협력의무를 지게 되는 것이고, 정부에서는 세무조사 등을 통해 과세표준과 세액을 결정을 한다. 상속세 신고는 피상속인이 사망일이 속하는 달의 말일부터 6개월 내에 해야 하는데, 상속세 신고가 평생 한번 밖에 없는 것이고, 또 재산의 소유자가 사망한 상태에서 신고를 해야 하기 때문에 오류가 발생할 가능성이 많다. 이하에서는 실제 세무조사 과정에서 집중해서 검토하는 항목에 대해서 자세히 알아본다.

1절 상속세의 계산구조 요약

가. 총 상속재산 가액: 피상속인이 거주자인 경우 국내외의 모든 재산을 말하며 본래의 상속재산과 간주상속재산(보험금, 퇴직금 등), 추정상속재산(1년 또는 2년 내 처분재산 중 사용처 불분명금액)을 포함한다.

나. 비과세 상속재산 및 과세가액 불산입 재산

① 비과세: 금양임야, 문화재 등

② 과세가액 불산입: 공익법인에 출연재산 등

다. 공과금, 장례비, 채무 공제

① 공과금: 피상속인이 납부할 의무 있는 조세, 공공요금 등

② 장례비: 총 공제한도액 15백만 원(장례비용, 봉안시설)

③ 채무: 공과금 외에 피상속인 부담해야 할 확정 채무액

라. 상속재산에 합산하는 증여재산

① 상속일 전에 상속인에게 10년 내 증여재산, 그 외의 자는 5년 내 증여재산

② 가업승계 · 창업자금 증여세 과세특례를 적용받은 재산은 기간제한 없이 합산

마. 상속세 과세가액: 가+나+다－라

바. 상속공제

① 기초공제: 2억 원, 피상속인이 비거주자인 경우 기초공제만 가능

② 가업상속공제(최대 500억 원), 영농상속공제액(최대 15억 원)

③ 그 밖의 인적공제

ㄱ. 자녀공제(1인당 5천만 원)

ㄴ. 미성년자 공제(1인당 1천만 원×19세 될 때까지 연수)

ㄷ. 연로자공제(상속인 중 65세 이상자에 대해 1인당 5천만 원)

ㄹ. 장애인 공제(상속인 1인당 1천만 원×기대여명 연수)

ㅁ. 미성년자, 연로자, 장애인 공제는 동거가족(피상속인이 사실상 부양하고 있는 직계존비속(배우자의 직계존속 포함) 및 형제자매)도 적용된다.

④ 일괄공제: Max[5억 원, (기초공제 2억 원+그 밖의 인적공제)]

　－ 배우자가 단독 상속할 경우 일괄공제는 적용 안됨.

⑤ 배우자공제: Max(실제 받은 재산 중 30억 원 한도, 5억 원)

⑥ 금융재산상속공제: 순금융재산가액×20%, 2억 원 한도, 2천만 원 미만은 전액 공제

⑦ 재해손실공제: 신고기한 내 재해로 손실된 가액

⑧ 동거주택상속공제: 주택가액(부수토지 포함)의 100%, 6억 원 한도

⑨ 상속공제 적용 한도액: 상속세 과세가액−(ㄱ+ㄴ+ㄷ)

ㄱ. 선순위인 상속인이 아닌 자에게 유증 · 사인증여한 재산가액

ㄴ. 선순위인 상속인의 상속포기로 그 다음 순위의 상속인이 받은 상속재산가액

ㄷ. 상속세 과세가액에 가산한 증여재산가액(상속세 과세가액이 5억 원을 초과하는 경우에만 적용)

　－ 증여재산가액은 증여재산공제액 및 재해손실공제액을 차감한 금액

　－ 창업자금 및 가업승계 주식 등 가액은 증여재산가액에 포함하지 않음.

사. 감정평가수수료

① 부동산: 감정평가수수료 5백만 원 한도

② 비상장주식: 신용평가전문기관 수 및 평가대상 법인 수별 각각 1천만 원 한도

③ 서화, 골동품 등: 전문가 감정수수료 5백만 원 한도

아. 상속세 과세표준: 마−바−사

자. 상속세율

과세표준	1억 원 이하	5억 원 이하	10억 원 이하	30억 원 이하	30억 원 초과
① 세율	10%	20%	30%	40%	50%
② 누진공제	-	1천만 원	6천만 원	1억 6천만 원	4억 6천만 원

차. 산출세액: (아.×① 세율)−② 누진공제

카. 세대생략할증세액: 총상속재산 중 피상속인 자녀를 제외한 직계비속이 상속받은 재산가액에 해당하는 산출세액의 30% 할증하며, 직계비속이 미성년자로서 상속재산이 20억 원 초과 시에는 40% 할증한다. 다만, 대습상속의

경우에는 할증과세를 하지 않음.

타. 세액공제 등

① 신고세액공제: (산출세액 및 세대생략할증세액-증여세액공제 등 기타세액공제 및 감면세액)×3%

② 기타 세액공제 등: 증여세액공제, 문화재자료징수유예세액, 외국납부세액공제, 단기재상속세액공제 등

파. 납부할 세액: 차+카-타

2절 추정 상속재산 신고

상속세 신고 시 누락하거나 오류가 가장 많은 것으로 세무조사 과정에서 확인되는 항목이라고 할 수 있다. 피상속인이 생전에 예금을 인출하거나 채무를 부담했는데 그 사용처가 불분명한 경우 상속재산으로 추정한다. 다만, 기준이 되는 기간과 기준 금액을 두고 있는데 그 인출액 등이 피상속인 사망일 전 1년 내에 2억 원 이상이거나 또는 2년 내에 5억 원 이상인 경우로 한정하고 있다. 과세관청에서 상속세 세무조사 시 가장 먼저 하는 것이 금융거래자료 확보이다. 상속세 세무조사가 착수되기 전에 전국 모든 금융기관에 피상속인과 상속인의 금융거래내역을 요청하여 자료를 수집하고 세무조사가 착수되면 상속인에게 인출금액을 어떤 용도로 사용했는지 그 사용처를 소명하도록 한다. 그런데 예금을 인출하거나 채무를 부담해서 조성한 자금을 어디에 사용했는지는 피상속인이 가장 잘 알고 있기 때문에 상속인이 사용처를 소명하기가 쉽지는 않다. 사업과 관련하여 자금을 인출한 경우에는 회사에 보관된 전표나 장부, 계약서 등으로 확인이 가능하나 그렇지 않은 경우 계좌에서 뭉칫돈이 인출되었는데 사용처를 알 수 없다면 상속세를 부담해야 하는 난감한 문제가 생긴다. 따라서 대표님이 사후에 상속인의 고생을 덜어주려면 적어도 일정금액 이상의 금융거래를 하면 어떤 형태로든 사용처를 메모해 놓는 것이 좋으며, 그것이 상속세를 절감하는 방법이기도 하다.

01 1년 또는 2년 내 재산 처분액 또는 계좌 인출액의 상속추정

(1) 추정요건

피상속인 계좌에서 인출한 금액 등을 상속받은 것으로 추정하기 위해서는 다음 두 가지 요건에 모두 해당되어야 한다.

가. 재산종류별로 계산해서 상속개시일 전 1년 이내에 2억 원, 2년 이내에 5억 원 이상을 계좌에서 인출하거나 처분한 재산가액이 있는 경우

① 재산종류별은 현금 · 예금 및 유가증권, 부동산 · 부동산에 관한 권리, 무체재산권 등 기타의 재산으로 구분한다.

② 예금인출액은 계좌 인출액 중에서 재입금된 금액을 제외한 순인출액을 기준으로 계산한다. 예를 들어, 피상속인 A계좌에서 5억 원이 인출되었으나 다시 피상속인 B계좌로 5억 원이 입금된 것이 확인되면 사용처 소명 대상 인출액은 없는 것이다.

③ 재산을 처분한 경우 그 처분가액 중 상속개시일 전 1년 또는 2년 이내에 실제 수입한 금액을 말한다.

나. 아래와 같이 사용한 용도가 객관적으로 명백하지 아니한 경우

① 피상속인이 재산을 처분하여 받은 금액이나 피상속인의 재산에서 인출한 금전 등 또는 채무를 부담하고 받은 금액을 지출한 거래상대방이 거래증빙의 불비 등으로 확인되지 아니하는 경우

② 거래상대방이 금전 등의 수수사실을 부인하거나 거래상대방의 재산상태 등으로 보아 금전 등의 수수사실이 인정되지 아니하는 경우

③ 거래상대방이 피상속인의 특수관계인으로서 사회통념상 지출사실이 인정되지 아니하는 경우

④ 피상속인이 재산을 처분하거나 채무를 부담하고 받은 금전 등으로 취득한 다른 재산이 확인되지 아니하는 경우

⑤ 피상속인의 연령 · 직업 · 경력 · 소득 및 재산상태 등으로 보아 지출사실이 인정되지 아니하는 경우

(2) 상속받은 것으로 추정하는 재산가액

사용처가 불분명한 금액에서 인출하거나 처분한 가액의 20% 또는 2억 원 중 적은 금액을 차감한 금액을 상속추정가액으로 한다.

예 상속개시일: 2020.12.1., 재산처분액 등이 아래와 같은 경우 추정상속재산은

- 토지처분일: 2019.11.1., 처분가액 20억 원(10억 원은 11.1. A계좌에 입금하고, 5억 원은 자녀1에게 현금증여, 나머지는 미확인)
- 피상속인의 A계좌에서 자녀2에게 1억 원 입금 증여하고, B계좌에서 거래처 갑에게 물품대금으로 1억 원 지급한 것으로 확인됨.

(단위: 백만 원)

거래일자	A계좌				B계좌			
	입금	출금	잔액	비고	입금	출금	잔액	비고
2019.11.01.	1,000		1,000					
2019.11.30.		500	500		500		500	A계좌
2019.12.01.			500			100	400	거래처 갑
2020.01.02.		100	400	자녀2			400	
2020.01.30.	50		450	B계좌		100	300	
2020.02.01.		300	150				300	
계		900				200		

① 토지처분액 상속추정가액: 3억 원

–사용처 불분명액: 5억 원=20억 원–10억 원(A계좌 입금)–5억 원(현금증여)

–상속추정가액: 3억 원=5억 원–Min(20억 원×20%, 2억 원)

② 예금인출액 상속추정가액: 2.4억 원

–2년 내 순인출액: 5.5억 원=총인출액 11억 원–타계좌 재입금액 5.5억 원

* 순인출액 5.5억 원을 제외한 4.5억 원은 계좌에 잔고로 남아 상속재산으로 기신고됨.

–사용처 불분명액: 3.5억 원=5.5억 원–1억 원(자녀2)–1억 원(거래처 갑)

–상속추정가액: 2.4억 원=3.5억 원–Min(5.5억 원×20%, 2억 원)

02 1년 또는 2년 내 피상속인이 부담한 채무액의 상속추정

은행대출금 등 피상속인이 생전에 부담한 채무 중 상속개시일 현재 잔여분에 대해서는 상속세를 계산할 때 상속재산가액에서 공제한다. 그런데, 그 채무액으로 기존 채무를 변제하였거나 다른 재산을 취득하는 등 사용처가 확인되면 문제가 되지 않으나, 만약 대출을 받은 금액을 자녀에게 현금으로 증여하고도 증여세를 신고하지 않았거나 또는 현금으로 보관하고 있으면서 상속재산으로 신고하지 않았을 경우에는 문제가 된다. 이와 같은 경우에는 상속재산에서 채무액 공제만 하고 증여세나 상속세는 과세되지 못하는 결과를 초래하게 된다. 따라서 이런 조세회피의 가능성을 고려하여 일정한 기간 내 일정한 금액의 범위 내에서 발생한 채무액에 대해서는 상속인에게 채무액을 어디에 사용했는지 입증하도록 하고 있고, 입증하지 못한 부분에 대해서는 상속받은 것으로 추정하고 있다.

(1) 일반적인 경우

가. 추정요건: 피상속인이 부담한 채무 금액이 상속개시일 전 1년 이내에 2억 원, 2년 이내에 5억 원 이상이어야 한다. 채무 종류 구분은 별도로 규정하고 있지 않다.

나. 상속추정가액: 피상속인이 부담한 채무액 중 사용처가 분명하지 않은 금액에서 채무액의 20% 해당금액과 2억 원 중 적은 금액을 차감하여 상속받은 것으로 추정한다.

(2) 기타의 경우

가. 요건: 국가 · 지방자치단체 · 금융기관이 아닌 자로부터의 채무로서 채무부담계약서, 채권자확인서, 담보설정 및 이자지급에 관한 증빙 등으로 상속인이 실제로 부담하는 사실이 확인되지 아니하는 경우

나. 상속추정가액: 사용처가 미입증된 금액 전액을 상속세 과세가액에 산입하며 1년 이내 또는 2년 이내 기간 제한이 없고 2억 원을 차감하지 않는다.

세법해석 사례 및 판례 등

- 상속개시일 전 1년 또는 2년 이내에 인출된 예금을 상속세 과세가액에 산입함에 있어서는, 피상속인의 각 예금계좌에서 인출한 금액의 합산액에서 인출 후 입금된 금액의 합산액을 제외한 나머지 금액을 처분가액으로 하고, 다만 입금액이 인출금과 별도로 조성된 금액임이 확인되는 경우에는 그 금액을 인출금에서 제외하지 아니하나 이에 대한 입증책임은 과세관청에 있음(대법원 2003두14529, 2004.4.9. 선고).
- 피상속인이 부동산 양도계약을 체결하고 잔금을 영수하기 전에 사망한 경우 양도대금 전액에서 상속개시 전에 영수한 계약금 등을 차감한 잔액을 상속재산가액으로 하는 것이며, 상속개시 전에 영수한 계약금 등에 대하여 용도가 불분명한 경우 상속추정하여 상속세 과세가액에 산입함(서면4팀-3080, 2006.9.7.).
- 피상속인이 상속개시 전 1년 이내에 2억 원 이상의 부동산을 처분하고 받은 금액에 대한 사용처를 소명하지 못함에 따라 상속세 과세가액에 산입되는 금액은 상속인별 법정상속지분으로 상속받은 것으로 보는 것임(재산세과-1517, 2009.7.23.).
- 금융기관으로부터 피상속인 명의로 대출받은 금전을 상속인의 사업자금으로 사용한 경우로서 그 대출금에 대한 이자지급 및 원금 변제상황과 담보제공 사실 등에 의하여 사실상의 채무자가 상속인임이 확인되는 경우 당해 대출금은 피상속인으로부터 증여받은 것으로 보지는 아니하는 것이며, 「상속세 및 증여세법」 제14조 제1항 제3호에 규정하는 "채무"에도 해당하지 않는 것임(재산세과-1636, 2008.7.14.).
- 피상속인이 상속개시 전 2년 이내에 처분한 재산에 대한 용도를 소명할 때 현금을 상속받은 것으로 상속세 신고한 사실만으로는 용도가 객관적으로 명백한 경우에 해당하지 않음(재삼46014-2557, 1998.12.31.).
- 피상속인이 ㅇㅇ산업주식회사로부터 받은 가지급금 110,000,000원은 이를 상속재산가액에서 공제하는 채무로 보고, 상속개시일부터 2년 이내에 발생한 가지급금에 대해서는 처분청이 그 가지급금의 사용처를 조사하여 용도가 불분명한 가지급금(이 경우 가지급금과 가지급금을 반제한 금액은 상계하도록 하고 그 차액의 가지급금을 말함)은 상속재산가액에 산입함(국심1994서875, 1994.10.28.).
- 처분청은 상속개시 전 2년 이내 발생된 채무 150,000,000원(은행차입금 100,000,000원, 임대보증금 50,000,000원) 중 피상속인의 병원치료비 등을 제외한 나머지 금액은 그 자금의 용도가 명백하지 아니하다고 하여 이

를 과세가액에 산입하였으나, 피상속인이 생전에 지급한 이건 은행 차입금에 대한 지급이자 및 종합토지세 등은 그 자금출처가 은행차입금이므로 상속세 과세가액에서 제외함이 타당함(국심1996부3938, 1997.6.24.).

- 회계기록을 사실로 인정하여 가지급금 계정 잔액을 상속부채로 하여 상속재산가액에서 공제한 점, 가지급금 계정이 단순히 회계처리를 위한 임시적 기록에 불과한 것으로 볼 만한 객관적인 증빙의 제시가 없는 점, 가지급금의 사용처를 소명하지 못하고 있는 점 등에 비추어 볼 때, 가지급금 잔액을 추정상속재산으로 보아 과세한 처분은 달리 잘못이 없는 것으로 판단됨(조심2011서1137, 2011.9.21.).

3절 매매사례 등 가액의 확인

상속재산가액은 시가로 평가하는 것이 원칙이다. 시가는 해당 재산 또는 해당 재산과 동일하거나 유사한 재산의 매매, 감정, 수용 · 공매(매매 등)가 있으면 그 가액을 우선적으로 적용하고, 그 가액이 없으면 개별공시지가나 국세청장이 고시한 건물가액 등 보충적 평가액을 적용한다. 상속세나 증여세 세무조사를 할 때는 해당 재산이 매매된 사실이 있는지 또는 해당 재산과 유사한 재산이 매매된 사실이 있는지 매우 꼼꼼하게 검증한다. 매매 등 가액은 해당 재산의 매매 등 가액이 있으면 우선적으로 적용하고, 해당 재산의 매매 등 가액이 없으면 유사한 재산의 매매 등 가액을 적용한다.

01 평가의 일반 원칙

(1) 시가로 적용 가능한 기간의 범위

가. 일반 원칙: 평가기준일을 전후하여 6개월 이내[13]의 기간(평가기간이라 한다) 중에 해당 재산의 매매 · 감정 · 수용 · 경매 또는 공매가액이 있으면

13) 증여재산의 경우에는 평가기준일 전 6개월부터 평가기준일 후 3개월

그 가액이 시가가 된다. 다만, 상속개시일 전후 6개월 내에 상속재산에 대한 매매 사실이 있어도 중도에 계약이 해지된 매매가액은 시가로 보지 않는다.

나. 평가기간 밖의 기간의 경우: 평가기간 내가 아니더라도 평가기준일 전 2년 이내의 기간 중이나 평가기간이 경과한 후부터 법정결정기한[14]까지의 기간 중에 해당 재산의 매매 등이 있는 경우에도 평가심의위원회 심의를 거쳐서 해당 재산의 매매 등 가액을 시가에 포함시킬 수 있다.

다. 유사재산의 가액 적용기간: 또한, 해당 재산의 매매 등 가액이 없는 경우에는 해당 재산과 면적 · 위치 · 용도 · 종목 및 기준시가가 동일하거나 유사한 다른 재산에 대한 매매 등 가액도 위 기간기준의 범위 내에 있으면 시가로 적용할 수 있다.

(2) 평가기간 내 있는지 여부 판단기준일

해당 매매 등 가액이 평가기간 내에 있는지 여부는 다음 구분에 따른 날을 기준으로 판단하며 시가로 보는 가액이 둘 이상인 경우에는 평가기준일 전후하여 가장 가까운 날에 해당하는 가액으로 하고, 그 가액이 둘 이상인 경우에는 그 평균액을 말한다.

가. 매매의 경우: 매매계약일

나. 감정의 경우: 가격산정기준일과 감정가액 평가서 작성일(소급감정을 방지하기 위해 두 가지 날짜가 모두 평가기간 내에 있어야 한다)

다. 수용 · 경매 · 공매의 경우: 보상가액 · 경매가액 · 공매가액이 결정된 날. 이 경우 보상가액이 결정된 날이라 함은 수용보상계약 체결일을 말한다.

(3) 재산가액이 구분되지 않는 경우

매매 등 가액에 2 이상의 재산가액이 포함됨으로써 각각의 재산가액이 구분되지 않는 경우

① 각각의 재산을 「상속세 및 증여세법」에 따른 보충적 평가액에 비례하여 안분계산한다.

---

14) 상속세는 신고기한으로부터 9월, 증여세는 신고기한으로부터 6월 내에 과세관청에서 결정을 해야 한다.

② 각각의 재산에 대하여 감정가액이 있는 경우 감정가액에 비례하여 안분계산한다.

③ 토지와 그 토지에 정착된 건물 기타구축물의 가액이 구분되지 아니하는 경우에는 「부가가치세법 시행령」 제64조[15]에 따라 안분계산한다.

(4) 매매계약일 후 자본적 지출액

매매계약일 등이 평가기준일 전에 있는 경우로서 매매계약일 등 이후로부터 평가기준일까지 해당 재산에 대한 자본적 지출액이 확인되는 경우에는 그 자본적 지출액을 매매 등의 가액에 더할 수 있다. 매매계약을 하고 나서 그로부터 상속개시일 전까지 기간 중에 자본적 지출이 있어 재산가치가 상승했는데도 매매계약 시점의 가액으로 평가하는 것은 불합리하기 때문이다.

02 해당 재산의 매매 등 가액 범위

(1) 매매가액

해당 재산에 대한 매매 사실이 있는 경우에는 그 거래가액. 다만, 다음 어느 하나에 해당하는 경우는 제외한다.

① 특수관계인과의 거래로 그 거래가액이 객관적으로 부당하다고 인정되는 경우

② 특수관계인과의 거래가 아니더라도 거래된 비상장주식의 가액이 액면가액을 기준으로 다음의 금액 중 적은 금액 미만인 경우. 다만, 평가심의위원회의 심의를 거쳐 그 거래가액이 거래관행상 정당한 사유가 있다고 인정되는 경우는 매매가액으로 인정된다.

ㄱ. 액면가액의 합계액으로 계산한 해당 법인의 발행주식총액 또는 출자총액의 100분의 1에 해당하는 금액

ㄴ. 3억 원

15) 토지와 건물 등을 함께 공급하는 경우 건물 등의 공급가액 계산 규정

(2) 감정가액

가. 감정가액 적용대상 재산: 상장 · 비상장주식을 제외한 평가대상 재산

나. 감정가액 산정: 둘 이상의 공신력 있는 감정기관이 평가한 감정가액의 평균액. 다만, 기준시가 10억 원 이하 부동산은 하나 이상의 감정가액도 가능하다. 한편, 감정가액이 기준금액에 미달하거나, 기준금액 이상이라 하더라도 평가심의위원회 심의를 거쳐 감정평가목적 등을 감안하여 동 가액이 부적당하다고 인정되는 경우에는 세무서장 등이 다른 감정기관에 의뢰하여 감정한 가액에 의하되, 그 가액이 납세자가 제시한 감정가액보다 낮은 경우에는 그러하지 아니하다. 이 경우, 기준금액이란 「상속세 및 증여세법」 제61 · 62 · 64 · 65조에 따른 보충적 평가액과 동일 · 유사재산의 매매 등 가액의 100분 90 중 적은 금액을 말한다.

다. 다음의 경우에 해당되는 감정가액은 시가로 인정하지 않는다

① 일정한 조건이 충족될 것을 전제로 해당 재산을 평가하는 등 상속세 및 증여세의 납부목적에 적합하지 아니한 감정가액

② 평가기준일 현재 해당 재산의 원형대로 감정하지 아니한 경우의 당해 감정가액

③ 시가불인정 감정기관이 시가불인정 지정 기간 동안에 감정한 가액. 시가불인정 감정기관은 납세자가 제시한 감정기관의 감정가액이 세무서장 등이 다른 감정기관에 의뢰하여 평가한 감정가액의 100분의 80에 미달하는 경우 평가심의위원회 심의를 거쳐 부실감정의 고의성 및 원감정가액이 재감정가액에 미달하는 정도 등을 감안하여 1년 범위에서 지정한다.

(3) 수용, 경매, 공매가액

가. 시가인정 범위: 해당 재산에 수용 · 공매 · 민사집행법에 따른 경매 사실이 있는 경우에는 그 보상가액 · 공매가액 · 경매가액을 시가로 본다.

나. 시가로 인정하지 않는 가액

① 상속세로 물납한 재산을 상속인 또는 그의 특수관계인이 경매 또는 공매로 취득한 경우

② 경매 또는 공매로 취득한 비상장주식의 가액(액면가액의 합계액)이 다음의 금액 중 적은 금액 미만인 경우

ㄱ. 액면가액의 합계액으로 계산한 당해 법인의 발행주식총수 또는 출자총액의 100분의 1에 해당하는 금액

ㄴ. 3억 원

③ 경매 또는 공매절차의 개시 후 관련 법령이 정한 바에 따라 수의계약에 의하여 취득하는 경우

④ 최대주주 등의 상속인 또는 최대주주 등의 특수관계인이 최대주주 등이 보유하고 있던 비상장주식 등을 경매 또는 공매로 취득한 경우

(4) 평가기간 밖의 매매 등 가액

평가기준일 전 2년 내 기간 중 또는 평가기간이 경과한 후부터 상속세·증여세 법정결정기한[16)]까지 기간 중에 매매 등 가액이 아래에 해당되어 절차를 거쳐 시가로 인정될 경우 그 가액

가. 요건: 평가기준일부터 매매 등의 날까지 기간 중에 주식발행회사의 경영상태, 시간의 경과 및 주위환경의 변화 등을 고려하여 가격변동의 특별한 사정이 없는 경우

나. 절차: 납세의무자 또는 지방국세청장·세무서장이 신청하여 평가심의위원회 심의를 거쳐 결정한다.

03 동일하거나 유사한 재산의 매매 등 가액

평가대상 재산과 동일 또는 유사재산의 매매 등 가액이 있는지는 상속인이 거래의 당사자가 아니기 때문에 파악하기 어렵고 또 거래가 있었는지 알더라도 그 재산이 법에 정한 동일·유사재산의 범위에 포함되는지 여부도 쉽게 알기 어렵다. 국세청에서는 이런 불편을 해소하기 위해 2017.7.18.부터 공동주택·오피스텔에 대해서

16) 「상속세 및 증여세법 시행령」 제49조 제1항 개정으로 2019.2.12. 이후 상속이 개시되거나 증여받는 분부터는 상속세 또는 증여세 신고기한이 경과한 후에라도 법정결정기한까지 발생한 매매·감정·수용가액 등에 대해서는 평가심의위원회를 통해 시가로 인정할 수 있게 되었다.

유사매매가액 등을 조회하는 서비스를 제공하고 있다.

(1) 평가의 일반기준

상속재산의 시가를 판단함에 있어 상속개시일 전후 6월 이내의 기간 중 해당 재산 또는 해당 재산과 면적 · 위치 · 용도 및 종목이 동일하거나 유사한 다른 재산에 대한 매매 등 가액이 있는 경우 당해 가액은 시가로 인정될 수 있다. 또한, 평가기준일 전 2년 이내의 기간(상속개시일 전 6월 이내 기간 제외) 중에 매매 등이 있는 경우로서 시간의 경과 및 주위환경의 변화 등을 감안하여 가격변동의 특별한 사정이 없다고 인정되는 때에 당해 매매가액 등은 평가심의위원회의 자문을 거쳐 시가로 인정되는 가액에 포함시킬 수 있다. 다만, 동일 · 유사재산의 경우에는 2012.2.2.부터는 상속세 또는 증여세 법정신고기한 내에 과세표준을 신고한 경우에는 평가기준일 전 6개월부터 신고일까지 기간 중에 있는 매매 등 가액만 시가로 인정한다는 점이 해당 재산의 경우와 적용방법이 다르다.

> 예 상속개시일이 2020.5.1.인 경우 신고기한은 2020.11.30.이지만 상속세 신고를 2020.10.1.에 한 경우, 신고일 이후인 2020.10.2.부터 2020.11.30.까지의 동일 · 유사재산의 매매 등 가액은 시가로 적용할 수 없다.

(2) 동일 · 유사재산의 범위

① 고시된 가격이 있는 공동주택: 다음 요건을 모두 충족하는 주택. 다만, 해당 주택이 둘 이상인 경우에는 평가대상 주택과 고시된 공동주택 가격차이가 가장 적은 주택을 말한다.

ㄱ. 평가대상 주택과 동일한 공동주택 단지 내에 있을 것

ㄴ. 평가대상 주택과 주거전용면적의 차이가 평가대상 주택의 주거전용면적의 100분의 5 이내일 것

ㄷ. 평가대상 주택과 공동주택 가격의 차이가 평가대상 주택의 공동주택 가격의 100분의 5 이내일 것

② 위 외에 재산의 경우는 평가대상 재산과 면적 · 위치 · 용도 · 종목 및 기준시가가 동일하거나 유사한 다른 재산. 따라서 토지 등 기타재산의 경우

유사재산 매매가액은 해당 재산마다 개별적으로 사실관계와 세법해석 등을 검토하여 적용해야 한다.

(3) 동일 · 유사재산의 매매가액 확인

가. 공동주택 · 오피스텔 매매가액: 국세청 홈택스에서 평가대상 공동주택이나 오피스텔의 소재지와 동 · 호수를 입력하면 유사매매가액 조회가 가능하다.

- 국세청 홈택스(www.hometax.go.kr) → 조회/발급→ 상속증여재산 평가하기

나. 토지의 매매가액: 대지, 전 · 답, 임야 등 일반 토지의 경우 공동주택과는 달리 동일 유사재산의 범위에 대해 기준이 없다. 따라서 개별 토지마다 건건이 평가대상재산과 유사한 재산의 매매거래가 있는지를 확인해야 하는데, 인터넷에서 항공사진과 지적도를 조회할 수 있는 다양한 서비스를 제공하고 있어 이를 활용하면 적용할 유사재산이 있는지 확인이 가능하다.

- 네이버지도 → 위성지도 · 지적편집도, 국토교통부 토지이용규제정보서비스(LURIS): 평가대상 재산과 연접 또는 인접한 토지의 현황과 지목 및 지번을 확인
- 대법원인터넷등기소: 해당 유사재산의 등기부등본을 열람하여 매매가 있었는지와 매매가액을 확인한다.

04 매매계약 중인 부동산 평가[17)]

(1) 피상속인이 잔금수령 전 사망 시

피상속인이 부동산 양도계약을 체결하고 잔금을 받기 전에 사망한 경우에는 양도대금 전액에서 상속개시 전에 받은 계약금과 중도금을 뺀 잔액을 그 상속재산의 가액으로 한다. 이 경우 상속개시 전 받은 계약금 등이 계좌에 입금되지 않고 사용처가 불분명한 경우 그 금액은 처분재산의 추정상속재산

17) 「상속세 및 증여세법」 기본통칙 2-0…3

규정을 적용한다.

(2) 피상속인이 잔금지급 전 사망 시

피상속인이 부동산 양수계약을 체결하고 잔금을 지급하기 전에 사망한 경우에는 이미 지급한 계약금과 중도금을 상속재산에 포함한다.

세법해석 사례 및 판례 등

- 해당 재산과 동일하거나 유사한 재산의 매매가액은 시가에 포함되는 것이며, 이에 해당하는 가액이 둘 이상인 경우에는 평가기준을 전후하여 가장 가까운 날에 해당하는 가액을 시가로 보는 것임(상속증여세과-671, 2020.9.9.).
- 상속개시일 전후 6개월 내에 상속재산에 대한 매매사실이 있어 그 거래가액이 확인되는 경우 그 가액은 「상속세법」 제9조 제2항에 규정하는 시가로 볼 수 있는 것이나, 중도에 계약해지된 매매가액은 시가로 보지 않음(재삼46014-1204, 1996.5.16.).
- 「쟁점토지(쟁점부동산)와 비교대상토지(비교대상 부동산)는 그 기준시가 · 위치 · 면적 · 용도 및 이용상황 등에서 매우 유사하므로 비교대상토지의 거래가액을 쟁점토지의 매매사례가액으로 적용할 수 있어 보이는 점 등에 비추어 처분청이 비교대상토지의 매매사례가액을 쟁점토지의 시가로 보아 과세한 이 건 처분은 달리 잘못이 없음(조심2019서-2834, 2019.10.15.).
- 처분청은 유사매매사례가액 산술평균액을 적용하였으나, 처분청이 결정한 취득가액은 법적 근거가 없어 보이는 점, 쟁점토지와 지목이 다르고 청구인도 이 토지의 실제 용도가 농지라고 소명하고 있는 점 등에 비추어 쟁점토지의 취득가액은 비교대상토지 중 쟁점토지와 지목, 위치, 사용용도 등에 있어서 유사성이 인정되는 토지의 거래가액에 의하여 산정하는 것이 타당함(조심2019부-0289, 2019.4.29.).
- 수용토지가 수용된 후 쟁점토지도 큰 폭으로 가치가 상승하여 개별공시지가보다는 보상가액이 시가에 근접한 것으로 보이는 점 등에 비추어 수용토지의 보상가액을 쟁점토지의 유사매매사례가액으로 보아 청구인에게 상속세를 과세한 처분은 잘못이 없음(조심2016중-1500, 2016.6.29.).
- 평가기간에 해당하지 아니하는 기간으로서 평가기준일 전 2년 이내의 기간 중에 유사한 재산의 매매 등이 있는 경우에는 상증령 제49조의2 제1항에 따른 평가심의위원회의 심의를 거쳐 시가로 인정되는 가액에 포함시킬 수

있음(상속증여세과-271, 2020.4.21.).

- 쟁점아파트와 비교대상 아파트는 같은 아파트 단지 내에 위치하고 동과 면적이 동일하여 기준시가가 유사하며 평가기간 이내인 점 등에 비추어 처분청이 청구인에게 증여세를 유사매매사례가액으로 과세한 이 건 처분은 달리 잘못이 없는 것으로 판단됨(조심2019중-3752, 2020.1.20.).

4절 배우자 상속공제 및 상속재산의 분할 신고

상속세를 계산할 때 공제하는 항목 중 큰 비중을 차지하는 것이 배우자 상속공제이다. 배우자 상속공제액은 배우자가 실제로 상속받은 재산을 공제하는데 30억 원을 한도로 공제된다. 만약 상속재산이 50억 원이고 채무가 20억 원인데, 상속재산 모두를 배우자가 상속받는다면 배우자 상속공제 30억 원을 받게 되어 상속세를 한 푼도 내지 않게 된다. 다만, 배우자 상속공제를 받기 위해서는 일정 기간 내에 배우자 몫의 상속재산을 분할하여 등기하고 이를 세무서장에게 신고해야 하는 등 요건을 갖추어야 하는데, 이를 지키지 않을 경우 공제를 받지 못해 막대한 세금을 부과받게 되므로 주의를 기울여야 한다.

01 배우자 요건

배우자라 함은 민법상 혼인으로 인정되는 혼인관계에 의한 배우자를 말하므로, 사실혼 관계에 있는 자는 배우자 상속공제 적용을 받을 수 없다.

02 실제 상속받은 금액

배우자가 실제로 상속받은 금액은 배우자 명의로 등기 · 등록 · 명의개서 등을 하거나 동산을 배우자가 점유하는 등으로 배우자가 실제 상속받은 재산임이 확인되는 재산의 가액에서 채무 등을 차감하여 계산한다.

〈배우자가 실제 상속받은 금액, 국세청 세법집행기준 19-17-1〉

배우자가 상속받은 상속재산가액(사전증여재산가액 및 추정상속재산가액 제외)
△ 배우자가 승계하기로 한 공과금 및 채무액
△ 배우자 상속재산 중 비과세 재산가액
△ 배우자 상속재산 중 과세가액 불산입액

배우자가 실제 상속받은 금액

03 배우자 상속공제 한도액 계산

배우자 상속공제액은 배우자가 실제 상속받은 금액만큼을 공제한다. 다만, 아래와 같이 계산한 금액과 30억 원 중 적은 금액을 한도로 공제된다.

(1) 한도금액

MIN{(① - ②+③)×④ - ⑤, 30억 원}

① 대통령령으로 정하는 상속재산의 가액

상속으로 인해 얻은 자산총액(본래의 상속재산 및 간주 · 추정상속재산)
△ 비과세 상속재산
△ 공과금 및 채무
△ 공익법인 등의 출연재산 및 공익신탁재산에 대한 과세가액 불산입재산

② 상속재산 중 상속인이 아닌 수유자가 유증 등을 받은 재산의 가액

③ 상속개시 전 10년 이내에 상속인에게 증여한 재산의 가액

④ 민법 규정에 따른 배우자의 법정상속분

⑤ 상속재산에 가산한 증여재산가액 중 배우자에게 증여한 재산에 대한 과세표준

(2) 상속신고누락 재산 포함 여부

배우자 상속공제 한도액 계산 시 상속재산의 가액에는 상속세를 신고할 때 누락한 재산을 포함하여 최종 결정된 금액을 기준으로 계산한다. 즉, 세무조사 등 정부결정 과정에서 신고누락한 재산이 확인되는 경우에는 상속재산에 포함시키는 한편, 배우자 상속공제액도 재계산하여 공제한다.

(3) 배우자 법정상속분

배우자의 상속분은 직계비속과 공동으로 상속하는 때에는 직계비속 상속분의 5할을 가산하고, 직계존속과 공동으로 상속하는 때에는 직계존속 상속분의 5할을 가산한다.[18] 만약, 공동상속인 중 상속을 포기한 자가 있는 경우에는 그 자가 포기하지 아니한 경우를 가정하여 계산한 배우자의 법정상속분을 말한다.

예 상속인이 배우자, 장남, 차남인 경우 배우자의 법정상속분은 3.5분의 1.5이다.
- 배우자 1.5, 장남 1, 차남 1

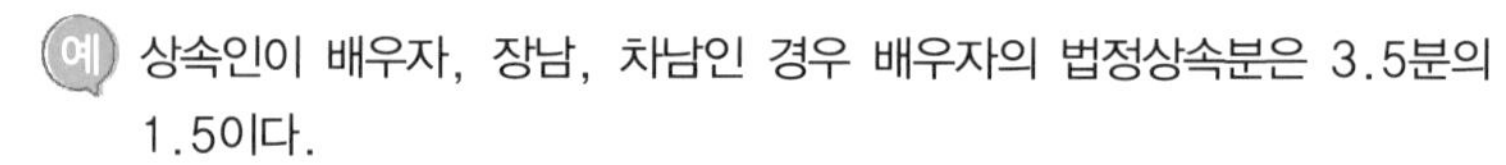

04 배우자 상속재산의 분할 및 신고 의무

배우자 상속공제는 배우자의 상속재산을 분할기한 내에 분할하여 분할사실을 세무서장에게 신고해야 공제를 받을 수 있다. 즉, 배우자가 실제 상속받은 재산에 대해 배우자 상속공제를 받기 위해서는 단순히 법정상속분에 따른 소유권이전등기만 해서는 안되고 상속재산을 분할(등기를 요하는 경우 분할등기까지 경료)하여 배우자의 상속재산을 신고한 경우에 한하여 적용된다.

(1) 배우자 상속재산 분할기한 및 분할신고

가. 원칙: 상속세 과세표준 신고기한의 다음 날부터 9개월[19]이 되는 날까지 배우자의 상속재산을 분할하여야 하며, 그 분할기한까지 납세지 관할 세무서장에게 신고해야 한다.

나. 예외: 다만, 아래와 같은 부득이한 사유가 있는 경우 배우자 상속재산 분할기한의 다음 날부터 6개월이 되는 날까지 상속재산을 분할하여 납세지 관할 세무서장에게 신고하면 기한 내에 분할한 것으로 본다. 이때 부득이한 사유가 소제기나 심판청구로 인한 경우에는 소송 또는 심판청구가 종료된

---

18) 「민법」 제1009조(법정상속분)

19) 종전에 6개월이었으나 상속세 결정기한과 동일하게 개정되었다. 2021.1.1. 이후 결정·경정하는 분부터 적용

날의 다음 날부터 6개월이 되는 날이며, 배우자 상속재산 분할기한의 다음 날부터 6개월을 경과하여 과세표준과 세액의 결정이 있는 경우에는 그 결정일까지를 말한다. 아울러 부득이한 사유가 있어 분할이 늦어지는 경우에는 상속인이 그 부득이한 사유를 입증할 수 있는 서류를 첨부하여 당초의 배우자 상속재산 분할기한까지 세무서장에게 신고하는 경우에 한정하여 적용함에 유의해야 한다.

① 상속인 등이 상속재산에 대하여 상속회복청구의소를 제기하거나 상속재산 분할의 심판을 청구한 경우

② 상속인이 확정되지 아니하는 부득이한 사유 등으로 배우자 상속분을 분할하지 못하는 사실을 관할 세무서장이 인정하는 경우

(2) 상속재산의 분할

배우자 상속공제는 배우자의 상속재산을 분할한 경우에 적용되며, 이때 등기 · 등록 · 명의개서 등이 필요한 경우에는 그 등기 · 등록 · 명의개서가 된 것에 한정한다. 예를 들어, 부동산의 경우 단순 상속등기를 해서는 안되고 협의분할에 의한 상속등기를 해야 한다. 법정상속지분대로 상속을 받더라도 절차는 반드시 협의분할에 의한 상속등기를 해야 하며, 단순 상속등기를 하게 되면 배우자가 상속공제를 적용받지 못한다. 만약, 배우자가 30억 원의 부동산을 상속받고 협의분할에 의한 상속등기를 하지 않고 단순 상속등기를 하게 되면 실제 상속받은 재산으로 인정되지 못해 배우자 공제 30억 원을 적용받지 못하고 최소 금액인 5억 원만 공제받게 될 수 있다. 다만, 최근 기획재정부에서는 배우자 상속공제 적용 시 등기원인이 '협의분할에 의한 상속'으로 한정되지 않는다고 해석한 바 있으나, 법령으로 명확히 규정될 때까지는 반드시 협의분할하여 상속세 신고를 하는 것이 추후 과세관청과 분쟁의 소지를 없앨 수 있다.

 세법해석 사례 및 판례 등

- 배우자가 실제 상속받은 금액에는 동법 제15조 제1항에 따라 상속인들이 상속받은 것으로 추정하여 상속세 과세가액에 산입된 금액은 포함하지 아니함(재재산-566, 2007.5.15.).
- 배우자가 실제 상속받은 금액에는 동법 제13조 제1항 제1호의 규정에 의한 배우자의 사전증여받은 재산가액은 포함하지 아니하는 것임(재재산 46014-238, 2001.9.26.).
- 배우자 상속공제 적용 시 단순한 법정상속분에 따른 소유권이전등기만으로는 부족하고, 추후 별도의 협의분할 등에 의한 배우자의 실제 상속받은 금액의 변동이 없도록 '상속재산을 분할(등기를 요하는 경우 분할등기까지 경료)하여 배우자 상속재산 분할기한까지 배우자의 상속재산'을 신고한 경우에 한하여 적용하는 것임(서울중앙지방법원 2017가합521930, 2017.8.16.).
- 피상속인의 신탁재산(부동산)에 대해 「상속세 및 증여세법」 제19에 따른 배우자상속공제 적용 시, 배우자의 상속재산을 분할한 경우를 판단함에 있어, 신탁원부의 위탁자 명의 변경은 필요하지 않음(기획재정부 재산세제과-68, 2021.1.26.).
- 상속인 간 협의분할한 경우로서 「상속세 및 증여세법」 제19조에 따른 배우자상속공제 적용 시, 등기원인이 '협의분할에 의한 상속'으로 한정되지 않음(기획재정부 재산세제과-764, 2020.9.3.).
- 배우자가 상속받은 재산을 배우자 상속재산 분할기한까지 분할하여 신고하는 경우 실제 받은 금액으로 배우자 상속공제 가능(서면-2015-0457, 2015.4.22.).
- 배우자 상속재산 분할기한까지 분할하여 신고하는 경우 실제 받은 금액으로 배우자 상속공제 가능하며, 당초 확정된 상속분을 재분할하는 경우 증여에 해당하고, 피상속인이 단순히 타인 명의로 예치한 예금은 상속재산에 해당함(재산세과-30, 2010.1.19.).
- 상속세 신고 기한 내에 상속재산을 분할하고 등기 등을 한 경우에는 실제 상속받은 가액에 의하여 배우자상속공제가 적용됨(재산세과-3894, 2008.11.21.).
- '상속'을 원인으로 한 등기가 마쳐졌다고 하여 그 등기 내용대로의 상속재산분할협의가 이루어졌다고 인정할 수 없으며, 상속재산 분할 사실을 신고하였다는 사실을 인정할 증거도 될 수 없음(대법원 2018다219451, 2018.5.15.).

5절 대여금·차입금 등 채권·채무 확인

채권과 채무는 그 명칭이나 종류에 관계없이 상속개시 당시 피상속인에게 귀속되는 채권은 모두 상속재산에 포함되며 마찬가지로 피상속인이 부담해야 할 확정된 채무는 상속재산가액에서 차감한다. 다만, 회수 불가능한 채권은 상속재산에서 제외된다. 또한, 상속인에게 변제의무가 없는 채무는 상속재산가액에서 차감하지 않는다. 그런데, 피상속인의 채권 채무관계를 상속인이 파악하기 어려운 경우가 많고 또 실수로 상속세 신고 시 누락하는 경우가 많이 발생한다.

01 사업관련 채권 · 채무

상속재산은 피상속이 보유하고 있던 부동산이나 예금뿐만 아니라 피상속인에게 귀속되는 모든 채권 · 채무도 해당이 되기 때문에 생전에 사업을 운영하였다면 최근에 작성된 회사의 재무제표상에 피상속인과 관련된 채권 · 채무가 있는지 반드시 확인해야 한다.

(1) 개인사업자의 경우

피상속인이 개인사업자를 운영했다면 최근 재무제표를 바탕으로 상속개시일 현재 자산 및 부채 상태를 파악해서 상속재산에 포함시켜야 한다. 재무제표에는 외상매출금이나 외상매입금 또는 대여금이나 차입금 등 사업과 관련된 각종 채권 · 채무를 파악할 수 있는데, 만약 채권을 누락하게 되면 나중에 상속세를 추가로 납부하게 되고 채무를 누락하게 되면 신고할 때 상속세를 과다하게 납부하는 경우가 발생하게 된다. 따라서 피상속인이 운영하던 개인사업과 관련된 모든 자산과 부채 잔액이 상속세 신고대상이라고 보면 된다. 그런데 주의할 점은 재무제표상 남아있는 채무가 있으면 상속재산가액에서 공제하는 것으로 끝나면 안된다. 만약 피상속인이 사망하기 전 2년 내의 채무라면 그 채무를 사업용으로 사용했는지 다른 목적으로 사용했는지 등 사용처에 대해서도 반드시 확인해야 한다. 사용처가 불분명하게 되면 위에서 설명한 처분재산 등의 상속추정 규정에 따라 상속세 과세가액에 산입해야 한다.

(2) 법인사업자의 경우

피상속인이 법인사업을 운영했다면 해당 법인과 피상속인과의 채권 · 채무 관계가 있는지 확인해야 한다. 이 경우도 마찬가지로 법인의 재무제표가 바탕이 되어야 한다. 다만, 개인사업자는 채권 · 채무의 당사자가 바로 피상속인이지만 법인의 경우 채권 · 채무의 상대방이 수 많은 사람이나 법인이므로 재무제표만으로는 법인의 채권 · 채무 관계가 피상속인과 관련 있는지 확인하기 어렵다. 따라서 회사에 보관된 장부를 통해 법인과 피상속인과의 채권 · 채무가 있는지를 세밀하게 확인해야 한다. 세무조사 과정에서 신고를 누락하거나 잘못 신고하는 것 중 많은 부분이 법인의 가지급금 및 가수금이다. 가지급금이나 가수금은 이름 그대로 현금이 인출되거나 입금되었으나 그 계정과목이 확정되지 않은 임시 계정으로서 원칙적으로는 기말에 적정한 계정으로 대체하여야 한다. 그 내용이 확인되지 않는 경우 일반적으로 주주 · 임원 · 종업원 단기대여금 · 차입금으로 처리하거나 그냥 가지급금 · 가수금 계정으로 두기도 한다. 세무조사 시에는 신고누락한 상속재산을 적출 하기 위해 재무제표에 가수금계정이 있는지 우선적으로 파악하고 그 가수금이 피상속인과 관련이 있는지를 확인한다. 가지급금의 경우 피상속인이 부담할 채무가 확인되면 상속재산가액에서 차감해야 하므로, 세무조사 시에는 보다 엄격하게 그 실체를 확인한다. 현실적으로 가지급금은 현금이 인출되었음에도 어디에 사용되었는지 불분명한 경우가 많아 피상속인과의 관련성이 입증되지 않으면 채무로 인정받지 못하는 경우가 많다. 또한 채무로 인정되더라도 만약 피상속인이 사망하기 전 2년 내 채무라면 그 가지급금의 사용처에 대해서도 반드시 확인해야 한다. 만약 사용처가 불분명한 경우에는 위에서 설명한 처분재산 등의 상속추정 규정에 따라 상속세 과세가액에 산입해야 한다.

02 사업과 무관한 채권 · 채무

상속세를 계산할 때는 사업과 무관한 채권이더라도 상속재산에 포함되며, 또 사업과 무관한 채무이더라도 공제한다. 이와 같이 사업과 관련 없는 채권 · 채무는 상속인이 당사자가 아니므로 확인하기 어려운 경우가 많은데, 세무조사 과정에서는 다양한 경로로 확인된다.

(1) 피상속인 계좌거래 내역 확인

피상속인이 사용했던 계좌의 거래내역을 분석하여 특정인에게 자금을 이체하거나 이체받은 사실 또는 이자성격으로 보이는 금액이 입출금된 내용 등에 대해 거래상대방에게 입출금 사유를 질문하는 과정에서 채권 또는 채무가 확인된다.

(2) 부동산 근저당 내역 확인

피상속인 소유의 부동산에 설정된 근저당권설정 내용을 통해 피상속인이 대출받은 채무가 확인된다. 아울러, 상속인의 재산을 담보로 피상속인이 대출을 받아 사용하는 경우도 있는데, 이 경우도 실제 피상속인이 상환할 의무가 있으면 채무로 공제해야 한다.

(3) 비망록 등

피상속인이 생전에 작성한 비망록이나 보관하고 있던 차용증 등을 통해 채권 · 채무 관계가 확인되기도 한다. 한편, 피상속인이 사망하면 상속인이 전혀 알지 못했던 채권자가 나타나 채권 · 채무 관련 서류를 제시할 수도 있으니, 상속재산에서 차감할 채무가 확실하면 상속세 신고 시 반영해야 한다. 이 경우도 마찬가지로 피상속인이 사망하기 전 2년 내 차입금이라면 그 차입금의 사용처에 대해서도 반드시 확인해야 한다. 만약 사용처가 불분명하게 되면 위에서 설명한 처분재산 등의 상속추정 규정에 따라 상속세 과세가액에 산입해야 한다.

세법해석 사례 및 판례 등

- 법인이 대표이사인 피상속인에 대한 대여금을 장부상 가지급금으로 계상한 경우로서 당해 가지급금 변제의무를 상속인이 실제로 부담하는 사실이 입증되는 경우, 당해 가지급금은 상속재산의 가액에서 차감하는 채무에 해당하는 것임(법규과-2647, 2006.6.28.).
- 채무에 해당하는지 여부는 상속개시 당시 피상속인이 부담하여야 할 확정된 채무로서 상속인이 실제로 부담하는 사실이 입증되는 경우에 한하는 것으로서, 가지급금이 위와 같은 채무에 해당하는지 여부는 사실 판단 사항임(재산세과-2388, 2008.8.22.).
- 당해 채권의 전부 또는 일부가 상속개시일 현재 회수불가능한 것으로 인정되는 경우에는 그 가액은 상속재산가액에 산입하지 아니하는 것입니다. 귀 질의의 경우 피상속인이 대표이사로 있는 법인의 장부상 계상되어 있는 피상속인의 가수금 채권이 상속개시일 현재 회수불가능한 채권에 해당하는지 여부에 대하여는 채무자의 재산상황 등 구체적인 사실을 확인하여 판단할 사항임(재산세과-2663, 2008.9.4.).
- 쟁점가지급금은 피상속인이 청구외법인을 경영하면서 장부에 계상한 것이고, 매년 결산 시 인정이자를 계산하여 법인세 신고를 하였는 등 피상속인의 채무로 봄이 합당함(조심2008전2448, 2009.3.30.).
- 상속개시일 현재 피상속인에게 귀속되는 재산적 가치가 있는 사실상의 채권은 상속재산에 포함되는 것입니다. 이 경우 채권의 평가는 원본의 가액에 평가기준일까지의 미수이자상당액을 가산한 금액에 의하는 것이나, 당해 채권의 전부 또는 일부가 평가기준일 현재 회수불가능한 것으로 인정되는 경우에는 그 가액은 산입하지 아니하는 것임(재산세과-3464, 2008.10.24.).
- '대통령령이 정하는 방법에 의하여 입증된 채무'란 상속개시 당시 피상속인의 채무로서 상속인이 실제로 부담하는 사실이 '채무부담계약서, 채권자확인서, 담보설정 및 이자 지급에 관한 증빙 등에 의하여 그 사실을 확인할 수 있는 서류'에 의하여 입증되는 것을 말하므로 확인증만으로는 상속재산 가액에서 공제될 피상속인의 채무가 인정되지 아니함(서울행정법원2019구합-4394, 2020.5.14.).

Part 5

대표님 주식의 소각

대표님과 자녀가 회사주식을 소유하고 있는 경우 대표님이 소유한 주식을 소각시켜 자녀의 지분비율을 증가시킴으로써 가업을 승계하는 방법을 생각해 볼 수도 있다. 주식을 소각시키는 방법은 회사의 자본금에서 대표님의 지분만큼의 자본금을 감소시키는 감자에 의한 소각방법과 자본금은 그대로 유지하면서 회사가 보유하고 있는 잉여금으로 대표님의 주식을 회사가 취득하여 소각시키는 방법, 즉 이익소각 방법으로 나누어 볼 수 있다. 일반적으로 주식을 소각한다는 것은 회사의 자본금, 즉 발행주식수에 액면가액을 곱한 자본금의 일부를 실질적으로 감소시키는 것인데, 이익소각은 회사의 자본금은 그대로 둔 채 잉여금을 이용하여 주식을 취득하고 이를 소각시키는 것을 말한다. 이익소각의 경우 주식수는 감소하지만 그 재원이 잉여금이므로 자본금은 변동하지 않게 된다. 자본금이 감소할 경우 은행대출이나 인허가 등 사업유지 자체에 영향을 주게 되는 경우에는 감자보다는 이익소각을 고려하는데, 다만 이익소각의 경우도 회사가 취득할 자기주식의 취득재원인 배당가능이익이 회사에 충분히 유보되어 있어야 실행이 가능하다. 또한, 절차적 측면에서 볼 때 감자는 채권자보호절차가 이익소각과 달리 엄격한데 감자나 이익소각 등 모두가 회사의 이해관계자들에게 영향을 미치게 되므로 상법에서는 엄격한 요건과 절차를 규정하고 있다. 2012년 이후부터는 회사가 발행한 주식을 회사 스스로 취득하는 자기주식 취득이 완화됨에 따라 가업승계를 준비하는 과정에서 회사의 가지급금을 줄이기 위해 회사에 주식을 양도하고 양도대금과 가지급금을 상계시키는 등의 방법이 자주 소개되고 있는데, 자기주식을 취득하면서 외견상은 정상적인 절차를 거쳤다고 하더라도 과세관청 및 법원에서는 세법상 실질과세원칙, 상법상 자본충실의 원칙 등을 바탕으로 경제적 합리성이 결여된 비정상적인 행위로 판단할 수가 있고, 이 경우 자기주식 취득이 원인무효가 되어 오히려 가지급금이 증가되거나 추가적인 세금까지 부담할 수도 있는 등 리스크가 크다는 점을 반드시 고려해야 한다. 이하에서는 정상적인 주식의 소각과정에서 발생 가능한 세금문제를 짚어보고 자기주식취득이 완화되면서 자주 제시되는 컨설팅 사례 및 주의할 점에 대해 알아본다.

자본금 감소를 통한 주식의 소각

자본금 감소란, 회사가 발행한 주식의 액면총액 중 일부가 감소되는 것을 말한다. 상법에서 자본금 감소에 대한 요건과 절차를 엄격하게 규정하고 있다. 자본금이 감소하면 단순히 주주의 지분만 감소하는 것이 아니다. 세금 측면에서 보면 자본금이 감소하면 주주에게 소득세나 증여세 등 세금이 과세될 개연성이 높다. 따라서, 자본금 감소를 실행하기 전에 관련 세금에 대한 충분한 이해가 필요하다.

1절 자본금 감소의 방법 및 절차

자본금 감소의 방법에는 주금액의 감소, 주식의 소각 또는 병합, 임의소각 또는 강제소각 등 여러 가지 형태로 구분할 수 있으나, 일반적으로 실질적 감자와 형식적 감자로 크게 분류해 볼 수 있다.

01 감자의 종류

(1) 실질적 감자

자본금을 감소시켜 주주들에게 지분비율에 따라 지급함으로써 실질적으로 회사의 자산규모가 줄어들게 된다. 주주가 투자한 투자금을 회사가 보상 또는 환급한다는 점에서 유상감자라고도 한다.

(2) 형식적 감자

감소시킨 자본금을 회사의 결손금을 보전하는데 사용함에 따라 회사의 자산규모는 변함이 없게 된다. 주주들에게는 보상이나 환급을 하지 않으면서도 자본금은 감소하게 됨에 따라 이를 무상감자라고도 한다. 이하에서는 실질적인 감자, 즉 유상감자를 바탕으로 내용을 살펴본다.

02 감자의 절차

(1) 주주총회 특별결의

자본금 감소는 주주 및 채권자 등 다수의 이해관계에 영향을 주게 되므로 주주총회의 특별결의를 반드시 거치도록 하고 있다. 특별결의는 출석한 주주의 의결권 3분의 2 이상의 수와 발행주식총수의 3분의 1 이상의 수로써 하여야 한다.

(2) 채권자 보호절차 이행

감자가 가능할 것인지에 대한 핵심은 외부이해관계자인 채권자의 동의 여부이다. 내부이해관계자는 주주총회의 특별결의를 통해 동의를 얻을 수 있지만, 외부이해관계자인 채권자 보호를 위해 상법에서는 별도로 채권자에 대한 동의를 얻도록 하고 있다. 채권자는 회사가 감자를 하더라도 본인의 채권을 안정적으로 변제받을 수 있다는 확신이 있어야 감자에 동의할 것이다. 감자의 가능성을 판단함에 있어서 채권자의 동의 여부가 핵심이므로 무턱대고 감자절차를 실행하면 감자가 무산될 수도 있다. 실무적으로는 상법상 감자 절차를 진행하기 전에 미리 주요 채권자들과 협의를 하는 것이 일반적이라고 볼 수 있다.

가. 이의제출 공고 및 최고: 회사는 감자를 하기로 특별결의를 한 날부터 2주 내에 회사 채권자에 대하여 감자에 이의가 있으면 이의를 제출할 것을 공고하고, 알고 있는 채권자에 대하여는 따로따로 이를 최고하여야 한다.

나. 이의제출기간: 이의를 제출할 수 있는 기간은 1월 이상이어야 한다. 채권자가 위 기간 내에 이의를 제출하지 아니한 때에는 감자를 승인한 것으로 본다.

다. 알고 있는 채권자의 범위: 위 '가'호에서 알고 있는 채권자라 함은 회사의 장부 기타 근거에 의하여 성명과 주소가 회사에 알려져 있는 자는 물론이고 회사 대표이사 개인이 알고 있는 채권자도 이에 포함된다.

라. 이의제출한 채권자에 대한 조치: 이의를 제출한 채권자가 있는 때에는 회사는 그 채권자에 대하여 변제 또는 상당한 담보를 제공하거나 이를 목적으로 하여 상당한 재산을 신탁회사에 신탁하여야 한다.

2절 주식 소각 시 내야 하는 세금(소각 대가=시가)

주식을 소각시킬 때 회사는 주주에게 일정한 대가를 지급한다.[1] 주식을 소각하여 감소시키는 자본금은 액면가로 표시가 되지만, 회사가 주식 소각의 대가로 지급하는 금액은 액면가액이 아니고 소각 당시의 시가를 산정하여 지급하게 된다. 만약, 시가보다 낮거나 높은 가액을 지급하는 경우 그로 인해 이익을 보게 되는 주주에게는 증여세가 과세[2]된다. 그런데 시가대로 지급한 경우에도 과세문제가 없는 것은 아니다. 만약, 대표님 주식을 소각할 때 회사에서 지급한 소각대가와 그 주식을 취득할 때 소요된 취득가액과의 차액이 있으면 회사가 대표님에게 배당한 것으로 보아 소득세가 과세된다. 이렇게 형식상 배당은 아니지만 배당과 동일하거나 유사하기 때문에 배당으로 보게 되는데, 이를 세법에서는 의제배당이라 한다.

01 의제배당금액

주식을 소각하면 주주는 그 대가로 금전이나 그 밖의 재산을 받게 되는데, 받은 가액이 소각한 주식을 취득하기 위해 당초 사용한 금액을 초과하는 금액은 의제배당 소득으로 소득세가 과세된다.

의제배당금액 = 주식소각으로 받은 대가 - 주식취득에 소요된 금액

1) 아무대가 없이 무상으로 소각하는 경우도 있다.
2) 주주가 개인인 경우를 가정한 것이다.

가. 주식소각으로 받은 대가: 주식을 소각하는 대가로 받은 금전을 말하며, 받은 대가가 금전이 아닌 재산인 경우 그 재산의 시가를 말한다.

나. 주식취득에 소요된 금액: 소각한 주식을 취득할 때 직접 소요된 가액을 말하는 것이며, 주식을 취득하기 위해 소요된 금액이 불분명한 경우에는 그 주식의 액면가액을 취득에 소요된 금액으로 본다. 무액면주식의 경우에는 해당 주식의 취득일 당시 해당 주식을 발행하는 법인의 자본금을 발행주식 총수로 나누어 계산한 금액을 액면가액으로 한다. 만약, 동일법인의 주식을 서로 다른 취득가액으로 취득 · 보유하던 중 그 주식의 일부가 소각되어 의제배당이 발생하는 경우 주식을 취득하기 위하여 소요된 금액의 계산에 대해서는 총평균법에 의하는 등 별도 기준[3]을 정하고 있다.

02 의제배당에 대한 소득세 과세방법

배당소득은 금융소득종합과세제도를 적용받는다. 의제배당의 경우도 동일하게 적용된다. 이자소득과 배당소득을 합한 금융소득이 종합과세기준금액인 연간 2천만 원을 초과하는 경우에는 다른 종합소득과 합산하여 누진세율을 적용하여 종합과세하고, 그 이하인 경우에는 분리과세한다.

(1) 종합과세

이자소득과 배당소득의 합계액이 연간 2천만 원을 초과하는 경우 금융소득을 다른 종합소득과 합산하여 과세한다. 또한, 2천만 원 이하라 하더라도 원천징수되지 않은 소득에 대해서는 종합과세한다. 종합과세기준금액 2천만 원 초과 여부를 계산할 때에는 아래에 설명하는 배당가산액(Gross-up)은 포함하지 않는다.

(2) 배당소득에 대한 이중과세 조정

회사에서 주주에게 배당하는 금액은 이미 법인세가 과세된 후의 소득을

3) 소득세법 집행기준 17-27-3(취득가액이 다른 동일법인 주식 감자 시 취득가액 계산)

재원으로 한다. 따라서 배당소득이 주주의 종합소득에 합산되어 다시 종합소득세가 과세되는 경우 이중과세 문제가 발생한다. 이에 따라 법인단계에서 부담한 법인세의 일정부분을 주주단계의 배당소득에 대한 종합소득세에서 공제하기 위하여 배당액에 100분의 11을 가산(Gross-up)하고, 가산한 금액은 배당소득세액공제로 산출세액에서 공제한다.

> 배당소득금액: 배당소득 + 배당소득 × 11/100
> 배당세액공제: 배당소득 × 11/100

(3) 종합소득세 산출세액 계산(일반적인 경우)

이자소득과 배당소득 등 금융소득이 2천만 원을 초과하는 경우 전체를 종합과세한다. 다만, 종합과세기준금액을 기점으로 급격한 세부담이 증가하는 문제를 보완하고 종합과세 시 최소한 원천징수세율(14%[4]) 이상의 세부담은 되도록 하기 위해 2천만 원을 초과하는 금융소득은 다른 종합소득과 합산하여 기본세율[5]을 적용해 산출세액을 계산하고, 2천만 원 이하 금액은 원천 징수세율(14%)을 적용하여 산출세액을 계산한다.

> 산출세액 = (금융소득 2천만 원 × 14%)
> + (금융소득 2천만 원 초과분 + 다른 종합소득) × 기본세율

(4) 종합소득세 산출세액의 계산(비교과세)

종합과세기준금액인 2천만 원 초과액에 대해 기본세율로 과세하는 것은 일정금액 이상의 금융소득에 대해서는 과세를 강화하겠다는 취지인데, 위 (3)에서와 같이 종합과세를 하면서 기본세율 중 최저세율인 6%가 적용될 경우 원천징수한 세액보다 세액이 적어질 수 있다. 이에 따라 종합과세기준금액을 초과하는 금융소득에 대해서는 종합소득세로 과세할 경우 산출세액과 원천징수세액을 비교하여 최소한 원천징수세액 만큼은 과세하도록 세액계산 특례를 규정하고 있다.

---

4) 이하 일반적인 실명 배당소득에 대한 원천징수세율 적용대상인 것으로 가정한다.
5) 6~45%, "PART 1 2장 3절 종합소득세 세율표" 참조

〈1〉 **금융소득이 2천만 원(종합과세기준금액)을 초과하는 경우**

⇒ 다음 ①과 ② 중 큰 금액으로 한다.

① 종합과세 방식: 다음 ㉠과 ㉡의 세액을 합산한 금액

㉠ {종합과세기준금액(2천만 원)을 초과하는 금액+금융소득을 제외한 다른 종합소득금액-종합소득공제}×기본세율(6~42%)

* 종합과세기준금액에 Gross-up 금액을 가산하여 계산한다.

㉡ 종합과세기준금액(2천만 원)×14%

② 분리과세 방식: 다음 ㉠과 ㉡의 세액을 합산한 금액

㉠ 금융소득×원천징수세율(14%)

㉡ (금융소득을 제외한 다른 종합소득금액-종합소득공제)×기본세율

〈2〉 **금융소득이 종합과세기준금액 이하인 경우(국내에서 원천징수되지 않은 금융소득이 있는 경우를 말함): 위 ②항의 분리과세 방식에 따라 계산한 세액으로 한다.**

(5) 배당세액공제

종합소득금액에 배당가산(Gross-up)된 배당소득금액이 합산되어 있는 경우 배당세액을 종합소득 산출세액에서 공제하되 아래 '①'과 '②' 중 적은 금액을 공제한다.

① 배당가산액

② 종합소득 산출세액-{금융소득 이외의 종합소득에 대한 산출세액+원천징수세율을 적용한 금융소득의 산출세액(분리과세 시 산출세액)}

(6) 기납부세액공제

전체 금융소득에 대하여 산출세액을 계산하고, 전체 금융소득에 대한 원천징수세액을 기납부세액으로 공제한다.

〈배당소득에 대한 금융소득 종합과세 계산 사례〉

〈기본자료〉

- 종합소득금액 내역
  - 배당소득: 60,000,000원
  - 사업소득: 50,000,000원
- 종합소득공제: 5,000,000원

〈계산내용〉

- 종합과세기준금액 초과금액: 40,000,000원=60,000,000-20,000,000
- 배당가산액: 6,600,000원=60,000,000×11%
- 종합소득 산출세액: 19,960,000원(①, ② 중 큰 금액)
  - ① 종합과세방식: 19,960,000원(㉠+㉡)
    - ㉠ (종합과세기준금액(2천만 원)을 초과하는 금액+금융소득을 제외한 다른 종합소득금액-종합소득공제)×기본세율(6~45%): (40,000,000+6,600,000+50,000,000-5,000,000)×35% -14,900,000=17,160,000원
    - ㉡ 종합과세기준금액(2천만 원)×14%: 20,000,000×14%=2,800,000원
  - ② 분리과세방식: 14,070,000원(㉠+㉡)
    - ㉠ 금융소득×원천징수세율(14%): 60,000,000×14%=8,400,000원
    - ㉡ (금융소득을 제외한 다른 종합소득금액-종합소득공제)×기본세율: (50,000,000-5,000,000)×15%-1,080,000=5,670,000원
- 배당세액공제: 5,890,000원(①, ② 중 적은 금액)
  - ① 배당가산액: 60,000,000×11%=6,600,000원
  - ② 위 종합과세방식 산출세액에서 분리과세방식 산출세액을 차감한 금액 19,960,000-14,070,000=5,890,000원
- 기납부세액공제: 8,400,000=60,000,000×14%
- 납부할세액: 5,670,000원=19,960,000-5,890,000-8,400,000

(7) 분리과세

이자소득과 배당소득으로서 그 소득의 합계액이 연간 2천만 원 이하이면서 원천징수의무자가 세금을 원천징수한 소득에 대해서는 종합소득 과세표준을 계산할 때 합산하지 않고 분리과세로 종결된다.

가. 원천징수의무자: 국내에서 거주자나 비거주자에게 배당소득금액을 지급하는 자는 소득세를 원천징수하여야 한다. 감자로 인한 의제배당에 해당되는 경우 회사가 원천징수의무자가 된다.

나. 원천징수시기: 일반적으로 배당소득은 실지로 배당소득을 지급하는 때 원천징수한다. 감자로 인한 의제배당의 경우에는 주식의 소각, 자본의 감소를 결정한 날에 배당소득을 지급한 것으로 보고 원천징수한다.

다. 원천징수세율: 14%

(8) 소각하지 않은 주주에 대한 과세

감자를 하면서 소각대가를 시가대로 지급함에 따라 그 감자로 인해 소각하지 않은 주주가 분여받은 이익이 없으므로 내야 할 세금은 없다.

3절 주식 소각 시 내야 하는 세금(소각 대가>시가)

특정 주주의 주식을 소각하면서 그 소각 대가를 주식 평가액보다 많이 지급하게 되면, 소각한 주주는 평가액과 소각 대가로 받은 가액과의 차액만큼 경제적 이익이 발생한다. 세법에서는 이러한 이익에 대해 주식을 소각한 주주가 감자로 인해 증여받은 이익으로 보아 증여세를 과세하도록 하고 있다. 다만, 소득세법 규정에 따라 의제배당으로 소득세가 과세되는 부분에 대해서는 증여세가 과세되지 않는다. 즉, 대표님이 주식을 소각하면서 시가보다 높은 대가를 지급받는 경우에는 증여세가 과세될 수 있다.

01 과세요건

(1) 불균등 감자이어야 한다

주주가 소유한 주식의 지분율대로 소각하지 않는 불균등 감자이어야 한다. 즉, 대표님과 자녀가 모두 주주인데 대표님 주식만 소각하게 되면 불균등 감자가 되는 것이다.

(2) 특수관계인에 해당하는 대주주가 이익을 얻어야 한다

주식을 소각한 주주와 소각을 하지 않은 주주 사이에 특수관계가 존재하여야 한다. 이때, 특수관계인이란 주주 등 1인과 친족이나 사용인 등[6] 관계에 있는 자를 말한다.

6) 「상속세 및 증여세법」 제2조의2 제1항 각호에 규정하고 있다.

대주주란 해당 주주 등의 지분 및 그의 특수관계인의 지분을 포함하여 해당 법인의 발행주식총수 등의 100분의 1 이상을 소유하고 있거나 소유하고 있는 주식 등의 액면가액이 3억 원 이상인 주주 등을 말한다.

(3) 일정금액 이상의 증여이익이 있어야 한다

주식을 소각할 때 지급한 1주당 금액에서 감자한 주식 1주당 평가액을 차감한 가액이 감자한 주식 1주당 평가액의 100분의 30 이상이거나 그 이익의 합계가 3억 원 이상인 경우 중 하나라도 해당이 되어야 한다. 이익이 기준금액을 초과하는지 여부는 대주주 등이 얻은 이익 전부로 판단하는 것이 아니라, 대주주 각자가 얻은 이익을 기준으로 판단한다.

〈① 또는 ② 중 하나에 해당〉

① 30% 비율 조건: ㉡ − ㉠ ≧ ㉠ × 30%

㉠ 감자한 주식 1주당 평가액

㉡ 주식소각 시 지급한 1주당 금액

② 3억 원 차액 조건: (㉡ − ㉠) × 소각주주의 감자주식수 ≧ 3억 원

(4) 1주당 평가액이 액면가액에 미달하는 경우로 한정한다

액면가액을 초과하여 소각 대가를 지급받은 경우 액면가액을 초과하는 부분 에 대하여는 소득세(의제배당)가 과세되므로 과세 제외한다는 것이 「상속세 및 증여세법」의 개정취지[7]이다. 다만, 소득세법상 의제배당은 주식소각 대가로 지급한 금액에서 취득에 소요된 금액을 차감하여 계산하고 있어 액면가액이 어떤 의미를 갖고 규정되어 있는지 불분명하다. 상속세 · 증여세실무해설 책자[8]에도 '액면가액' 대신에 '취득가액'으로 계산사례에 표현하고 있어 취득가액을 액면가액인 경우로 보아 이 규정을 이해해야 할 것으로 보인다. 즉, 주당 평가액이 액면가액(취득가액)보다 큰 경우라면 지급한 대가와 액면가액의 차액 모두에 대해 이미 의제배당으로 소득세가 과세되기 때문에 평가액과 대가와의 차액인 증여이익에 대해서는 추가로 과세할 여지가 없게 되는 것이다.

7) 2004년 개정세법해설

8) 「2020상속세 · 증여세 실무해설」, 국세청, 401쪽

02 증여재산가액

주식을 소각할 때 지급한 금액에서 감자한 주식의 평가액을 차감하여 계산한다.

> (주식소각 시 지급한 1주당 금액 - 감자한 주식 1주당 평가액)
> × 소각한 주주의 감자주식수

감자주식수 10,000주, 불균등감자, 특수관계인 대주주가 소각한 경우로 가정

가. 증여이익 기준 중 다음 어느 하나에 해당 여부: ①항에 해당
  ① 30% 비율 조건: (8,000-1,000)≧1,000×30%, 소각 대가에서 시가를 차감한 금액은 주당 7,000으로 시가의 30%인 주당 300을 상회하므로 해당됨.
  ② 3억 원 차액 조건: (8,000-1,000)×10,000주=70,000,000원, 해당 안됨.

나. 과세대상 증여이익: 40,000,000원(70,000,000-30,000,000)
  ① 감자로 인한 증여이익: (8,000-1,000)×10,000주 =70,000,000원
  ② 의제배당으로 과세되는 소득: (8,000-5,000)×10,000주 =30,000,000원
  → 결과적으로 감자대가와 취득가액의 차액 30,0000,000원은 의제배당으로 소득세가 과세되고, 취득가액과 평가액의 차액 40,000,000원에 대해 증여세가 과세된다.

4절 주식 소각 시 내야 하는 세금(소각 대가<시가)

특정 주주의 주식을 소각하면서 그 소각 대가를 주식 평가액보다 적게 지급하게 되면, 소각한 주주는 평가액과 소각액과의 차액만큼 경제적 손실이

발생한다. 그런데 그 손실에 해당하는 만큼의 이익은 주식을 소각하지 않은 주주에게 귀속이 된다. 이러한 이익에 대해 세법에서는 주식을 소각하지 않은 주주가 감자로 인해 증여받은 이익으로 보아 증여세를 과세하도록 하고 있다. 즉, 대표님이 주식을 소각하면서 시가보다 낮은 대가를 지급받은 경우에는 주식을 소각하지 않은 자녀에게 증여세가 과세될 수 있는 것이다.

01 과세요건

(1) 불균등 감자이어야 한다

주주가 소유한 주식의 지분율대로 소각하지 않는 불균등 감자이어야 한다. 즉, 대표님과 자녀가 모두 주주인데 대표님 주식만 소각하게 되면 불균등 감자가 되는 것이다.

(2) 특수관계인에 해당하는 대주주가 이익을 얻어야 한다

주식을 소각한 주주와 소각을 하지 않은 주주 사이에 특수관계가 존재하여야 한다. 이때, 특수관계인이란 주주 등 1인과 「상속세 및 증여세법」 제2조의2 제1항 각호의 어느 하나에 해당하는 관계에 있는 자를 말한다. 대주주란 해당 주주 등의 지분 및 그의 특수관계인의 지분을 포함하여 해당 법인의 발행주식총수 등의 100분의 1 이상을 소유하고 있거나 소유하고 있는 주식 등의 액면가액이 3억 원 이상인 주주 등을 말한다.

(3) 일정금액 이상의 증여이익이 있어야 한다

감자한 주식 1주당 평가액에서 주식 소각 시 지급한 1주당 금액을 차감한 가액이 감자한 주식 1주당 평가액의 100분의 30 이상이거나 그 이익의 합계가 3억 원 이상인 경우 중 하나라도 해당이 되어야 한다.

〈① 또는 ② 중 하나에 해당〉

① 30% 비율 조건: ㉠ − ㉡ ≥ ㉠ × 30%
　㉠ 감자한 주식 1주당 평가액
　㉡ 주식소각 시 지급한 1주당 금액

② 3억 원 차액 조건: (㉠ − ㉡) × ㉢ ≥ 3억 원

$$㉢\ 총\ 감자주식수 \times \begin{matrix}대주주^*의\\ 감자\ 후\ 지분비율\end{matrix} \times \frac{대주주의\ 특수관계인의\ 감자주식수}{총\ 감자주식수}$$

* 소각하지 않은 주주를 말함.

02 증여재산가액

$$(감자한\ 주식\ 1주당\ 평가액 - 주식소각\ 시\ 지급한\ 1주당\ 금액) \times$$
$$총\ 감자주식수 \times \begin{matrix}대주주의\\ 감자\ 후\ 지분비율\end{matrix} \times \frac{대주주의\ 특수관계인의\ 감자주식수}{총\ 감자주식수}$$

A주주의 주식을 전부 감자, 불균등 감자, 특수관계인 대주주가 소각한 경우로 가정

소각 대가	취득가	시가
@1,000	@5,000	@8,000

구분	감자 전 주식수	감자주식수	감자 후 주식수	감자 후 지분비율
계	50,000	10,000	40,000	100%
A주주	10,000	10,000	-	
B주주	30,000	-	30,000	75%
C주주	10,000	-	10,000	25%

가. 증여이익 기준 중 다음 어느 하나에 해당 여부: ①항에 해당

① 30% 비율 조건: (8,000-1,000) ≥ 8,000×30%, 소각 시 지급대가가 1주당 1,000원으로 감자 전 주식의 주당평가액 8,000원과의 차액 7,000원은 평가액의 87.5%이므로 해당됨.

② 3억 원 차액 조건: 해당 안됨.

B주주: 52,500,000원
=(8,000-1,000)×10,000주×75%×10,000/10,000

C주주: 17,500,000원
=(8,000-1,000)×10,000주×25%×10,000/10,000

나. 과세대상 증여이익: 70,000,000원

① 감자로 인한 증여이익

B주주: 52,500,000원

=(8,000-1,000)×10,000주×75%×10,000/10,000

C주주: 17,500,000원

=(8,000-1,000)×10,000주×25%×10,000/10,000

② 의제배당으로 과세되는 소득: 해당 없음.

→ 주식을 소각한 A주주가 지급받은 소각 대가보다 취득가액이 크므로 의제배당으로 과세할 소득세는 없음.

세법해석 사례 및 판례 등

- 회사 감자에 이의가 있으면 이의를 제출할 것을 공고하고 알고 있는 채권자에 대하여는 따로 이를 최고하여야 하는데 이때 알고 있는 채권자라 함은 회사의 장부 기타 근거에 의하여 성명과 주소가 회사에 알려져 있는 자는 물론이고 회사 대표이사 개인이 알고 있는 채권자도 이에 포함됨(대법원 2001다38516, 2011.9.29.).
- 법인이 자본을 감소시키기 위하여 일부 주주의 주식만 소각함에 있어서 그 주식의 1주당 소각 대가가 감자한 주식 1주당 평가액을 초과하여 지급되는 경우 소각 대가와 평가액과의 차액 상당액에 대한 증여세를 과세하는 것이고, 이때 의제배당으로 소득세가 과세되는 금액을 차감하여 계산함(상속증여세과-270, 2014.7.22.).
- 감자로 인해 얻은 이익이 기준금액을 초과하는지 여부는 대주주 등이 얻은 이익 전부로 판단하는 것이 아니라 대주주 각자가 얻은 이익을 기준으로 판단함(법령해석재산-0569, 2017.8.8.).
- 법인이 자본감소절차의 일환으로 상법 규정에 의하여 주주로부터 자기주식을 취득하여 이를 소각하는 경우 당해 주주가 법인으로부터 받는 금액이 당해 주식을 취득하기 위하여 소요된 금액을 초과하는 때에는 그 초과하는 금액은 의제배당에 해당하는 것이며, 이 경우 의제배당소득에 대하여는 부당행위계산의 부인을 하지 않음(소득세과—750, 2011.9.6.).
- 자본을 감소할 목적으로 특정주주로부터만 자기주식을 취득하여 소각하는 경우 당해 법인과 주주가 특수관계에 있는 경우에도 「법인세법 시행령」 제88조 제1항 제1호 및 제3호의 규정에 의한 부당행위계산의 유형에 해당되지 아니함(서면2017법인-2805, 2017.12.11.).
- 비상장내국법인이 「상법」 제438조 내지 제446조의 규정에 의하여 자본을

감소할 목적으로 당해 법인의 주주로부터 자기주식을 취득하여 소각하는 경우 특정주주(법인 또는 개인)로부터 동 주식의 시가보다 높은 가액으로 취득하는 경우라 하더라도 당해 법인에 대하여 부당행위계산의 부인 규정을 적용하지 아니함(재법인46012-115, 2002.6.20.).

- 실권주의 고가 인수에서 경제적 이익의 분여는 실권주 인수자와 실권주주 사이에 생기고 실권주를 발행한 법인은 그 이익을 주고받는 당사자가 될 수 없으므로 이와 다른 전제에서 원고가 실권주 발행법인에게 이익을 분여한 것으로 보고 부당행위계산 부인 규정을 적용한 부과처분은 위법함(대법원 2012두23488, 2014.6.26.).
- 법인이 「상법」 제438조 내지 제446조의 규정에 의하여 자본을 감소할 목적으로 당해 법인이 특수관계에 있는 특정주주로부터 자기주식을 저가로 매입 소각하는 경우 특정주주의 저가양도 자체에 대하여는 「법인세법 시행령」 제88조 제1항 제1호 및 제3호에서 규정하고 있는 부당행위계산의 유형에 해당하지 아니하나, 특정주주가 주식을 저가로 양도함으로써 특정주주와 특수관계에 있는 다른 주주에게 이익을 분여한 것으로 인정되는 때에는 같은 영 제88조 제1항 제8호 다목에서 규정하고 있는 부당행위계산의 유형에 해당하는 것임(재정경제부 법인세제과-617, 2006.9.5.).
- 내국법인이 자본을 감소할 목적으로 모든 주주에게 동일한 조건과 균등한 비율로 발행주식을 시가보다 고가로 매입하여 유상감자를 실시하는 경우 주식 발행법인에 대하여는 부당행위계산 부인 규정이 적용되지 아니함(법인세과-906, 2010.10.4.).

자기주식 취득을 통한 주식의 소각

회사가 주식을 주주인 대표님으로부터 취득하여 소각하는 방법을 살펴본다. 주식을 발행한 회사가 주식을 주주로부터 취득하게 되면 회사 자신이 주주가 되는 모순이 있고 회사의 자산을 감소시켜 채권자나 다른 주주의 이익을 저해할 우려가 있는 여러 가지 문제가 있어 상법에서는 특별한 경우 외에는 사실상 자기주식의 취득을 금지하고, 예외적으로 자기주식을 보유하는 경우에도 자기주식에 대해서는 의결권을 인정하지 않았다. 그런데 2011년 4월 14일 상법이 개정(2012년 4월 15일 시행)되어 회사가 보유하고 있는 배당가능이익의 범위 내에서는 사실상 자유롭게 자기주식을 취득할 수 있게 되었다. 상장회사의 경우에는 이미 자본시장법에서 배당가능이익의 한도 내에서 자기주식을 취득할 수 있도록 규정하고 있었으나 상법 개정을 통해 비상장회사까지 자기주식의 취득 범위를 확대한 것이다. 이에 따라 회사에서는 재무관리를 유연하게 할 수 있고 경영권 방어 측면에도 이용할 수 있게 되었다. 아울러 회사 대표님도 지분양도를 통해 회사와의 채무관계를 정리하거나 지분율을 조정하는 등의 다양한 목적으로 활용할 수 있게 되었다. 그런데 이렇게 제도가 개정된 이후, 회사가 자기주식을 취득하는 방법을 통해 회사의 잉여금을 특정주주에게 배분하거나 대표자에 대한 가지급금을 해소시키면서 세금을 절세하는데 매우 유용한 방법으로 소개하는 사례가 늘고 있다. 그러나 제5편 초두에 언급한 바와 같이 자기주식을 취득하면서 외견상은 정상적인 절차를 거쳤다고 하더라도 경제적 합리성이 결여된 비정상적인 행위로 판단할 경우 결국 자기주식의 취득은 원인무효가 되어 가지급금이 오히려 증가되거나 추가적인 세금까지 부담할 수 있어 리스크가 크다는 점을 감안해야 한다. 아울러, 정상적인 절차에 따른 것으로 인정되더라도 자기주식 취득 및 소각에는 양도소득세, 종합소득세, 증여세, 법인세 등 고려해야 할 세금도 많다는 점도 충분히 고려해야 한다.
이하에서는 먼저, 자기주식의 취득 및 소각에 절차대한 상법규정에 대해 알아보고 자기주식 취득 및 소각에 따른 지분정리과정에서 발생하는 과세문제에 대해 알아본다.

1절 자기주식의 취득 및 소각

01 자기주식의 취득

(1) 주주총회 결의

자기주식을 취득하려는 법인은 미리 주주총회의 결의로 아래 사항을 결정해야 한다. 다만, 이사회의 결의에 의해 이익배당을 할 수 있다고 정관으로 정하고 있는 경우에는 이사회의 결의로써 주주총회 결의를 갈음할 수 있다.

① 취득할 수 있는 주식의 종류 및 수

② 취득가액의 총액의 한도

③ 1년을 초과하지 아니하는 범위에서 자기주식을 취득할 수 있는 기간

(2) 이사회 결의

주주총회 결정을 근거로 법인이 자기주식을 취득하려는 경우에는 이사회 결의로 아래 사항을 정해야 한다.

① 자기주식 취득의 목적

② 취득할 주식의 종류 및 수

③ 주식 1주를 취득하는 대가로 교부할 금전이나 그 밖의 재산의 내용 및 그 산정방법

④ 주식 취득의 대가로 교부할 금전 등의 총액

⑤ 20일 이상 60일 내의 범위에서 주식양도를 신청할 수 있는 기간

⑥ 양도신청기간이 끝나는 날부터 1개월의 범위에서 양도의 대가로 금전 등을 교부하는 시기와 그 밖에 주식 취득의 조건

(3) 취득할 수 있는 자기주식 가액의 범위

법인이 자기주식을 취득할 때 무제한으로 취득할 수 있는 것은 아니다. 상법에서는 법인이 취득할 수 있는 자기주식의 취득가액의 총액은 직전 결산기의 대차대조표상 순자산가액에서 다음 각호의 금액을 뺀 금액을 초과하지 못하도록 하고 있다. 즉, 배당가능이익의 범위를 초과해서는 안된다.

① 자본금의 액

② 그 결산기까지 적립된 자본준비금과 이익준비금의 합계액

③ 그 결산기에 적립하여야할 이익준비금의 금액

④ 미실현이익, 즉 회계원칙에 따른 자산 및 부채에 대한 평가로 인하여 증가한 대차대조표상의 순자산액으로서 미실현손실과 상계하지 아니한 금액을 말한다.

또한, 직전 결산기의 배당가능이익 범위 내라 하더라도 법인은 해당 연도

결산기의 순자산가액이 배당가능이익에 미치지 못할 우려가 있는 경우에는 자기주식을 취득해서는 아니되며, 이러한 우려에도 자기주식을 취득한 경우 이사는 법인에 대해 연대하여 자기주식 취득과 관련된 결손금액을 배상할 책임을 진다. 아울러, 배당가능이익의 범위 내에서 자기주식을 취득할 수 있다는 것은 단순히 회계장부상 존재하는 배당가능이익의 금액 범위 내에서 자기주식을 취득할 수 있다는 의미가 아니라, 배당가능이익을 재원으로 자기주식을 취득할 수 있다는 의미로 해석되고 있다.

(4) 자기주식의 취득 방법

거래소 시세가 있는 주식의 경우에는 거래소에서 취득하는 방법에 의하고, 그 외의 경우는 각 주주가 가진 주식수에 따라 균등한 조건으로 취득하는 방법에 의하여야 한다.

가. 균등조건 취득: 균등한 조건으로 취득하는 방법이란, 회사가 모든 주주에게 자기주식 취득의 통지 또는 공고를 하여 주식을 취득하는 방법과 자본시장법에 따른 공개매수의 방법을 말한다.

나. 취득 통지 및 공고: 회사는 이사회에서 결정한 주식 양도신청기간이 시작하는 날의 2주 전까지 각 주주에게 회사의 재무현황, 자기주식보유현황 및 자기주식 취득의 목적 등 이사회 결의사항을 서면으로 또는 각 주주의 동의를 받아 전자문서로 통지해야 한다. 다만, 회사가 무기명식의 주권을 발행한 경우에는 양도신청기간이 시작하는 날의 3주 전에 공고하여야 한다.

다. 양도신청 및 계약의 성립: 회사에 주식을 양도하려는 주주는 양도신청기간이 끝나는 날까지 양도하려는 주식의 종류와 수를 적어 서면으로 주식양도를 신청해야 한다. 주주가 회사에 대하여 주식양도를 신청한 경우 회사와 그 주주 사이의 주식 취득을 위한 계약의 성립시기는 양도신청기간이 끝나는 날로 정한다.

주주가 신청한 주식의 총수가 회사가 취득할 주식의 총수를 초과하는 경우 계약의 성립범위는 취득할 주식의 총수를 신청한 주식의 총수로 나눈 수에 주주가 양도하려고 신청한 주식의 수를 곱한 수로 정한다.

02 자기주식의 소각

(1) 소각결정

자기주식을 취득한 후에는 이를 처분할 수도 있고 소각할 수도 있는데, 주식을 소각하는 경우에는 이사회결의만으로도 할 수 있다. 만약, 이사의 수가 2인 이하이어서 이사회가 없는 경우에는 주주총회결의로 할 수 있다.[9) 소각을 결정하는 이사회에서는 소각할 주식의 종류와 수, 소각효력 발생일을 정해야 한다.

(2) 채권자보호절차

자기주식 소각 시에는 채권자보호절차나 주권제출공고가 필요 없다. 이 점이 자본금 감소에 관한 규정과 크게 다른 부분이다.

(3) 자본금의 변동

배당가능이익으로 취득한 자기주식을 소각하는 경우 발행주식총수는 감소하지만 자본금은 변하지 않는다. 따라서 일반적인 공식인 '자본금=발행주식총수×액면가액'이 성립되지 않는다.

(4) 소각 등기

자기주식소각에 관한 등기를 할 경우 소각한 주식이 회사가 보유한 자기주식이었음을 증명하는 서면과 소각을 결정한 이사회의사록이 첨부되어야 한다. 소각한 주식이 자기주식이었음을 증명하는 서면이라 함은 소각시점에서 자기주식임을 증명하는 서면으로서 대표자가 작성한 주주명부 등을 말한다.

---

9) 사법등기심의관-1377, 2017.4.25.

2절 자기주식의 취득 및 소각과 세금

회사의 자기주식 취득행위가 상법상 절차를 준수하더라도 세금 측면에서 가장 문제가 될 수 있는 것은 그것이 회사와 주주 간의 단순한 주식 매매거래인지 또는 회사의 자본을 감소시키기 위한 자본거래인지에 관한 것인데, 이로 인해 부과되는 세금의 종류가 달라진다는 것이다. 일반적으로는 회사가 자기주식을 취득하는 것도 매매거래이므로 회사에 주식을 양도한 주주에게 양도소득세가 과세[10]되는 정도로 생각할 수 있으나 세법해석이나 판례에서는 매매의 경위와 목적, 계약체결과 대금결제의 방법 등에 비추어 법인의 주식소각이나 자본감소절차의 일환으로 이루어진 것인 경우에는 배당소득으로 보는 것이고 단순한 주식매매인 경우에는 양도소득으로 보도록 하고 있다. 따라서 가업승계를 위해 자기주식을 취득하여 바로 소각한다면 그것은 자본거래임이 명백하므로 앞서 살펴본 자본감소를 통한 주식소각의 경우와 마찬가지로 의제배당이나 불균등 감자로 인한 이익의 증여규정이 적용된다고 보면 된다.

01 매매거래로 판단되는 경우

단순한 주식매매인 경우, 즉 회사가 자사주를 보유할 목적으로 취득하는 경우에는 양도자인 주주에게 양도소득에 대한 양도소득세와 증권거래세가 부과된다. 다만, 시가보다 높거나 낮은 가액으로 매매한 경우에는 부당행위계산으로 부인되어 양도소득세 및 소득세가 추가로 과세될 수 있다. 아울러 법인 입장에서도 법인이 특수관계자와의 거래에서 자기주식을 시가보다 고가로 매입하는 경우에는 부당행위계산 부인 규정이 적용되어 법인세가 과세될 수 있다. 따라서 회사가 자기주식을 취득하는 경우에도 단순히 액면가로 거래하거나 임의로 정한 가액으로 거래를 하면 안되며 「상속세 및 증여세법」에

10) 비상장주식은 모두 양도소득세가 과세되고, 상장주식은 대주주 보유지분에 대해서만 양도소득세가 과세된다.

따라 시가를 평가하여 그 시가를 바탕으로 거래를 해야 세무상 문제가 발생하지 않는다.

(1) 시가보다 낮은 가액으로 양도하는 경우

주주가 시가보다 낮은 가액으로 회사에 주식을 양도하는 경우, 양도자인 주주에게는 양도가액을 시가로 하여 양도소득세를 부과한다. 다만, 시가와 거래가액의 차액[11]이 3억 원 이상이거나, 그 차액이 시가의 5% 이상인 경우에 한한다. 시가보다 낮은 가액으로 자기주식을 취득한 법인에게도 취득단계에서 법인세가 과세된다. 이 경우에는 시가와 거래가액이 3억 원 이상이거나 시가의 5% 이상인지 여부에 관계없이 차액에 대해 과세된다. 다만, 추후 해당 주식을 양도할 경우에 취득단계에서 이미 과세된 차액에 대해서는 법인의 소득으로 보지 않는다.

(2) 특정법인과의 거래를 통한 이익의 증여의제

시가보다 낮은 가액으로 회사에 주식을 양도하는 경우 양도하는 주주 및 해당 법인뿐만 아니라 해당 법인의 다른 주주에게도 증여세가 과세될 수 있다.

가. 개요: 지배주주와 그 친족(지배주주 등이라 함)이 직 · 간접으로 보유하는 주식보유비율이 100분의 30 이상인 법인(특정법인이라 함)이 지배주주의 특수관계인과 거래를 함으로써 일정한 이익을 얻는 경우 그 특정법인의 이익에 특정법인의 지배주주 등의 주식보유비율을 곱하여 계산한 금액을 그 특정법인의 지배주주 등이 증여받은 것으로 보아 증여세를 과세한다. 다만, 주식양도자 본인은 지배주주에 해당되더라도 본인이 본인으로부터 증여받은 재산에 해당되므로 증여세를 과세하지 않는다. 이때, 지배주주란 최대주주 중에서 지분비율이 가장 큰 개인을 말하며, 특수관계인이란 특정법인의 지배주주 등과 친족관계, 경제적 연관관계 또는 경영지배관계 등 「상속세 및 증여세법 시행령」 제2조의2 제1항 각호의 관계에 있는 자를 말한다.

---

11) 양도소득에 대한 부당행위계산 부인 규정 적용 시 상장주식의 경우에는 차액기준 금액이 적용되지 않는다.

나. 특정법인의 이익으로 보는 거래 유형

① 특정법인이 재산 또는 용역을 무상으로 제공받는 것

② 특정법인이 재산 또는 용역을 통상적인 거래 관행에 비추어 현저히 낮은 대가로 양도·제공받는 것. 이 경우, 현저히 낮은 대가는 시가와 30% 이상 차이가 있거나 그 차액이 3억 원 이상인 경우를 말함.

③ 특정법인이 재산 또는 용역을 통상적인 거래 관행에 비추어 현저히 높은 대가로 양도·제공하는 것. 이 경우, 현저히 높은 대가는 시가와 30% 이상 차이가 있거나 그 차액이 3억 원 이상인 경우를 말함.

④ 특정법인의 채무를 면제·인수 또는 변제하는 것

⑤ 시가보다 낮은 대가로 특정법인에 현물출자하는 것

다. 증여이익의 계산 방법((①－②)×③): 계산한 증여이익이 주주별로 1억 원 이상일 경우 과세된다.

① 특정법인이 얻은 이익상당액: 시가와 지급한 대가와의 차액, 재산을 법인에 증여하거나 해당 법인의 채무를 면제·인수·변제하는 경우에는 증여재산가액을 말함.

② 법인세상당액: 특정법인이 얻은 이익에 대한 법인세 상당액으로 다음과 같이 계산하며, 1을 초과하는 경우 1로 한다.

$$\text{법인세상당액} = \begin{matrix}\text{법인세 산출세액*에서} \\ \text{공제·감면액을 뺀 금액}\end{matrix} \times \frac{\text{특정법인이 얻은 이익상당액}}{\text{각 사업연도의 소득금액}}$$

* 토지 등 양도소득에 대한 법인세액은 제외

③ 특정법인의 지배주주 등의 주식보유 비율

라. 증여세 한도(①－②)

① 해당 주주가 직접 증여받았을 때의 증여세

② 법인세상당액에 해당 지배주주 등의 주식보유비율을 곱한 금액

(3) 시가보다 높은 가액으로 양도하는 경우

주주가 시가보다 높은 가액으로 회사에 주식을 양도하는 경우 양도자인 주주에게는 그 차액만큼 회사가 주주에게 배당한 것으로 보아 종합소득세가

과세된다. 아울러 시가보다 높은 가액으로 자기주식을 취득한 법인에게는 추후 해당 주식을 양도하는 때에 시가와의 차액에 대해 법인의 소득으로 보아 법인세가 과세된다.

〈주식 저가 양도 또는 고가 양도 시 부당행위계산 부인 등 과세 요약〉

구분	양도자(특수관계 개인)		양수자(특수관계 법인)		특수관계 법인 지배주주 등
저가 양도 (저가 매입)	요건	(시가−거래가액)≥3억 원 또는 시가의 5%	요건	시가보다 저가매입	증여이익 1억 이상
	과세 방법	양도세 과세 ▶ 양도가액을 시가로 재계산	과세 방법	취득 시 법인세 과세 ▶ 시가와 대가와의 차이 익금산입(유보) ※추후 양도 시 익금불산입(△유보)	증여세 과세 ▶ 시가와 대가와의 차이에서 법인세상당액을 차감한 증여이익
고가 양도 (고가 매입)	요건	시가보다 고가양도	요건	(거래가액−시가)≥3억 원 또는 시가의 5%	−
	과세 방법	종합소득세 과세 ▶ 시가초과액 상여, 배당 등 소득처분액 ※시가초과액 만큼은 양도가액에서 차감하고, 양도세는 환급	과세 방법	처분 시 법인세 과세 ▶ 시가와 대가와의 차이 ① 손금산입 △유보 ② 익금산입(상여, 배당 등) ※처분 시 손금불산입, 유보	−

02 자본거래로 판단되는 경우

자기주식을 취득한 거래행위가 법인의 주식소각이나 자본감소 절차의 일환으로 이루어진 경우에는 주식을 양도한 것으로 보지 않고 의제배당으로 보아 배당소득세가 과세된다. 배당소득으로 볼 경우에는 종합소득세율이 적용되기 때문에 주식을 양도할 때 적용되는 세율보다 높아서 세금이 많이 과세되는 것이 일반적이다. 이익소각이 의제배당의 과세대상인 주식소각에 해당되는지 여부에 대하여, 「법인세법」 제16조 제1항 제1호상의 '주식의 소각'에 이익소각을 배제한다는 명시 규정이 없으므로 이익소각도 「법인세법」 상 '주식의 소각'에 해당하며, 이 경우 의제배당으로 보아 과세할 때 '주식을 취득하기 위해 사용한 금액을 초과하는 금액'만 과세대상이라고 판시[12]하고 있다. 아울러, 자기주식 취득이 자본거래로 판단되는 경우에는 앞서 설명한 자본금 감소를 통한 주식의 소각의 경우와 마찬가지로 시가보다 높거나 낮은 대가로 소각한 경우 감자로 인한 증여이익에 대해 증여세가 과세된다.

03 자기주식 취득이 상법상 규정 위반으로 무효가 되는 경우

자기주식을 취득하였으나 상법 규정에 위배되어 무효가 되는 경우 세무상 이를 어떻게 취급해야 할 것인지에 대해 세법에 명확히 규정되어 있지는 않다. 다만, 상법 규정을 위반한 취득은 무효로 보아 취득대금은 법인이 주주에게 원인 없이 지급한 것이 되어 주식을 양도한 주주로부터 되돌려 받아야 할 금액이므로 업무무관가지급금으로 해석되고 있다. 이에 따라 상법 규정 위반이 되는 경우 회사는 관련 지급이자 및 인정이자를 손금불산입 및 익금 산입하여 이를 주식을 양도한 주주에게 배당 또는 상여로 소득처분한다. 한편, 양도자가 납부한 양도소득세는 환급하게 된다.

가업을 승계하는 과정에서 자기주식 취득이 상법상 규정 위반으로 무효가 되는 경우 세법에서는 지분의 변동이 없는 것으로 보기 때문에 사실상 가업의 승계도 이루어지지 않은 것이 되므로 심각한 문제가 발생하게 된다. 따라서, 자기주식의 취득 및 소각의 진행과정은 사소한 부분이라도 규정과 절차를 반드시 지켜야 불이익을 받지 않게 된다. 최근 판례[13]는, 자본충실의 원칙과 주주평등의 원칙에 비추어 볼 때 상법에 위반된 자기주식 취득은 당연 무효에 해당하고, 자기주식 취득대금은 업무무관가지급금에 해당하며, 자기주식 취득 행위는 부당행위계산 부인 대상에 해당한다고 판시하고 있다.

12) 대법원 2016두56998, 2017.2.23.
13) 서울고등법원 2017누35631, 2017.8.30.

- 배당가능이익의 범위 내에서 자기주식을 취득할 수 있다는 것은 단순히 회계장부상 존재하는 배당가능이익의 금액 범위 내에서 자기주식을 취득할 수 있다는 의미가 아니라 배당가능이익을 재원으로 자기주식을 취득할 수 있다는 의미로 해석되므로, 이 사건 주식을 자본조정 항목으로 회계처리하였고 재무상태표에 미처분이익잉여금을 보유하고 있는 것으로 기재되어 있더라도, 이 사건 주식의 매수대금 11억 원을 마이너스 통장에서 대출받아 지급하였다는 점과 위와 같이 대출을 이용한 이유에 대해서 별다른 해명을 하지 못하는 점에 비추어 보면, 이 사건 주식 거래 당시 배당가능이익을 재원으로 주식을 취득했다고 보기 어렵다. 따라서 이 사건 주식 거래는 상법 제341조 제1항 단서를 위반한 위법이 있음(서울고법 2017누-35631, 2017.8.30.).
- 주식의 매도가 자산거래인 주식의 양도에 해당하는가 또는 자본거래인 주식의 소각 내지 자본의 환급에 해당하는가는 법률행위 해석의 문제로서 그 거래의 내용과 당사자의 의사를 기초로 하여 판단하여야 할 것이지만, 실질과세의 원칙상 단순히 당해 계약서의 내용이나 형식에만 의존할 것이 아니라, 당사자의 의사와 계약체결의 경위, 대금의 결정방법, 거래의 경과 등 거래의 전체 과정을 실질적으로 파악하여 판단하여야 한다. 법인이 대주주의 주식을 형식상 양수하였으나 실제는 주주의 법인에 대한 출자금을 환급해 주기 위하여 자본감소절차의 일환으로 주식을 취득한 것으로 보이므로 주식의 양도차익을 배당소득으로 의제하고 법인에게 원천징수분 배당소득세를 고지한 처분은 정당함(대법원 2008두19628, 2010.10.28.).
- 이익소각이 의제배당의 과세대상인 주식소각에 해당되는지 여부에 대하여, 「법인세법」 제16조 제1항 제1호상의 '주식의 소각'에 이익소각을 배제한다는 명시 규정이 없으므로 이익소각도 「법인세법」상 '주식의 소각'에 해당하며, 이 경우 의제배당으로 보아 과세할 때 '주식을 취득하기 위해 사용한 금액을 초과하는 금액'만 과세대상임(대법원 2016두56998, 2017.2.23.).
- 법인이 자본을 감소시키기 위하여 주식을 소각함에 있어서 일부 주주의 주식만을 매입하여 소각함으로 인하여 그와 특수관계에 있는 대주주가 얻은 이익이 「상속세 및 증여세법」 시행령 제29조의2 제2항에 따른 기준금액 이상인 경우에는 그 이익상당액을 해당 대주주의 증여재산가액으로 하는 것임(서면-2016-상속증여-4690, 2018.11.20.).
- 자본을 감소할 목적으로 당해 법인의 특정주주로부터만 자기주식을 취득하여 소각하는 경우 당해 법인과 주주가 특수관계에 있는 경우에도 「법인세법」 규정에 의한 부당행위계산의 유형에 해당되지 아니함(서면-2017-법인-

2805, 2017.12.11.).

- 상법상 주주의 균등조건에 따른 취득이 아닌 점, 배당가능이익을 재원으로 자기주식을 취득한 것이 아니라 관계회사 차입금과 마이너스통장 대출자금으로 취득한 것이므로 자기주식 취득이 무효라는 전제에 근거한 업무무관가지급금의 판단은 적법함(심사법인2018-0020, 2018.10.17.).

3절 자기주식을 활용한 가지급금 상환과 세금

01 가지급금이 갖고 있는 문제

회사를 운영하면서 실제로 비용을 지출했음에도 불구하고 피치 못할 사유로 회사 대표자가 임시로 가져간 것으로 회계처리한 가지급금은 여러 가지로 문제가 된다. 가지급금이 실제 존재하는 것이라면 그나마 어쩔 수 없지만 대부분의 가지급금은 그 사용처가 불분명하거나 밝힐 수 없어 회계처리상 대표자에게 빌려준 것으로 관리하는 것이다. 가지급금은 회사 입장에서는 채권이지만 대표자로부터 이자를 수령하지도 않으면서 세법에 따라 일정액의 이자를 받는 것으로(가지급금 인정이자) 간주하여 계속해서 세금을 내야 하고, 대표자 입장에서는 이자를 지급하지 않은 만큼 상여 또는 배당으로 간주되어 소득세를 내야 한다. 이것으로 끝이 아니다. 회사의 주식을 매매하거나 상속 또는 증여할 때에는 실제 가치와는 관계없이 세법상 가지급금만큼 회사의 주식이 높게 평가되는데 세법에 따라 평가된 금액 수준으로 거래하지 않으면 부당한 행위로 다시 세금이 부과될 수도 있다. 또한, 회사가 폐업하게 되는 경우에는 가지급금이 일시에 대표자에게 귀속된 것으로 보고 소득세가 부과된다. 가지급금 정리는 회사를 운영하는데 있어서 큰 근심거리이고 숙제이다.

02 자기주식을 활용한 가지급금 상환

2011년 상법 개정으로 회사의 자기주식 취득이 완화됨에 따라 자기 주식을 활용하여 가지급금을 상환하는 경우 세금부담을 최소화할 수 있다는 컨설팅 사례가 많이 소개되고 있다.

(1) 매매목적의 자기주식 취득

회사가 주주로부터 주식을 취득하여 단기간 보유한 후에 제3자에게 양도할 목적으로 취득하는 것을 말하는데, 주주는 회사에 주식을 시가대로 양도하고 회사로부터 수령하게 될 양도대금과 가지급금을 상계하는 방식으로 가지급금을 상환하게 된다. 대주주가 주식을 양도하는 경우 취득가액과 양도가액의 차액에 대해 20~30% 세율[14]에 해당하는 만큼 세금을 납부하면 된다. 한편, 대주주인 대표님이 배우자에게 주식을 증여하고 이를 회사가 취득하는 방법으로 가지급금을 상환하는 방법이 많이 활용되고 있다. 즉, 대표님이 배우자에게 주식 6억 원 상당액을 증여한 후 그 배우자 주식을 회사에서 취득하는 방법인데, 이렇게 할 경우 배우자에 증여할 때는 증여가액에서 6억 원이 공제되어 납부할 증여세가 발생하지 않고, 배우자가 회사에 주식을 양도하고 그 대가로 6억 원을 받는 경우 양도가액과 취득가액이 같아지게 되어 양도소득세도 내지 않는다. 이렇게 받은 6억 원을 다시 배우자가 대표님에게 증여하거나 대여하여 회사의 가지급금을 상환하게 된다. 사실상 세금부담 없이 가지급금을 상환하게 되는 것이다. 만약, 배우자가 기존에 주식을 갖고 있었다면, 기존에 액면가액으로 취득한 주식과 증여한 주식의 평가액을 산술평가하게 되어 취득가액이 낮아지게 되므로, 증여하는 주식은 주권을 발행해서 배우자에게 증여하고 그 발행한 주권위주로 회사에 양도하면 취득가액과 양도가액이 같아져서 과세가 최소화될 수도 있다는 것이다.

14) 과세표준이 3억 원을 초과하면 25%

(2) 주식소각 목적의 자기주식 취득

회사가 주주로부터 주식을 취득하여 소각할 목적으로 취득하는 것을 말하는데, 주주는 회사에 주식을 시가대로 양도하고 회사로부터 수령하게 될 양도대금과 가지급금을 상계하는 방식으로 가지급금을 상환하게 된다. 그런데, 주주의 입장에서 볼 때는 회사에 주식을 양도하는 것이지만, 세법측면에서는 회사가 주식을 소각할 목적으로 취득한 것이므로 지급한 대가는 주식매매대금으로 지급한 것이 아니라 소각 대가로 지급한 것으로 보게 된다. 이에 따라 주주는 당초 취득가액과 대가로 지급받은 금액의 차액을 배당받은 것으로 보아 종합소득세를 내야 한다. 이렇게 의제배당으로 보아 종합소득세를 낼 경우 최고 45%의 세율이 적용되게 되어 양도소득세보다는 세금부담이 클 가능성이 높다. 한편, 이 경우도 마찬가지로 대표님이 배우자에게 주식을 증여하고 이를 회사가 취득한 후 소각하는 절차를 통해 가지급금을 상환하는 방법이 활용되기도 한다. 즉, 대표님이 배우자에게 주식 6억 원 상당액을 증여한 후 그 배우자 주식을 회사에서 취득하여 즉시 소각하는 방법인데, 이렇게 할 경우 배우자에게 증여할 때 6억 원이 공제되어 납부할 증여세가 발생하지 않고, 회사에서 6억 원의 대가를 지급하고 주식을 취득하여 소각할 경우 배우자는 주식소각으로 인해 받은 대가가 취득가액과 같아지게 되어 의제배당으로 보더라도 소득세도 과세될 여지가 없다는 것이다. 이렇게 배우자가 주식소각 대가로 받은 6억 원을 대표님이 차입하거나 증여받은 형식을 취해 그 자금으로 회사의 가지급금을 상환하는 것이다.

03 자기주식을 활용한 가지급금 상환 시 주의할 점

위와 같이 상법 규정에 따라 자기주식을 취득하거나 소각하는 방법을 활용하는 경우 세금부담을 최소화하면서 가지급금을 상환할 재원을 마련할 수 있는 유용한 방안으로 자주 제시되고 있다. 그러나, 상법 규정에 따라 자기주식을 취득하더라도 세법상 실질과세원칙을 적용하여 세금을 과세하는 것은 별개의 문제로 보아야 한다. 세금을 부과할 때 가장 기본이 되는 원칙은 실질과세이다. 따라서, 상법의 규정을 준수하였다고 해도 그 내용이 실질과 괴리가 있으면 과세관청에서는 실질대로 과세하고 있다는 점과 자기주식의 취득이 상법 규정에 위배된 것으로 확인되면 오히려 가지급금이 증가할 수도 있다는 점에 유의해야 한다.

(1) 매매거래가 부인되고 의제배당으로 과세된다

회사가 자기주식을 취득한 것이 외견상으로는 매매목적으로 이루어졌다고 하더라도 매매의 경위와 목적, 계약체결과 대금결제의 방법 등에 비추어 법인의 주식소각이나 자본감소절차로 이루어진 것인 경우에는 양도소득으로 보지 않고 배당소득으로 보아 소득세가 과세되는데 이 경우 일반적으로 양도소득세보다 많은 세금이 부과된다. 소규모 비상장 회사로서 주주들이 모두 대표이사의 친인척들로 구성되었고 설립 이래 한 번도 주주 변동이 이루어지지 않았던 원고가 전체 주식의 49.8%나 되는 이 사건 주식을 취득한 다음 1년 3개월 동안 그 처분을 위하여 상당한 노력을 하였다고 볼 만한 증거가 없고 원고와 양도주주들 사이의 주식매매계약서, 이 사건 주식 취득을 위한 임시주주총회 의사록 등에 이 사건 주식의 향후 처리에 관한 내용이 기재되어 있지 않고, 원고가 이 사건 주식을 취득하고 주식을 소각하기까지 기간이 1년 3개월로 장기이나, 그러한 사정들만으로 원고에게 이 사건 주식을 취득할 당시 주식소각 또는 자본 환급의 목적이 없었다고 단정할 수 없으며 실제로 이 사건 주식이 소각됨으로써 그만큼 자본 감소가 발생하였다[15]고 판시하여 외견상 매매거래이지만 실질에 따라 자본감소에 따른 의제배당으로 과세하도록 하였다.

(2) 배우자 간 증여가 부인되고 의제배당으로 과세된다

가지급금을 상환하기 위해 배우자에게 증여한 후 이를 회사에게 양도하는 방법으로 컨설팅하는 사례가 많은데, 이와 관련한 최근 국세청의 유사 심사청구

15) 대법원 2016두49525, 2019.6.27.

결정사례[16]를 보면 과세관청에서는 매우 실질에 입각해서 바라보고 있음을 알 수 있다. 청구인 등의 쟁점거래를 보면 1차 행위인 교차증여를 통하여 서로의 주식 각 10,000주의 취득가액을 증여재산가액인 552백만 원으로 만들고, 3개월 후 2차 행위인 발행법인에 양도를 할 때 양도차익이 발생하지 않도록 하였으며, 이후 2018.12.31. 발행법인이 청구인 등으로부터 매입한 주식 20,000주를 소각하는 3차 행위를 함으로써 의제배당이 발생하지 않도록 한 것이다. 그런데, 쟁점거래에서 1차 행위를 제거하고 2차 행위와 3차 행위를 하나의 거래로 보면 처분청의 이 건 처분과 동일한 경제적 실질과 조세부담이 발생됨을 알 수 있다. 청구인 등이 발행법인의 주식 10,000주를 교차로 증여한 1차 행위는 동일한 가치를 가진 주식을 서로 주고받은 것으로 실질적으로 청구인 등에게 증여의 이익이 발생되지 않음을 알 수 있다. 또한, 청구인 등에게 부부가 앞으로 발생할 수 있는 증여에서 공제할 수 있는 배우자공제액을 희생하면서 1차 행위를 할 합리적인 이유가 없어 보이고 청구인 등도 합리적인 이유를 제시하지 못하고 있다. 위의 내용으로 볼 때 쟁점거래는 통상적인 절세를 위한 일방의 증여가 아닌 쌍방의 증여를 통해 양도소득세나 종합소득세 등의 조세 부담을 회피할 목적으로 과세요건사실에 관하여 실질과 괴리되는 비합리적인 형식이나 외관을 취하는 경우에 해당한다고 볼 수 있다. 한편, 2차 행위가 통상적인 주식양도 거래에 해당하려면 그 거래의 결과는 법인의 자본이 감소되지 않고 소유권만 이전되어야 할 것인데, 발행법인의 2018.4.2. 이사회 회의록과 2018.4.10. 임시주주총회의 내용을 보면 발행법인이 청구인 등의 주식을 매입하고 이를 일정시기에 이익소각을 하는 안건이 가결된 사실이 확인되는 점으로 볼 때 2차 거래와 3차 거래는 당초부터 자본을 감소시킬 의도였던 하나의 거래로 보는 것이 합리적이라 할 수 있다. 따라서 청구인 등의 쟁점거래에 실질과세의 원칙을 적용하여 1차 행위가 없었다고 보고, 청구인 등의 2차 행위인 발행법인의 주식 각 10,000주를 발행법인에 양도하고 받은 대가를 양도소득이 아닌 발행법인이 주식소각 목적으로 직접 주식을

16) 심사소득2020-0001, 2020.5.6.

매입하여 소각하며 이익잉여금을 감소시킨데 따른 감자대가로 보아, 청구인 등의 1차 행위에 따른 증여재산가액이 아닌 청구인 등이 당초 발행법인에서 양도한 주식을 취득하기 위하여 사용한 금액을 차감한 금액을 의제배당(배당소득)으로 하여 종합소득세를 과세한 이 건 처분은 달리 잘못이 없는 것으로 판단된다고 판시하고 있다.

(3) 상법상 무효로 인정되면 오히려 가지급금이 늘어난다

2011년에 상법이 개정 전에는 회사의 자기주식 취득은 원칙적으로 허용이 되지 않고 일부 예외적인 경우에만 허용되었는데 설령 회사 또는 주주나 회사채권자 등에게 생길지도 모르는 중대한 손해를 회피하기 위하여 부득이한 사정이 있다고 하더라도 그 예외적인 경우에 해당되지 않는다면 자기주식의 취득은 허용되지 않았고 이에 위반하여 회사가 자기주식을 취득하는 것은 당연히 무효로 보았으며, 이러한 자기주식 취득행위가 「상법」에 위반되어 무효에 해당하는 경우 그 취득대금을 정당한 사유 없이 회수하지 않거나 회수를 지연한 때에는 업무무관가지급금에 해당된다. 상법 개정 후에는 자기주식을 취득하는 행위 자체에 제약은 없으나 자기주식을 취득하기 위해서는 여전히 회사가 갖추어야 할 요건이나 절차가 상법에 규정되어 있다. 이를 위반한 것으로 확인이 되면 과세관청에서는 이를 무효로 보아 자기주식 취득대가를 가지급금으로 판단하고 있다. 예를 들어, 상법상 주주의 균등조건에 따른 취득이 아닌 점, 배당가능이익을 재원으로 자기주식을 취득한 것이 아니라 관계회사 차입금과 마이너스통장 대출자금으로 취득한 것이므로 자기주식 취득이 무효라는 전제하에 업무무관가지급금으로 판단한 사례[17)]가 있다. 이와 같이 가지급금 상환을 위해 상법상 자기주식 취득의 방법을 활용하고자 하였으나 과세관청에서는 이러한 행위가 실질적으로 상법 규정에 위반되는지를 확인하여 자기주식의 취득대가로 지급한 금액을 가지급금으로 판단하여 과세할 수 있으니, 가지급금 상환을 위한 자기주식 취득 시에는 신중을 기해야 한다.

17) 심사법인2018-0020, 2018.10.17.

세법해석 사례 및 판례 등

- (1) 부동산 임대업을 영위하던 원고가 사업의 원천이 되는 토지의 절반 가까이를 양도하여 마련한 돈으로 구 상법(2011.4.14. 법률 제10600호로 개정되기 전의 것)상 취득이 제한되어 있는 자기주식을 같은 날 취득하면서 그 처분을 위한 어떠한 대책도 세우지 않았고, 원고가 매도한 위 토지의 매수인이 양도주주들 중 한 명인 김◇◇이 대표이사이자 최대주주로 있는 ▣▣▣ 주식회사였던 점 등에 비추어 볼 때 이 사건 주식 거래가 단순한 자산거래에 불과하였는지 의심스럽고, (2) 소규모 비상장 회사로서 주주들이 모두 대표이사의 친인척들로 구성되었고 설립 이래 한 번도 주주 변동이 이루어지지 않았던 원고가 전체 주식의 49.8%나 되는 이 사건 주식을 취득한 다음 1년 3개월 동안 그 처분을 위하여 상당한 노력을 하였다고 볼 만한 증거가 없음, (3) 원고와 양도주주들 사이의 주식매매계약서, 이 사건 주식 취득을 위한 임시주주총회 의사록 등에 이 사건 주식의 향후 처리에 관한 내용이 기재되어 있지 않고, 원고가 이 사건 주식을 취득하고 주식을 소각하기까지 기간이 1년 3개월로 장기이나, 그러한 사정들만으로 원고에게 이 사건 주식을 취득할 당시 주식소각 또는 자본 환급의 목적이 없었다고 단정할 수 없음, (4) 실제로 이 사건 주식이 소각됨으로써 그만큼 자본 감소가 발생하였음(대법원 2016두49525, 2019.6.27.).
- 대표이사가 쟁점주식을 청구법인에게 양도하고 양도대금을 대표이사에 대한 가지급금과 상계한 행위에 대해 그 대표이사에게 현금배당한 것으로 보아 청구법인에게 관련된 배당소득에 대한 법인세 원천세를 부과하였는데 이는 청구법인의 임시주주총회 이사록, 투자계약서, 주주협약서 등을 종합하여 볼 때 쟁점주식의 양도거래를 청구법인이 그 대표이사에게 현금배당한 것으로 보아 배당소득에 대한 법인세(원천분)를 부과한 이 건 처분은 잘못이 있음(조심2018중-2584, 2018.11.22.).
- 자기주식 취득행위가 「상법」 위반으로 무효에 해당하는 경우 그 취득대금을 정당한 사유 없이 회수하지 않거나 회수를 지연한 때에는 업무무관가지급금에 해당함(법인세과-389, 2012.6.15.).
- 소각목적으로 자기주식을 취득하고 지체없이 주식실효의 절차를 밟지 않은 행위가 자기주식 취득의 요건에 위반되어 무효에 해당하는 경우, 법인이 특수관계인인 주주에게 자기주식 취득대금으로 지급한 금액은 취득대금을 회수하거나 자기주식을 소각하는 날까지 업무무관가지급금으로 보는 것임(법규과-594, 2014.6.13.).

전 성 구

• (현) 남인천세무서장

경 력

• 인천지방국세청 조사2국장
• 인천지방국세청 징세송무국장
• 중부지방국세청 조사2국 조사관리과장
• 춘천세무서장
• 서울지방국세청 조사3국, 재산세국
• 국세청 감사관실, 국제조세관리관실
• 기획재정부 세제실 법인세제과
• 강남, 개포, 종로, 강서, 영등포 등 근무

학 력

• 국립세무대학(4기)
• 방송대 경영학과
• 충남고등학교